Autres ouvrages de Suze Orman

You've Earned It, Don't Lose It, New York, Norton, W. W. & Company, Inc. 1997.

Les 9 étapes vers l'autonomie financière: Guide pratique et spirituel pour éliminer vos problèmes financiers [*The 9 Steps to Financial Freedom*], Varennes, éditions AdA, 2003.

Le courage d'être riche: se créer une vie d'abondance matérielle et spirituelle [*The Courage to be Rich*], Varennes, éditions AdA, 2005.

Les lois de la finance, les leçons de la vie: conservez ce que vous avez et créez ce que vous méritez [*The Laws of Money, the Lessons of Life*], Varennes, éditions AdA, 2004.

The Money Book for the Young, Fabulous & Broke, New York, Riverhead Books, 2005.

The Road to Wealth, New York, Riverhead Books, 2003.

Suze Orman's Financial Guidebook, New York, Random House, Inc., 2006.

SUZE ORMAN

LES FEMMES & L'ARGENT

VOUS POUVEZ CONTRÔLER VOTRE DESTIN

Traduction française de Dominique Chichera

Adaptation québécoise de Hélène Marquis

LES INTOUCHABLES

Les Éditions des Intouchables bénéficient du soutien financier de la SODEC et du Programme de crédits d'impôt du gouvernement du Québec.

Nous remercions le Conseil des Arts du Canada de l'aide accordée à notre programme de publication.

Nous reconnaissons l'aide financière du gouvernement du Canada par l'entremise du Programme d'aide au développement de l'industrie de l'édition (PADIÉ) pour nos activités d'édition.

LES ÉDITIONS DES INTOUCHABLES
4701, rue Saint-Denis
Montréal, Québec
H2J 2L5
Téléphone : 514-526-0770
Télécopieur : 514-529-7780
www.lesintouchables.com

DISTRIBUTION : PROLOGUE
1650, boulevard Lionel-Bertrand
Boisbriand, Québec
J7H 1N7
Téléphone : 450-434-0306
Télécopieur : 450-434-2627

Impression : Marquis imprimeur inc.
Infographie : Geneviève Nadeau et Roxane Vaillant
Révision, correction : Carole Mills et Anne Beaulieu-Masson
Photographies de la couverture : Marc Royce
Conception de la couverture originale : Timothy Hsu

Avec l'aimable autorisation de Montréal-Contacts

Dépôt légal : 2007
Bibliothèque et Archives nationales du Québec
Bibliothèque nationale du Canada

ISBN : 978-2-89549-279-5

Ce livre est dédié à toutes les femmes d'hier, d'aujourd'hui et de demain. Puissions-nous toujours nous entraider et nous souhaiter mutuellement d'être dignes et courageuses.

SOMMAIRE

REMERCIEMENTS

Hôtel Saxon, Johannesburg, Afrique du Sud, novembre 2005. J'étais sur le point de quitter la suite de mon hôtel pour aller faire un safari avec deux de mes plus proches amies quand le téléphone a sonné. Nous nous sommes toutes demandées qui pouvait nous appeler, étant donné que presque personne ne savait que nous étions en Afrique du Sud et encore moins dans quel hôtel nous étions descendues. C'était Julie Grau, mon éditrice et rédactrice pour *Le courage d'être riche*, *The Road to Wealth*, *The Ask Suze Library Services* et *The Money Book for the Young, Fabulous & Broke*. Elle semblait un peu fébrile et me dit qu'elle avait quelque chose à m'annoncer. Après mûre réflexion, sa coéditrice, Cindy Spiegel, et elle, avaient décidé de quitter leur emploi pour diriger une nouvelle division de Doubleday Publishing Group au sein de Random House Inc. Julie tenait à m'annoncer elle-même cette nouvelle plutôt que je l'apprenne en lisant un article dans le journal ou que quelqu'un d'autre me le dise.

Même si son départ devait m'affecter, j'étais très enthousiaste. Enfin, Julie faisait un geste qui allait lui permettre de contrôler sa vie future. Pendant des années, Julie et moi avions eu de nombreuses conversations téléphoniques au sujet de l'argent.

J'avais toujours voulu qu'elle s'implique davantage dans ce domaine, qu'elle s'en préoccupe et demande plus pour elle. Mais mes efforts semblaient rester vains. Comme nombre d'autres femmes, Julie était beaucoup trop occupée à faire gagner de l'argent aux autres pour prendre le temps d'en gagner plus pour elle-même.

À chaque fois que je raccrochais le combiné, je me disais : si seulement elle pouvait réaliser à quel point elle est formidable, voir le potentiel que je vois en elle et si elle pouvait comprendre qu'elle mérite beaucoup mieux. Ce sont toutes ces choses que je voudrais que les femmes voient en elles. Mais là, je devais le reconnaître, elle avait décidé de quitter son emploi pour se valoriser. Je savais que quitter la maison d'édition qu'elle avait contribué à créer n'était pas facile pour elle. Il n'est jamais facile de quitter une situation dans laquelle nous nous sentons à l'aise et en sécurité pour aller vers l'inconnu, et ce particulièrement pour une femme. Une famille fonctionnelle est plus importante que l'argent (à ce titre, il est fascinant que ce changement soit intervenu alors que Julie était enceinte de quatre mois). C'était comme si elle ne pouvait pas entreprendre ces actions tant que personne ne dépendait d'elle, mais maintenant qu'elle fondait une famille, elle se sentait presque obligée de le faire. Mais, là encore, c'est ainsi qu'agissent les femmes, n'est-ce pas? Elles font pour les autres ce qu'elles ne font pas pour elles-mêmes.

Quand je demandai à Julie le nom de sa nouvelle division d'édition, elle me répondit qu'elle ne le savait pas encore, mais que Cindy et elle cherchaient des idées. On leur avait suggéré de l'appeler Spiegel & Grau (leurs noms de famille), mais elles avaient répondu: «Vous plaisantez? Il n'en est pas question. Il s'agit de livres et non de nous.» Une autre réponse typique des femmes, n'est-ce pas? Cependant, peu de temps après, Julie commença à avoir confiance en elle-même. Et Cindy et elle décidèrent de donner leurs noms à leur société. Julie avait franchi un pas important, comme toute femme, lorsqu'elle découvrit le pouvoir de dire son nom.

Évidemment, je décidai de suivre Julie dans sa nouvelle société et je suis fière de dire qu'elle est toujours mon éditrice. Je suis très honorée que mon ouvrage ait d'ailleurs été le premier livre publié par Spiegel & Grau. Qu'il ait pour titre *Les femmes & l'argent* et que son sujet soit reflété dans l'histoire que vous venez de lire a rendu ce fait encore plus particulier à mes yeux.

Habituellement, au début de mes livres figure une longue liste de personnes, certaines avec qui je collabore depuis des années et d'autres depuis moins longtemps, que je tiens à remercier pour tout ce qu'elles ont fait pour m'aider à devenir ce que je suis aujourd'hui. Vous vous êtes toutes reconnues et j'espère que vous ressentez qu'à ma façon, je vous remercie chaque jour. Je vous remercie aussi bien dans mes prières que dans mes activités de conférencière et d'auteure. Aussi, je vous suis reconnaissante et j'espère que vous comprendrez que cette fois, je ne veux citer le nom que d'une seule personne, Julie, qui a eu un œil quasiment sur chaque mot de ce livre, l'a édité, m'a donné de bonnes suggestions et l'a amélioré quand c'était nécessaire. Pour celles qui lisent ces pages, je veux que vous sachiez qu'il y a un peu de chacune d'entre vous en Julie. C'est une épouse, une fille, une mère, une belle-mère, une patronne, une employée, une meilleure amie, une bénévole, une tante, une nièce et une sœur, le tout en une seule personne. Elle est mariée à Adam et est fière d'être légalement la mère de son fils de dix ans, Jackson. Elle a donné naissance l'année dernière à son fils, Rian, que tout le monde appelle Bernie (allez savoir pourquoi). Tout cela, pendant l'élaboration de ce livre. J'ai observé Julie mener toutes ces activités de front avec un regard rempli d'étonnement et d'estime – devenir mère, démarrer une nouvelle entreprise, éditer mon livre, signer des contrats avec de nouveaux auteurs, embaucher des employés, aller de réunion en réunion, et même traverser la ville à toute allure pour préparer Jackson pour la fête d'Halloween, aller souper chez sa mère le vendredi soir et rentrer chez elle à temps pour allumer les bougies de sabbat. Je l'ai observée faire tout cela avec grâce, humilité, amour et compassion. Je l'ai observée représenter à la perfection la condition de chacune d'entre nous.

Aussi, ma chère Julie, pour tout cela, l'édition de ton premier livre, tes nouveaux enfants, ton nouveau travail, ta famille, tes amis, et pour avoir apporté une nouvelle signification à l'expression «se mettre en valeur», je loue tes efforts, ton incroyable générosité, ton courage, ta sagesse, ta beauté et ton amitié.

Puisse ce livre être le début d'une série de succès pour toi, mon amie, et puissions-nous toujours nous souvenir de tout ce que nous pouvons réaliser quand nous décidons de prendre notre destin en main.

Nous avons parcouru un long chemin ensemble, ma chère Julie, et j'en suis très heureuse.

Avec tout mon amour et mon estime,
Suze

Chapitre 1
RÉSERVÉ AUX FEMMES

Je n'aurais jamais pensé écrire un livre qui parle d'argent destiné uniquement aux femmes. Je n'en voyais pas la nécessité. Alors, pourquoi est-ce exactement ce que je fais dans ce huitième livre? Et pourquoi maintenant? Laissez-moi vous expliquer.

J'ai écrit tous mes livres précédents en pensant que le sexe n'était pas un facteur déterminant pour maîtriser toutes les ficelles d'une gestion financière avisée. Les femmes sont tout aussi capables d'investir, d'économiser et de gérer leurs dettes qu'un homme. Et je le crois encore – pourquoi en serait-il autrement?

Alors, imaginez ma surprise quand j'ai découvert que certaines personnes de mon entourage ne savaient pas gérer leur argent, qu'elles étaient complètement perdues et même, dans certains cas, qu'elles persistaient désespérément à ne pas faire ce qu'elles savaient devoir faire. Je parle de femmes intelligentes, compétentes et accomplies qui paraissent très confiantes et en pleine possession de leurs moyens. Êtes-vous en train de me dire que moi, Suze Orman, qui gagne ma vie en aidant des personnes qui me sont totalement étrangères à résoudre leurs problèmes financiers, je ne suis pas capable de voir les difficultés de mes proches?

Je ne crois pas être aveugle; je crois plutôt que ces femmes ont développé beaucoup d'habileté pour me cacher leurs soucis. Pourquoi pas? Elles se sont bien entraînées à se les cacher à elles-mêmes pendant des années.

J'ai été franchement choquée devant ce qui a été pour moi une véritable révélation. Tout a commencé avec une amie, une très puissante femme d'affaires, qui manipule des millions et des millions de dollars chaque année et qui refusait de signer le testament que je lui avais préparé. Je ne peux pas vous en donner la raison, mais ces papiers étaient sur son bureau depuis *trois ans*. Il est clair que des blocages l'empêchaient d'apposer sa signature sur le document pour le faire enregistrer. D'ailleurs, au moment où j'écris ces lignes, elle ne l'a toujours pas fait. Puis, une autre amie, une femme avec un impressionnant parcours professionnel, s'est laissée aller à me confier que, depuis des années, elle avait accumulé tellement de retard dans le paiement de ses factures qu'elle n'osait en parler à personne et ne savait plus comment faire pour s'en acquitter. Peu de temps après, une autre amie m'a raconté qu'elle avait enfin pris conscience que son employeur la payait beaucoup moins que tous les autres cadres de niveau comparable de son entreprise. Son département était un des plus rentables et enregistrait des profits constants, et pourtant elle continuait à accepter les maigres augmentations que son employeur lui octroyait au moment de la révision annuelle de son salaire. Et même maintenant, alors qu'elle se rendait compte qu'elle avait eu tort d'être loyale, elle hésitait à quitter cet employeur qui l'exploitait depuis des années.

Que se passait-il ?

Au cours de mes multiples investigations, j'ai découvert que beaucoup de femmes de mon entourage – amies, connaissances, lectrices de mes livres, spectatrices de mon émission télévisée – se heurtaient toutes au même obstacle : un « facteur inconnu » qui les empêchait de gérer efficacement leurs finances. Pour certaines, ce pouvait être dû à la peur de l'inconnu ; pour d'autres, ce pouvait être une façon de se rebeller face au fait d'avoir à gérer tous les autres aspects de leur vie ou encore peut-être sentaient-elles tout simplement que les choses étaient tellement hors de leur contrôle qu'elles étaient gênées de demander de l'aide et de révéler à quel point elles étaient ignorantes en la matière.

Ces dernières années, les femmes ont été entraînées dans une toute nouvelle relation avec l'argent, ce qui est totalement différent de ce qu'elles avaient connu auparavant.

Les différents rôles joués par les femmes tant à la maison qu'au travail ont radicalement changé la façon dont l'argent interfère dans leur vie. Je constate que, en même temps que les femmes ont établi ou élargi leur rôle, quand il s'agit de se déplacer parmi les diverses composantes financières de leur environnement, elles s'accrochent à de vieux schémas qui ne les mènent ni où elles veulent aller ni où elles doivent aller.

Que je sois dans une salle remplie de professionnelles ou de femmes au foyer, je constate que le problème est universel : dès qu'il s'agit de prendre des décisions financières, vous refusez de reconnaître votre force et d'agir au mieux de vos intérêts. Ce n'est pas une question d'intelligence car vous êtes parfaitement capables de comprendre ce que vous devriez faire, mais vous ne vous permettez tout simplement pas de vous occuper de votre santé financière, tout spécialement si cela interfère avec le fait de prendre soin de vos proches. Votre instinct maternel règne en maître et vous prenez soin de vos proches avant de prendre soin de vous-même.

Même si vos intentions sont bonnes, elles ne sont pas moins épuisantes pour vous.

C'est la raison pour laquelle mon huitième livre s'appelle *Les femmes & l'argent.*

Le défi est de comprendre – et d'accepter – que, pour être vraiment en contrôle de votre vie, vous devez effectuer les opérations financières qui vous conviennent. Je ne vous suggère pas ici d'oublier votre instinct maternel et de devenir narcissique. Je ne veux pas que vous abandonniez votre nature aimante et généreuse. Ce livre n'a pas pour but de vous faire grandir en devenant plus égoïste, loin de là. Je veux simplement que vous vous donniez à vous-même autant que vous donnez aux autres. En prenant soin de votre santé financière, vous aurez pleinement la possibilité de prendre soin de vos proches.

Devenir forte d'une façon durable et bénéfique ne doit jamais se faire aux dépens des autres, mais pour le bien de tous. Les femmes sont un point de repère pour leur famille et pour leur communauté – beaucoup de personnes dépendent de nous. Si vous êtes fortes et que vous savez qui vous êtes et ce que vous pouvez réaliser, vous pourrez facilement soutenir ceux que vous aimez et ceux qui ont besoin d'une main amie.

Soyez assurée qu'il n'y a aucun reproche dans ces pages. Je reconnais que le travail que l'on appelle la *vie* comporte tant de tâches qu'il est difficile, et presque impossible, que vous trouviez le temps, l'énergie ou le désir de vous attarder sur votre mauvaise façon de gérer notre argent, et encore moins de chercher la meilleure chose à faire. Vos enfants ont besoin d'être maternés, votre conjoint a besoin d'être aimé, vos parents ont besoin d'être aidés, votre carrière a besoin de toute votre énergie et vos amies ont besoin d'être écoutées. Ajoutez à cela les vêtements qu'il faut aller chercher chez le nettoyeur, l'épicerie à faire, les repas à préparer et la maison à nettoyer, et il n'est pas surprenant que ce qui doit être fait au niveau financier soit mis de côté.

Le but de ce livre est de rendre cette transformation aussi simple que possible.

Pour ce faire, je vais vous aider à comprendre pourquoi vous êtes dans cette situation, pourquoi vous ne vous affirmez pas et pourquoi le fait de décider de prendre le contrôle de vos finances est, en fait, une décision innovatrice et d'avant-garde. J'espère aussi que je pourrai vous apporter la motivation dont vous aurez besoin pour aller de l'avant, pour foncer tête baissée dans ces défis et pour devenir plus forte.

Je vais vous fournir des outils pratiques qui vous aideront à vous sentir en sécurité et à prendre le contrôle de votre vie financière d'une manière aussi rapide et indolore que possible. Dans cette perspective, j'ai élaboré un programme d'une durée de cinq mois, appelé « **Prenez le contrôle de vos finances** », destiné à vous aider à dépasser vos barrières et à vous équiper pour connaître la sécurité financière durant toute votre vie. J'ai essayé de définir les raisons pour lesquelles les autres livres n'ont pas fonctionné, pourquoi vos belles résolutions ont rapidement fondu comme neige au soleil. J'ai choisi de prendre une approche réaliste et de vous proposer une stratégie qui tienne compte de votre épuisement, de vos craintes, de votre manque de détermination et que j'ai conçue pour stimuler votre engagement, vous éduquer et – pouvez-vous le croire ? – vous inciter à vouloir faire plus. Je ne vous accablerai pas de listes interminables de corvées qui semblent insurmontables. J'ai déterminé des tâches que j'ai rendu aussi faciles à comprendre et à suivre que possible.

Mon objectif est, qu'après ces cinq mois, vous soyez capable de mesurer vos progrès et d'avoir le sentiment de fierté et de soulagement que vous ressentirez lorsque vous contrôlerez une part de votre vie qui était restée, jusqu'à présent, hors de votre portée.

Enfin, j'espère que ce livre vous accompagnera dans votre vie future, vous inspirera et vous montrera ce qu'il est possible de réaliser, non seulement pour les personnes de votre générations, mais aussi pour celles des générations futures.

Parce que, en effet, ces changements de vie représentent un legs étonnant, un cadeau pour toutes vos filles et petites-filles – celles qui embellissent déjà vos vies et celles encore à naître.

Vous savez à présent pourquoi je crois vraiment que ce livre réservé aux femmes – que je n'avais pas prévu d'écrire – est le plus important que j'aie écrit jusqu'à ce jour.

Chapitre 2
IMAGINEZ UN MONDE DE POSSIBILITÉS

Un livre ayant pour titre *Les femmes & l'argent* doit commencer par vous montrer jusqu'où les femmes se sont rendues dans le domaine financier dans les trente dernières années. Ce n'est pas seulement une histoire remarquable de progrès social, c'est aussi une façon de nous rappeler que les changements qui interviennent chaque jour, par petites touches, au niveau personnel, ajoutent à la spectaculaire évolution sociétale et culturelle.

De nos jours, les femmes constituent presque la moitié de la main-d'œuvre de notre pays. Au cours des trente dernières années, le revenu des femmes a augmenté d'une façon spectaculaire de 63 %. 49 % de la main-d'œuvre, tant au niveau professionnel que directorial, sont des femmes[1]. Leur part du revenu de la majorité des foyers américains représente la moitié ou plus – une tendance croissante qui a fait la couverture de *Newsweek* et la une de beaucoup de journaux nationaux. 40 % des entreprises des États-Unis sont dirigées par des femmes. On compte plus de femmes que jamais sur la liste des millionnaires des États-Unis, plus de femmes occupent des postes de haut niveau et plus de femmes sont présentes dans les hautes sphères gouvernementales.

Nous pouvons être fières des progrès que nous avons accomplis. Je suis ravie d'être le témoin de cette révolution. J'aimerais seulement qu'elle concerne tous les aspects de nos vies.

Maintenant, voulez-vous entendre l'autre facette de l'histoire? 90 % des femmes ayant participé en 2006 à un sondage effectué pour le compte de la société d'assurances Allianz ont reconnu qu'elles étaient inquiètes sur le plan financier. 90 %!

---

1. On peut se référer aux nombreuses études de Statistique Canada pour comparer les résultats américains présentés dans cet ouvrage à la réalité canadienne : www.statcan.ca

Dans le même sondage, presque la moitié des personnes interrogées disaient que la perspective d'être indigentes à la fin de leur vie leur avait traversé l'esprit. Un sondage dans le domaine financier mené en 2006 pour le compte de la compagnie Prudential montre que seulement 1 % des femmes interrogées se sont données un A pour évaluer leur connaissance des produits et services financiers. Deux tiers des femmes n'ont jamais parlé avec leur mari de sujets tels que l'assurance-vie et le testament. Presque 80 % des femmes disent qu'elles dépendront de l'aide sociale sur leurs vieux jours. Savez-vous que les femmes sont deux fois plus susceptibles que les hommes d'être pauvres au moment de leur retraite ?

Depuis plusieurs années, j'ai le privilège de parler chaque année à des milliers et des milliers de femmes, qu'il s'agisse de celles qui interviennent au cours de mon émission télévisée, de celles qui assistent à mes conférences et qui m'envoient des courriels sur mon site web, ou encore de mes meilleures amies et des femmes de ma famille. Donc, j'entends, je vois et je ressens vos craintes, vos angoisses et vos soucis, très souvent en première ligne, et je me suis trouvée confrontée à cette vérité qui fait mal. Malgré toutes les avancées réalisées par les femmes dans les trente ou quarante dernières années – et ce sont sans aucun doute de remarquables accomplissements – je suis étonnée de constater le peu de changement intervenu dans le rapport des femmes avec l'argent. De grandes disparités sont en jeu entre ce qu'elles savent et la façon dont elles se comportent, entre ce qu'elles pensent et ce qu'elles disent, entre leurs aptitudes démontrées et leur manque de compétence dans le domaine financier, entre la façon dont elles se présentent et la façon dont elles se sentent, entre ce qu'elles méritent et ce à quoi elles se résignent, entre leur force intérieure et le manque de force avec lequel elles agissent.

En 1980, quand j'ai été embauchée en tant que conseillère financière chez Merrill Lynch, je faisais partie des rares femmes du bureau d'Oakland, en Californie. J'étais donc, aux yeux de mon patron (un homme), la candidate idéale car je pourrais m'occuper de la clientèle féminine qui se présenterait. À cette époque, les femmes qui s'adressaient à une société de courtage pour obtenir des conseils financiers étaient celles qui avaient reçu une somme d'argent soit en héritage, soit après un divorce, ou bien étaient veuves ou encore étaient chargées de gérer l'argent de leurs parents. Je n'ai rencontré qu'en de rares occasions des femmes qui avaient gagné leur propre argent. Quelles que soient les circonstances, toutes ces femmes contactaient une société de courtage pour les mêmes raisons : elles ne voulaient pas avoir la responsabilité de gérer leur argent. J'ai toujours eu l'impression qu'elles m'embauchaient simplement pour m'occuper de leur argent à leur place.

Plus de vingt-cinq ans plus tard, l'histoire est presque toujours la même. En dépit de l'évolution de notre statut financier, je sais – et vous savez également – que les femmes ne veulent toujours pas prendre leurs responsabilités dans le domaine financier. Oui, les femmes gagnent plus d'argent que jamais, mais elles ne le font pas fructifier. Qu'est-ce que cela signifie ? L'argent de votre retraite dort sur votre compte bancaire parce que, ne sachant pas comment l'investir, vous décidez de ne rien faire. Vous êtes convaincues que vous allez travailler à tout jamais. En conséquence, vous accordez moins de valeur à votre salaire puisque vous savez que vous allez continuer à en recevoir un. Votre garde-robe est celle d'une femme de caractère et élégante, mais le secret est que vos cartes de crédit ont atteint leur limite d'utilisation et vous ne savez pas comment vous allez vous libérer de ces dettes. Cependant, le problème ne réside pas seulement dans le fait d'économiser et d'investir. Il consiste également à ne pas demander d'augmentation à votre patron quand vous savez que vous êtes sous-payée ; il réside encore dans la crainte et la répugnance que vous ressentez quand il s'agit de payer chaque mois les factures parce que vous ne connaissez pas exactement la somme d'argent dont vous disposez ; le problème, c'est aussi de savoir où part tout votre argent et pourquoi il n'en reste plus quand tout est payé. C'est encore le fait que vous vous blâmiez constamment de ne pas en faire plus... ou encore de vous résigner à ce sentiment d'impuissance et au désespoir alors que le temps s'écoule.

À mon avis, ce problème est important, omniprésent et universel. Il touche les personnes de tous âges, de toutes races et de tous niveaux de revenus. Qui peut nier le fait qu'il existe des barrières fondamentales qui empêchent les femmes d'être aussi fortes qu'elles devraient l'être ? Pas moi. Je serais la première à vous dire que tout ce que vous devez savoir pour assurer votre avenir financier, pour vous éduquer, pour rendre votre vie plus agréable, tout est là pour répondre à votre demande. Mais, vous ne demandez pas ; vous ne voulez pas savoir.

Je retrouve ce déni fondamental et cette résistance en chaque femme, quelle que soit son activité, sa façon de vivre ou son âge. Je vous vois littéralement dilapider votre argent plutôt que de vous en servir. Je vois des femmes au foyer qui travaillent vingt-quatre heures sur vingt-quatre et qui, pourtant, abandonnent le pouvoir et le contrôle à leur conjoint sous prétexte que ce n'est pas elles qui gagnent l'argent. Je vois des professionnelles célibataires qui refusent de se concentrer sur ce qu'elles doivent faire aujourd'hui pour assurer leur sécurité financière de demain. Je vois des femmes qui se marient pour une deuxième fois en oubliant de protéger les biens qu'elles possédaient avant leur remariage et qui se sentent gênées de parler d'argent avec leur nouveau mari. Je vois des femmes divorcées de tous âges qui paniquent quand elles sont confrontées à la réalité, c'est-à-dire qu'elles ne savent absolument rien au sujet de l'argent : que faire quand elles reçoivent leur part du patrimoine et si elles vont pouvoir maintenir leur train de vie après le divorce. Et, le plus triste : j'entends des femmes âgées user de mots tels que « démunie » et « inutile » pour parler d'elles-mêmes. Ces femmes éprouvent beaucoup de regrets lorsqu'elles pensent à la façon dont elles ont mené leur vie sur le plan financier.

Alors, pourquoi faites-vous cela ? Pourquoi organisez-vous volontairement votre suicide financier, tout en affichant un grand sourire ?

Permettez-moi de le présenter d'une autre façon. Demandez-vous plutôt ceci : **comment se fait-il que des femmes, si compétentes dans d'autres sphères de leur vie, ne démontrent-elles pas les mêmes aptitudes quand il s'agit d'argent ?**

Cette question, je me la suis posée et je l'ai posée aux autres, encore et encore. Bien sûr, je n'ai pas obtenu de réponse. Après avoir beaucoup réfléchi, voilà la conclusion à laquelle je suis arrivée : la relation des femmes avec l'argent est clairement un problème complexe qui a beaucoup à voir avec notre histoire et nos traditions, à la fois sociétales et familiales. Ces difficultés profondément ancrées sont d'importants obstacles qu'il faut surmonter, d'importants événements dont il faut changer le cours, et cela ne se fait pas en une nuit.

Il faut des générations pour que des changements de cette ampleur soient perceptibles dans notre comportement quotidien. Je vais avec vous analyser ces difficultés plus en profondeur dans les prochains chapitres, car elles sont à la base du problème. Mais nous devrons le faire au niveau comportemental, également, car les traits de votre nature profonde affectent clairement votre rapport à l'argent.

Prenez le fait suivant en considération : on s'accorde en général à penser que l'instinct maternel est inné chez la femme. Nous donnons beaucoup de nous-même, nous prenons soin de notre famille, de nos amis, de nos collègues. Le maternage fait partie intégrante de notre nature. Alors, pourquoi ne nous occupons-nous pas de notre argent ? Pourquoi ne voulons-nous pas en prendre soin comme de nos conjoints, de nos enfants, de nos animaux de compagnie, de nos plantes, et de tout ce que nous aimons et chérissons ?

J'aimerais que vous réfléchissiez à cette question afin de découvrir ce qui est en œuvre et ce qui nous tire en arrière. Alors, je vais la poser encore une fois : **comment se fait-il que nous n'accordions pas à notre argent le même soin et la même attention que nous le faisons avec toute relation importante dans notre vie ?**

Parce que nous n'avons pas de relation avec l'argent. Ou plutôt, nous avons une relation avec notre argent, mais elle est complètement dysfonctionnelle.

Permettez-moi de vous expliquer la raison pour laquelle je tiens de tels propos.

Hors de tout doute, je vois des femmes qui refusent toute relation avec leur argent à moins d'y être obligées, à cause de la naissance des enfants, d'un divorce ou d'un décès par exemple. En d'autres termes, vous ne vous intéressez pas à votre argent à moins que vous ne vous trouviez dans une situation extrême et que vous n'ayez pas d'autre choix. Sinon, vous n'usez pas de votre instinct maternel pour prendre soin de votre argent, et par extension de vous-même. Vous ne pouvez même pas reconnaître le fait que **votre argent est vraiment une extension de vous-même.** Au contraire, vous persistez dans votre relation dysfonctionnelle ; vous ne vous occupez pas de votre argent, vous niez ses besoins, vous en avez peur, peur d'échouer, peur qu'il dévoile vos défauts, ce qui entraîne un sentiment de honte. Que faites-vous de tous ces sentiments inconfortables ? Vous les éludez, vous les repoussez, vous les évitez. Il devient alors plus facile d'ignorer les problèmes liés à l'argent. Et plus vous choisissez de l'ignorer, plus la situation s'aggrave. Vous avez même de plus en plus peur, avec le temps qui passe, qu'il soit trop tard pour apprendre, trop tard pour même essayer. Alors, vous abandonnez. Qui apprécie une relation d'échec ? Personne. Mieux vaut ne pas avoir de relation que de vivre un échec…

Mais l'argent n'est pas quelque chose que vous pouvez éliminer de votre vie. Vous en avez besoin pour vivre.

Alors, mettons cette théorie de côté et posez-vous la question suivante : pour devenir compétentes et avoir du succès dans le domaine financier, pour devenir les femmes responsables que vous savez pouvoir être, que vous faut-il ?

Vous devez entretenir une relation saine et honnête avec l'argent. Et vous devez voir cette relation comme le reflet de votre relation avec vous-même.

Je ne peux pas être plus claire : la façon dont vous vous comportez vis-à-vis de l'argent traduit la façon dont vous vous percevez. Si vous n'êtes pas fortes dans le domaine financier, vous ne sserez pas fortes du tout. Ce qui est intéressant ici n'est pas seulement l'argent, c'est beaucoup plus. C'est la perception de celle que vous êtes et de ce que vous méritez.

Pour être consciente de sa propre valeur de façon durable, il faut tout d'abord posséder une saine et haute estime de soi. Et pour le moment, le manque de connexion et votre relation dysfonctionnelle avec l'argent vous empêchent de vous réaliser. Dès que vous comprendrez cela et le considé-rerez comme une vérité absolue, vous comprendrez aussi que votre destin dépend de la santé de votre relation avec l'argent. Êtes-vous vraiment prête à parier cela sur un coup de dé ou sentez-vous plutôt que vous avez l'habileté, la détermination et le pouvoir de faire fonctionner cette relation, aussi sûre-ment que vous savez materner et prendre soin des personnes que vous aimez ?

Comment réparer cette relation?

De la même façon que vous le feriez avec n'importe quelle autre relation: en reconnaissant vos erreurs, en prenant vos responsabilités et en étant résolue à agir de façon à apporter des changements bénéfiques. Dans le cas du rapport entre vous et l'argent, cela signifie entreprendre d'importantes modifications dans le but de vous sentir plus forte et en sécurité. Si vous témoignez aujourd'hui à l'argent le respect qu'il mérite dans toutes vos actions, un jour, quand vous ne pourrez plus prendre soin de lui, c'est lui qui prendra soin de vous. Respecter votre relation avec l'argent, c'est non seulement la clé de votre sécurité et de votre indépendance, mais aussi de votre bonheur.

Parlons maintenant du bonheur.

Il s'avère que **rien n'affecte plus directement votre bonheur que l'argent.**

Oh, je sais, cette notion terrifie et peut-être même offense certaines d'entre vous. *Suze, comment pouvez-vous?* Le bonheur dépend de toutes ces choses que l'argent ne peut pas acheter, santé, amour, respect, n'est-ce pas? Absolument d'accord, toutes ces choses sont essentielles pour mener une vie heureuse. Toutes ont déterminé ce que vous êtes, mais pas ce que vous avez.

Le genre de bonheur auquel je fais allusion est la qualité de votre vie, la capacité d'apprécier la vie pour la vivre pleinement. Et je vous mets toutes au défi de me dire que toutes ces choses ne sont pas des facteurs essentiels à votre bonheur en général.

Attardons-nous sur ce concept un moment. Oui, je sais que votre santé et la santé des êtres que vous aimez vous tiennent à cœur, mais expliquez-moi ce qui arriverait si, Dieu me pardonne, l'un de vos proches tombait malade. Ne voudriez-vous pas avoir assez d'argent pour pouvoir lui donner les meilleurs soins? Ne seriez-vous pas heureuse d'avoir une bonne santé financière? Et n'est-ce pas grâce à l'argent que vous avez un toit au-dessus de votre tête? N'est-ce pas l'argent qui vous permet de déménager pour aller dans un quartier où existe un bon système scolaire public? N'est-ce pas l'argent qui vous permet de ne pas attendre d'être très âgée pour prendre votre retraite ou de quitter votre travail pour retourner aux études et entreprendre une nouvelle carrière?

Alors, comment se fait-il que nous soyons si réticentes à intégrer ce concept selon lequel l'argent est un facteur déterminant de notre bonheur? Comment se fait-il que, dans un récent sondage appelé «Le vrai bonheur», pas une seule question ou réponse ne contenait le mot «argent»? Ce qui m'ennuie le plus, c'est que je crois que c'est un mensonge de ne pas reconnaître que l'argent a le pouvoir de rendre notre vie meilleure et remplie de bonheur. Ce n'est pas un sujet que l'on aborde dans la bonne société? Est-ce ainsi que vous avez été élevée? Eh bien! Je suis ici pour vous dire que ce n'est pas seulement un problème de sémantique. Je crois que cette «conspiration du silence» est une raison de plus qui explique pourquoi tant de femmes ont si peu de connaissances dans le domaine financier. J'ai toujours dit qu'il fallait employer les mots avec prudence car ils peuvent entraîner des actions. Le contraire est aussi vrai: le silence mène à l'inaction. Nous ne parlons pas d'argent avec nos amis, nos parents, nos enfants, et voilà où commencent nos soucis. Comment pouvons-nous élever nos enfants et nous instruire, si nous ne parlons pas franchement et librement de l'argent? Pourquoi agissons-nous si imprudemment avec notre argent? Agirions-nous ainsi si nous étions convaincues que notre bonheur en dépend? Permettez-moi de le dire d'une autre façon: si nous persistons à nier la place qu'occupe l'argent dans nos vies, si nous ne lui donnons pas le respect qu'il mérite plus que certainement, nous ne pourrons connaître que le malheur.

Ce que vous devez absolument croire et comprendre, c'est que chacune d'entre vous a déjà plus qu'il ne le faut pour prendre en main son avenir financier. Je vous demande maintenant de mettre à profit votre grande intelligence et les compétences qui vous ont déjà tant servi dans bien d'autres aspects de votre vie et de les appliquer à vos finances. Chaque personne qui possède les qualités nécessaires pour gérer un ménage, une entreprise, le département d'une société, organiser du covoiturage ou courir un marathon est bien équipée pour prendre son avenir financier en main. Chaque femme qui aime et soutient son conjoint, chaque mère, sœur, fille, meilleure amie, gardienne, tante, grand-mère ou collègue a les habiletés nécessaires pour forger une solide relation avec son argent et pour faire le genre de choix financiers qui pourra l'aider plutôt que de lui nuire. **C'est pourquoi prendre le contrôle de son avenir financier, c'est aussi savoir ce qu'il faut faire et ce qu'il ne faut pas faire, et avoir la conviction et la confiance nécessaires pour le faire. Il ne s'agit pas de se contenter d'y penser ou de repousser votre action à la semaine prochaine ou au mois prochain, il faut vraiment le faire, et maintenant.**

Commencez par vous faire cette promesse et je vous aiderai. Imaginez ce qu'ensemble, nous sommes capables de faire.

Imaginez: recevoir chaque mois votre relevé de carte de crédit et savoir que vous pouvez le payer.

Imaginez: savoir que vous avez fait tout ce qu'il faut pour pouvoir prendre soin de votre famille si une situation imprévue se présentait.

Imaginez: continuer votre relation de couple uniquement par amour et non parce que vous ne sauriez comment vous en sortir financièrement si vous étiez seule.

Imaginez: vous aimer assez pour choisir un partenaire que vous n'auriez pas besoin de secourir.

Imaginez: posséder votre maison dès maintenant. Plus d'hypothèque. Plus personne pour vous la prendre.

Imaginez: savoir que vous pourrez profiter d'une retraite confortable.

Imaginez: élever des enfants à qui vous apprendrez qu'il est plus sage de vivre selon ses moyens que de n'exercer aucun contrôle sur ses finances.

Imaginez: savoir que vous avez aidé vos parents à bien vivre jusqu'à la fin de leurs jours, sans peur et dans la tranquillité.

Le bénéfice de votre engagement s'étend bien au-delà du domaine des finances. Avoir une bonne santé financière vous permet d'avoir de meilleures relations avec tous vos proches, car tout est lié. Une femme confiante et rassurée sur le plan financier est une femme plus heureuse. Et une femme plus heureuse sera plus à même de prendre soin des personnes de son entourage.

Tout cela est possible.

La prospérité dans votre propre vie : un exercice

Mon amie, Allee Willis, compose des chansons à succès. Sa vie entière est basée sur la créativité, comme nous en rêvons toutes – son travail est sa passion et sa passion est son travail. Toute sa vie tourne autour de la créativité et elle trouve son inspiration dans chaque instant de la journée. Elle vous dira que tout ce qui l'entoure, jusqu'au moindre de ses stylos, est conçu pour faire jaillir son inspiration et éveiller ses sens. Elle a une approche holistique de la vie. Et pourtant, il existe un secteur qu'elle perçoit comme séparé et étranger à sa vie : ses finances. Nous avons beaucoup correspondu ces dernières années. Un récent succès de Broadway, *La couleur pourpre*, l'a obligée à examiner ses avoirs et, Dieu merci, à aller de l'avant.

«Financièrement, je suis dans une impasse, m'a-t-elle écrit l'année dernière. J'ai toujours pensé que ma réticence à m'occuper de mon argent était basée sur la peur, mais je réalise que je ne peux faire que ce que mon cœur me dicte, et c'est très difficile à réaliser si mon cerveau n'est pas impliqué lui aussi.

Si je comprends bien, il faudrait que la gestion financière me passionne pour que je cesse de considérer ce domaine comme ne faisant pas partie de ma vie. Dès que j'aime quelque chose, cela devient une partie intégrante de ma vie et il est alors facile pour moi d'être active, intéressée et enthousiaste dans ce domaine.»

Je lui répondis alors durement, mais avec amour, en

lui faisant remarquer qu'elle s'intéressait à des projets jusqu'à ce qu'ils remportent du succès, puis qu'elle encaissait son salaire et dilapidait ses revenus pour des choses qui ne sont pas indispensables, pour des vacances et pour les autres, en voulant aider le monde entier juste parce qu'elle le pouvait, qu'il était temps qu'elle élimine tout ça de sa vie et qu'elle se concentre sur les choses qui lui apporteraient la sécurité à long terme. Je lui avais dit tout cela pour son bien, mais elle se renfrogna.

Allee me reprocha de ne pas comprendre ce qu'être riche signifiait et de ne pas être assez sensible aux épreuves des âmes créatrices comme elle. Elle prit la défense de l'environnement qu'elle s'était créé, disant qu'il l'enrichissait visuellement, esthétiquement et spirituellement, ce qui est absolument nécessaire à l'épanouissement d'un artiste.

« Chaque personne a sa propre définition de la richesse, écrivit-elle. L'élément essentiel de ta vie est peut-être la sécurité financière, mais, pour moi, c'est la liberté de création et d'expression. Si tu peux expérimenter la vie sous toutes ses formes et sentir que tu ne fais qu'un avec elle, alors tu es la personne la plus riche du monde. Et quand on est en harmonie avec ceci et quand on connaît la valeur des choses matérielles pour créer cet environnement, les puissances créatrices sont en alerte à tout moment. Je sais – la sécurité financière rend tout ceci meilleur. Je possède au moins cinq exemplaires de ton livres *Les 9 étapes vers l'autonomie financière,* que j'ai achetés à chaque fois parce que j'étais lasse de me sentir frustrée, gênée et anxieuse de ne pas avoir la maîtrise de ma vie financière. Dans un sursaut de « Je peux le faire », j'ai lu le livre, mais les étapes décrites dans le livre étaient vraiment trop difficiles à franchir. Il faudrait que tu t'adresses à moi en intégrant ma façon de fonctionner. J'aimerais que tu comprennes l'avantage d'incorporer ma philosophie à la tienne. »

J'ai pris ses termes en considération à chaque étape de mon travail d'écriture, car elle exprimait la mission de ce livre: qu'une personne connaissant bien le domaine financier incite les lectrices à passer à l'action.

Une semaine plus tard, j'ai reçu un courriel étonnant d'Allee.

«La semaine dernière, juste après t'avoir envoyé mon courriel, j'ai fait un grand pas, m'écrivit-elle. (Elle avait transféré son argent sur un compte avec un meilleur taux d'intérêt. Elle avait versé un gros montant sur son prêt hypothécaire. Elle avait eu une longue conversation avec son comptable.) En lisant tes livres et en y réfléchissant intensément, j'ai tout compris dans les moindres détails, et finalement, j'ai décidé de bouger! Mais, c'est surtout ce message où je t'expliquais ce que signifiait pour moi être riche qui m'a encouragée à bouger. Une meilleure gestion de mes finances me permettra de continuer de mener la vie que je mène et que j'aime par-dessus tout.»

Le cas d'Allee est unique et elle a, sans aucun doute, beaucoup de chance. Cependant, j'ai voulu vous raconter son histoire et son cheminement, car j'ai été très surprise et fascinée de découvrir ce qui l'a poussée à agir. L'analyse de ce qui avait le plus de valeur pour elle a été le moteur le plus puissant. J'aimerais que vous vous réserviez un moment de calme et que vous preniez le temps de réfléchir à ce que signifie pour vous une vie prospère. Penchez-vous sur tout ce qui fait votre bonheur dans votre vie présente et demandez-vous comment vous pourriez le vivre plus pleinement. Demandez-vous ce qui est important dans votre vie. Je suis certaine qu'en lisant ces lignes, à un moment ou à un autre, vous trouverez votre motivation personnelle pour apprendre et agir, et accomplir la destinée que je vous demande d'oser imaginer pour vous-même.

Chapitre 3
SANS HONTE, SANS REPROCHES

Pour bâtir une relation saine avec votre argent, je vais vous demander d'abandonner certaines attitudes pour toujours. Tout d'abord, deux des plus gros poids que les femmes portent sur leurs épaules, les obstacles indissociables et invisibles de votre passé : le fardeau de la honte et la tendance à vous faire des reproches.

Vous n'avez pas confiance en vos connaissances du monde de l'argent, alors vous vous réfugiez dans la honte que vous ressentez et, soit vous laissez les autres prendre les décisions à votre place, soit vous vous enfermez dans l'inaction. Vous vous drapez dans ce sentiment de honte plutôt que d'admettre votre ignorance en la matière – après tout, n'êtes-vous pas une femme d'action ! Vous devez remplir plusieurs rôles à la fois – mère, conjointe, fille dévouée, amie compréhensive et aidante, bénévole scolaire, initiatrice de projets à la maison et au travail. Il reste peu de place pour combattre l'incertitude dans ce portrait ! Peu de temps pour apprendre – qui en a le temps ? Nous sommes toutes tellement occupées. De plus, vous vous dites que vous auriez probablement dû apprendre cela, il y a bien longtemps. À quel moment les autres l'ont-ils appris et non vous ? Hum, vous étiez sans doute absente ce jour-là... À ce point, il est tout simplement gênant d'avouer à quel point vous êtes ignorante.

Quand ce sentiment de honte va-t-il cesser ? Jusqu'où cette tendance à vous culpabiliser va-t-elle vous mener ? *Ce n'est pas de ma faute, me direz-vous ! : a) la société b) mes parents c) mon conjoint/ex-conjoint d) tous à la fois... m'ont empêché d'avancer !* Où étaient les modèles ? Personne ne m'a appris, personne ne m'a montré comment faire ; prendre des décisions dans le domaine financier a toujours été inné chez moi. À présent, je ne veux pas minimiser ces facteurs ou me moquer de vous. Ces plaintes sont très légitimes. Des traditions de longue date, tant dans la société que dans le cercle familial, n'ont pas facilité l'accès pour les femmes à l'enseignement dans le secteur financier dont elles avaient besoin pour être capables de gérer leurs propres affaires. Encore aujourd'hui, personne ne vous le proposera et c'est à vous d'aller chercher les ressources dont vous avez besoin. Je suis toujours étonnée de voir qu'une personne peut passer douze ans à l'école, quatre au collège, et d'autres années encore à l'université, sans qu'il lui soit jamais demandé de suivre un cours sur les finances personnelles.

Mais permettez-moi de vous poser une question : où vont vous mener tous ces reproches ? La réponse est : nulle part. **Vous faire des reproches vous rend plus fragile.** Vous devez arrêter de vous blâmer pour devenir ce que vous devez être. Et que fait la honte pour vous ? **La honte ne fait que vous empêcher d'avancer.** Avec ce livre, il s'agit de regarder devant, pas derrière. Il est intéressant de commencer par comprendre comment vous en êtes arrivée là, mais la prochaine étape doit contenir une détermination à avancer vers un futur totalement différent, vers un avenir qui vous appartient. Je veux que vous utilisiez votre passé pour vous propulser dans l'avenir, plutôt que de rester dans le regret de ce qui n'existe plus.

Facile à dire, Suze. Est-ce là ce que vous pensez ? Vous demandez-vous ce que je peux savoir de votre situation ? Après tout, je suis riche ! J'ai tout ce dont j'ai besoin, tout ce que je veux. Vous avez raison, je suis riche. Mais, ça n'a pas toujours été le cas. Pensez-vous que j'ai grandi dans une famille aisée qui a pu m'offrir une éducation fabuleuse ? Pensez-vous que j'ai eu mon MBA dans quelque université prestigieuse ? Rien ne peut être plus éloigné de la vérité. Peut-être pensez-vous que j'ai épousé un homme riche ? Pas du tout ! En fait, je ne me suis jamais mariée (c'est peut-être pour cela que j'ai de l'argent aujourd'hui !).

Laissez-moi vous expliquer d'où je viens et comment je suis arrivée où je suis – vous comprendrez ainsi qu'aucune excuse, aucun scrupule ni aucun reproche ne peuvent vous retenir et vous empêcher de devenir ce que vous devez être et d'obtenir tout ce que vous méritez.

L'histoire de Suze

Quand j'étais petite, je souffrais d'un défaut d'élocution. Je ne pouvais pas prononcer correctement les *r*, les *s* et les *t*. Encore aujourd'hui, si vous écoutez attentivement quand je parle, vous pouvez le remarquer et certains mots sont déformés lorsque je les prononce. Bien sûr, comme je ne parlais pas correctement, je ne lisais pas très bien. Pendant les cours de grammaire de mon école située dans le quartier sud de Chicago, je devais passer des examens de lecture, et j'avais toujours une des plus mauvaises notes de la classe. Une année, un professeur décida que les élèves se placeraient en fonction de leurs notes en lecture. Mes trois meilleures amies étaient aux trois premières places de la première rangée, tandis que j'étais reléguée à la dernière place de la sixième rangée. J'avais toujours eu la sensation d'être une idiote, et maintenant tout le monde pouvait le constater. En parlant de se sentir honteuse…

Le sentiment que je ne pourrais jamais réussir à l'école a continué de me hanter pendant mes années au collège et à l'université. Je savais que je ne m'améliorerai jamais, alors pourquoi me donner du mal? Cependant, c'était un fait établi, dans ma famille comme dans celle de mes amies, que nous devions toutes aller à l'université. Dans mon cas, je savais qu'il allait falloir que je paye mes études moi-même car mes parents connaissaient des difficultés financières. Les seules options qui s'offraient à moi étaient le secteur communautaire ou le secteur public. J'ai décidé de poser ma candidature à l'Université de l'Illinois à Urbana-Champaign et, à ma grande surprise, j'ai été admise, même si je n'avais pas très bien réussi mon examen d'admission (SAT). À mon arrivée, j'ai rencontré un conseiller d'orientation qui m'a demandé dans quel domaine je voulais étudier. Je lui ai répondu que je voulais devenir neurochirurgienne.

Il regarda mon dossier scolaire et me dit:

«Je ne crois pas que vous ayez des résultats suffisants. Pourquoi ne pas essayer quelque chose de moins difficile?»

J'ai fait des recherches et me suis rendue compte que le domaine le moins difficile des études de premier cycle était le travail social. J'ai donc choisi cette filière. Pourquoi ne pas choisir la facilité? Pourquoi essayer quelque chose de plus difficile?

Durant ma première année à l'Université de l'Illinois, je vivais dans une résidence de l'avenue Florida, chambre 222, et je faisais la plonge au foyer universitaire sept jours sur sept pour payer les frais. Au cours de la deuxième année, je partageais un appartement d'une chambre à l'extérieur du campus avec deux amies que j'avais rencontrées au foyer, Carole Morgan et Judy Jacklin. Judy avait un petit ami, John Belushi, qui était très drôle, et tous les quatre, nous nous sommes bien amusés pendant les trois autres années. (Oui, c'était bien le John Belushi qui est devenu célèbre en participant à l'émission *Saturday Night Live*. Judy et John se sont mariés et le reste fait partie de l'histoire, mais ce sera le thème d'un autre livre.)

J'aurais dû obtenir mon diplôme en 1973, mais tout fut retardé parce que je n'avais pas atteint le niveau exigé en langue. Une fois de plus, la honte m'empêchait d'avancer. Si j'avais des problèmes avec l'anglais, qu'est-ce qui me laissait croire que je pourrais apprendre une langue étrangère? Je décidai d'abandonner mes études sans diplôme. Je voulais visiter l'Amérique. Je voulais voir à quoi ressemble une colline... une montagne... le Grand Canyon!

J'empruntai 1 500 $ à mon frère pour acheter une camionnette Ford Econoline, puis, aidée de mon amie Mary Corlin (qui est toujours ma grande amie à ce jour), je l'aménageai pour pouvoir y dormir pendant cette traversée du pays. Je réussis à convaincre trois amies – Laurie, Sherry et Vicky – de m'accompagner car j'avais bien trop peur d'entreprendre ce voyage seule. Avec 300 $ en poche et une camionnette à mon nom, nous étions prêtes à visiter l'Amérique. Sherry et Vicky s'arrêtèrent à Los Angeles, mais Laurie et moi poursuivîmes jusqu'à Berkeley en Californie. Nous traversions les collines, le jour de notre arrivée, quand nous fûmes contraintes de nous arrêter, car un homme brandissant un drapeau rouge arrêtait la circulation pour permettre la circulation d'arbres qui venaient d'être coupés. Cette année-là, une gelée avait décimé de nombreux eucalyptus sur les collines de Berkeley.

Je sortis de la camionnette pour voir ce qui se passait et allai demander à l'homme au drapeau rouge s'ils avaient besoin d'aide. Il me fit rencontrer le patron et, avant de nous en rendre compte, Laurie et moi obtenions notre premier travail chez Coley Tree Service pour 3,50 $ de l'heure. Nous avons travaillé à faire du débroussaillage pendant deux mois. Nous vivions dans la camionnette et allions prendre des douches chez un ami qui habitait tout près.

Quand fut venu le temps de partir, je posai ma candidature pour un emploi de serveuse dans un joli petit restaurant où nous avions l'habitude d'aller boire un café, le *Buttercup Bakery*. À mon grand bonheur, je décrochai l'emploi. Pendant que je travaillais là, la honte que je ressentais de n'avoir pas terminé mes études me poussa à prendre des cours d'espagnol à l'Université de Californie situé à Hayward. Finalement, en 1976, j'obtins mon diplôme de l'Université de l'Illinois. Je détenais officiellement un diplôme universitaire et j'étais serveuse. Je suis restée au *Buttercup Bakery*, où je gagnais environ 400 $ par mois, jusqu'en 1980. J'avais alors vingt-neuf ans. (Laissez-moi faire le calcul à votre place. Oui, c'est vrai, j'ai cinquante-six ans.)

Après six années passées à être serveuse, j'ai pensé que je pouvais faire mieux. Je voulais avoir mon propre restaurant. J'appelai mes parents et leur demandai de me prêter 20 000 $. Ma mère me répondit : « Chérie, qu'espérais-tu ? Nous n'avons pas assez d'argent pour cela. » J'aurais mieux fait de ne rien demander, car je savais que mes parents n'avaient pas les moyens de m'aider. Les parents ne désirent rien de plus au monde que de pouvoir aider leur enfant à réaliser son rêve ; je savais que ma mère aurait fait n'importe quoi pour m'aider, mais elle ne le pouvait pas et je m'en suis beaucoup voulue.

Le lendemain, au travail, un homme que je servais depuis six ans, Fred Hasbrook, remarqua que je n'avais pas le même entrain que d'habitude.

– Qu'y a-t-il, mon rayon de soleil ? Ça n'a pas l'air d'aller, me dit-il.

Je lui racontai que j'avais demandé à mes parents de me prêter 20 000 $. Il avala son petit-déjeuner, puis conversa avec quelques-uns des autres habitués de l'établissement.

Avant de quitter le restaurant, il vint au comptoir et me tendit un chèque personnel de 2 000 $ ainsi que plusieurs autres chèques et engagements, d'un montant total de 50 000 $, accompagnés d'une note qui disait : « CECI EST POUR VOUS, POUR QUE VOUS PUISSIEZ RÉALISER VOTRE RÊVE.

REMBOURSABLE DANS DIX ANS, SI VOUS LE POUVEZ, SANS INTÉRÊT.» Je n'en croyais pas mes yeux.

– Je dois vous poser une question, dis-je à Fred. Ces chèques vont-ils être sans provision comme ceux que je fais?

– Non, Suze, me répondit-il. Je veux que vous déposiez cet argent sur un compte de marché monétaire chez Merrill Lynch jusqu'à ce que vous ayez assez d'argent pour ouvrir votre restaurant.

– Fred, dis-je, qui est Merrill Lynch et qu'est-ce qu'un compte de marché monétaire?

Après une brève explication, je me rendis au bureau d'Oakland de la compagnie Merrill Lynch pour déposer l'argent. Je rencontrai le courtier de service, celui qui reçoit tous les clients qui se présentent. Il s'appelait Randy. Je lui racontai la façon dont j'avais obtenu l'argent que je venais déposer et lui expliquai qu'il devait absolument faire des placements sûrs, car je ne pouvais pas courir le risque de perdre cet argent. Je lui racontai que je gagnais 400 $ par mois comme serveuse et qu'il me fallait faire des économies pour pouvoir ouvrir mon propre restaurant. Il me regarda et me répondit:

– Suze, aimeriez-vous gagner rapidement 100 $ par semaine?

– Évidemment, lui répondis-je, c'est à peu près ce que je gagne comme serveuse.

– Il vous suffit de signer sur la ligne pointillée et nous verrons ce que nous pouvons faire, ajouta-t-il.

Je fis ce qu'il me demandait, sans penser qu'il était stupide et dangereux de signer des formulaires non remplis. Randy travaillait chez Merrill Lynch après tout et Fred avait dit que c'était une bonne adresse pour faire des affaires.

(Avant d'aller plus loin, je tiens à dire que ceci n'est pas un commentaire sur Merrill Lynch. Merrill Lynch est une excellente firme de courtage, honnête et intègre, mais le responsable de la succursale d'Oakland avait embauché quelqu'un qui ne correspondait pas à leurs standards. Si vous avez un compte chez Merrill Lynch ou désirez en ouvrir un, n'hésitez pas; cette mauvaise graine est partie depuis longtemps.)

Après mon départ, Randy a rempli les papiers que j'avais signés de façon à faire croire que je pouvais me permettre de prendre des risques avec l'argent que j'avais déposé sur mon compte chez Merrill Lynch. Il m'a entraînée dans une des stratégies d'investissement les plus spéculatives – l'achat de titres. Au début, à mon grand étonnement, les profits étaient substantiels. Je trouvai l'emplacement idéal pour ouvrir mon restaurant et fis dessiner les plans par un architecte. Mon rêve était à portée de main. D'autres personnes me firent confiance et me prêtèrent de l'argent. Tout allait pour le mieux – jusqu'à ce que les marchés boursiers s'effondrent. En l'espace de trois mois, j'ai perdu tout l'argent qui se trouvait sur mon compte. Absolument tout. Je ne savais plus que faire. Je savais que je devais une grosse somme d'argent et je savais que je ne pouvais pas la rembourser. Je ne gagnais toujours que 400 $ par mois !

Pendant tout ce temps, j'avais suivi de près tout ce que faisait Randy et j'avais essayé d'en apprendre le plus possible. Je regardais l'émission *Wall Street Week* sur la chaîne PBS tous les vendredis soirs, je lisais *Barron's* et le *Wall Street Journal*. Je collais les pages affichant les prix des actions et des titres sur les murs de ma chambre. Lorsque tout l'argent a disparu, je me suis dit : *Si Randy peut être courtier, je peux l'être aussi. Après tout, on dirait que n'importe qui peut devenir courtier !* Je revêtis mon plus beau pantalon Sassoon à rayures rouges et blanches, glissai le bas des jambes dans mes bottes de cow-boy blanches et enfilai un chemisier de soie bleu. Je pensais avoir une belle allure ! C'est ce que pensaient également mes amis du *Buttercup Bakery*, qui me souhaitèrent bonne chance pour mon entrevue d'embauche pour un poste de courtier en bourse au bureau même qui m'avait fait perdre tout mon argent.

Cinq hommes assistèrent à l'entrevue d'embauche, et tous me demandèrent pourquoi je portais cette tenue. Je leur répondis que j'ignorais que je ne devais pas me vêtir ainsi. Ce n'était pas comme s'il y avait beaucoup de femmes dans la profession dont j'aurais pu m'inspirer. Avant que je puisse m'en rendre compte, j'étais assise devant le directeur de la succursale, qui parut aussi surpris que les autres personnes qui m'avaient fait passer l'entrevue. Pendant notre entretien, il me dit qu'à son avis, les femmes devraient se contenter de rester à la maison et de faire des bébés. Constatant que je n'avais rien à perdre, je lui demandai combien il me paierait pour être enceinte.

Il répondit « 1 500 dollars par mois » et, à mon grand étonnement, il m'embaucha, tout en me disant cependant qu'il pensait que je ne serais plus là dans six mois. Depuis ce jour, je suis convaincue que je dois ce poste uniquement au fait qu'il avait un quota d'employées de sexe féminin à atteindre. Avant de quitter les bureaux, on me tendit un livre qui expliquait comment se vêtir pour réussir. Je pris le livre et me rendis sur-le-champ chez Macy's, ouvris un compte et dépensai 3 000 $ pour acheter des vêtements.

Je n'ai jamais eu aussi peur de ma vie que le premier jour de travail. Je savais que je n'appartenais pas à ce milieu. Tous les courtiers conduisaient des voitures luxueuses – Mercedes, BMW et Jaguar; je possédais un *break* Volvo de 1967 que j'avais acheté lorsque j'avais vendu la camionnette. Ils garaient leurs voitures au parc de stationnement; pendant les six premiers mois, je garais ma voiture dans la rue, car je ne pouvais pas me permettre de payer le parc de stationnement. Je savais que j'aurais certainement des amendes et que je devrais me rendre au tribunal pour demander de les transformer en travaux communautaires. Les autres courtiers allaient manger dans des restaurants à la mode après la clôture des marchés; je prenais ma voiture et mangeais seule chez Taco Bell chaque jour que Dieu faisait. Cependant, je me sentais privilégiée et chanceuse et, même si j'étais terrifiée, j'étais tout excitée. J'apprenais tous les jours de nouvelles expressions et de nouveaux concepts – un monde nouveau s'ouvrait à moi. Alors que j'étudiais pour passer mon examen Series 7[2], un examen que tous les courtiers doivent passer pour avoir le droit de vendre des actions, je lus une règle qui statuait qu'un courtier devait connaître son ou ses clients, ce qui signifie qu'un courtier ne doit pas investir l'argent d'un client dans des placements spéculatifs ou à risques si celui-ci ne peut pas se permettre de le perdre. J'avais bien dit à Randy que je ne pouvais pas me permettre de perdre mon argent, que je faisais des économies pour ouvrir ma propre affaire, que tout cet argent m'avait été prêté. Je réalisai que Randy avait brisé cette règle.

Je me rendis dans le bureau du directeur et l'informai qu'il y avait un escroc dans son équipe. Il me répondit que j'étais une diplômée universitaire et que j'aurais dû savoir ce que je faisais quand j'avais signé ces papiers. Puis, il ajouta que cet escroc réalisait un excellent chiffre d'affaires. Il me dit de

---

2. Cet examen, exigé aux États-Unis, correspond aux examens exigés par l'Autorité des marchés financiers pour obtenir un permis de courtier en valeurs mobilières.

m'asseoir, de me taire et de continuer à étudier. Je retournai à mon bureau. Je me souvins que, quand j'avais été embauchée, le directeur m'avait dit que ça ne durerait pas plus de six mois.

Cela faisait tout juste trois mois. Qu'avais-je à perdre? Ce qui m'était arrivé n'était pas juste. J'avais le temps de rembourser cet argent – j'étais encore jeune – mais que serait-il arrivé si Randy avait fait la même chose à ma mère, à ma grand-mère ou à quelqu'un d'autre? Ma conscience ne me laissait pas en paix. Je devais faire quelque chose, car je savais qu'il est préférable de faire ce qui est juste plutôt que ce qui est facile.

Je finis par poursuivre en justice la société Merrill Lynch, alors que c'était mon employeur. Je réalise aujourd'hui, contrairement à l'époque, que, puisque je les poursuivais en justice, je ne pouvais pas être licenciée. Qui l'aurait cru? Les mois passaient et la cause suivait son cours. Pendant ce temps, je devins l'un des meilleurs courtiers du bureau. Avant que la poursuite ne soit entendue en cour, Merrill me proposa un arrangement. Ils me reversèrent tout mon argent avec des intérêts, ce qui me permit de rembourser toutes les personnes qui m'avaient prêté de l'argent.

Chaque fois que je raconte cette histoire, les gens veulent savoir ce qui est arrivé à Fred. Au moment où je remboursais l'argent emprunté, je fus étonnée de ne pas entendre parler de lui. De temps en temps, je lui écrivais, lui téléphonais et lui laissais un message, mais je n'avais toujours aucune nouvelle. Puis, en mai 1984, Fred m'envoya la lettre ci-dessous. Il avait eu une attaque cardiaque et c'est la raison pour laquelle je n'avais pas entendu parler de lui pendant tout ce temps.

« Chère Suze,

Je n'avais pas l'intention de rester si longtemps sans vous écrire un mot de remerciement pour le remboursement du prêt que je vous avais fait du temps du *Buttercup*. Cependant, il semble que j'aie plus de difficultés à m'exprimer qu'auparavant. Le chèque est arrivé à un moment critique dans mes affaires et je vous en suis reconnaissant.

Ce prêt représente un de mes meilleurs investissements. Qui aurait pu investir dans une serveuse avec des yeux bleus de porcelaine et une personnalité à un million de dollars et voir cet investissement mûrir et devenir une excellente femme d'affaires avec toujours des yeux bleus de porcelaine et une personnalité à un million de dollars? Combien d'investisseurs peuvent-ils se vanter d'avoir eu une telle opportunité?

Je m'efforce de remettre mes affaires sur pied de façon à ce que nous puissions gagner encore de l'argent ensemble. En attendant, j'aimerais continuer à être votre ami, qui vous souhaite tout le meilleur, peu importe le chemin que vous suivrez dans le futur.

Affectueusement,

Fred Hasbrook »

Fred est décédé il y a quelques années. Je n'oublierai jamais l'homme qui a cru en moi, qui m'a aidé à surmonter ma honte et qui a réécrit l'histoire de ma vie.

Réécrire l'histoire de votre vie

Je ne vous ai pas raconté l'histoire de ma vie pour vous impressionner, mais pour vous inspirer. J'aimerais que vous compreniez que ce n'est pas seulement votre niveau d'éducation ou ce que la vie vous a donné qui détermine ce que vous pouvez devenir. Il s'agit plutôt de la façon dont vous écrivez votre propre histoire, de la façon dont vous vivez votre vie.

De nombreux exemples dans l'histoire et dans toutes les cultures montrent combien les femmes ont été déshéritées et privées de leurs droits civiques. Il n'est donc pas étonnant, de nos jours, de les voir se débattre avec leur argent. C'est une notion qui leur est totalement étrangère. À travers les âges, ce sont toujours les hommes qui ont géré l'argent du ménage. Si vous faisiez un graphique représentant l'évolution des femmes dans le temps, de mère au foyer à femme active, notre nouveau rôle de génératrice de revenus ne représenterait qu'un simple point. C'est aussi récent que ça.

Et pourtant, les femmes ont parcouru un long chemin et se sont intégrées sur le marché du travail en très peu de temps depuis le début du mouvement de libération de la femme. Vous souvenez-vous des statistiques que je vous ai présentées au chapitre précédent? Qui aurait pu prédire un changement aussi drastique et rapide, dans un si court laps de temps? Dans le milieu professionnel, nous avons bousculé des traditions vieilles de cent – et peut-être mille – ans.

Alors, comment se fait-il que nous n'ayons pas suivi la même évolution dans le domaine de nos finances personnelles? À mon avis, ceci a beaucoup à voir avec le fait que, même si le monde extérieur est en pleine mutation, les rôles traditionnels perdurent au sein de la cellule familiale. Selon la tradition, ce sont les hommes qui gèrent les finances. Regardez autour de vous. De nombreuses femmes d'affaires talentueuses ont probablement eu des mères qui avaient abandonné à leur conjoint leur rôle dans les décisions majeures du domaine financier comme leurs mères et leurs grands-mères avant elles. L'histoire se répète.

Pour en revenir à mon défi d'utiliser le passé pour se propulser dans l'avenir – de réécrire l'histoire de sa vie –, je vous demande maintenant de vous percevoir comme un agent de changement dans votre vie personnelle. Ce changement est nécessaire et urgent, compte tenu du monde dans lequel nous vivons aujourd'hui. Considérez ces réalités dans notre vie au XXIᵉ siècle :

• Les régimes gouvernementaux comme la Sécurité de la vieillesse et le Régime des rentes du Québec va combler une partie encore plus faible des besoins de revenus des retraités dans les décennies à venir, ce qui signifie que vous allez devoir compter plus sur vous-même pour assurer votre retraite, beaucoup plus que n'ont eu à le faire vos parents et vos grands-parents.

• Avec un taux de divorce avoisinant les 41 %, de nombreuses femmes, à un moment ou l'autre de leur vie, seront entièrement responsables de la gestion de leur argent. Ceci est aussi vrai pour un large segment de la population féminine qui se marie plus tard ou ne se marie pas du tout. Et, bien sûr, ceci concerne également le nombre croissant de mères célibataires.

• Même dans les couples qui fonctionnent, l'argent est plus que jamais un problème, tout spécialement dans les foyers où la mère ne travaille pas – faire vivre toute une famille avec un seul revenu est un défi de taille de nos jours. Je peux vous assurer que pour que ça marche, je parle du couple et non des finances, les deux partenaires doivent se concerter pour prendre les décisions sur le plan financier. Autrement, la discorde s'installe à cause de l'argent.

• Les femmes vivent en moyenne six ans de plus que les hommes, donc, selon les statistiques, à un moment ou à un autre de votre vie, la gestion des finances de votre foyer reposera sur vos épaules, et sur les vôtres seulement.

• Nous vivrons certainement plus longtemps que nos parents et nos grands-parents. Dans le même temps, nos parents, eux aussi, vivent plus longtemps. C'est en soi une bonne nouvelle, mais cela engendre de nouvelles responsabilités. Vos parents peuvent très bien avoir besoin de votre aide financière pour maintenir leur qualité de vie en vieillissant ou pour payer les frais médicaux dont ils pourraient avoir besoin.

Vous comprenez le concept. Vous n'êtes plus dans le monde de vos grands-parents. Vous êtes des pionnières.

Pour le bien de toutes les mères qui ont vécu avant vous et de toutes les filles qui viendront après, je vous demande d'oublier le passé et d'être mieux armées de connaissance et de confiance, pour affronter l'avenir. Pour cela, il vous faut laisser derrière vous les anciens comportements, les vieilles excuses et les alibis éculés pour devenir aussi compétentes dans le domaine des finances personnelles que vous l'êtes dans n'importe quel autre secteur de votre vie. Si on vous demande de vous décrire sans utiliser votre profession ni les mots, mère, grand-mère ou fille, je veux vous entendre dire : « Je suis autonome, je me sens en sécurité et je contrôle mon avenir financier. »

Ne vous cachez plus derrière des excuses. Se cacher est trop facile. Plus de honte ni de reproches. Il est trop facile de permettre à la honte que vous éprouvez de vous empêcher d'avancer. Il est trop facile de blâmer les autres plutôt que de prendre vos propres responsabilités. Je vous demande aujourd'hui de faire ce qu'il faut, pas ce qui est facile.

Vous pouvez le faire, mesdames.

Chapitre 4
VOUS N'ÊTES PAS EN SOLDE !

Je suis bien consciente qu'aucun changement ne peut intervenir en une nuit, tout spécialement quand il s'agit de changer des traits et des habitudes qui, avec les années, sont devenus parties intégrantes de votre caractère. Le but de ce chapitre est donc de décrire quelques formes particulièrement dommageables d'autosabotage, non dans l'intention de vous mettre mal à l'aise – souvenez-vous qu'il n'y a pas de place pour la honte ou les reproches dans ce livre –, mais pour vous convaincre de l'importance de modifier votre attitude.

L'attitude à laquelle je fais référence est la tendance des femmes à se dévaloriser. Vous pensez que je généralise ? Je ne le pense pas. Je dois vous dire que je vois si souvent ces traits et leurs horribles effets secondaires en action que j'ai l'impression qu'il s'agit d'une véritable épidémie. Tant de femmes, aussi bien professionnelles que femmes au foyer, se considèrent elles-mêmes, ainsi que leurs services et leurs habiletés, de moindre valeur.

J'ai toujours dit que, si vous dévalorisez ce que vous faites, le monde dévalorisera ce que vous êtes. Et tant que vous le ferez, les autres aussi le feront. Mon expérience me prouve que, malheureusement, les femmes sont les artisanes de leur propre malheur.

Ne vous diminuez pas

Il me semble que le gros problème réside dans le fait que les femmes se considèrent comme un produit dont le prix est fixé par les autres. Cela signifie que les femmes doivent prendre du recul et regarder de quelle façon leur valeur est appréciée. Dites-moi si l'un des scénarios suivants vous semble familier :

• Votre patron vous annonce que votre augmentation sera de 3 % par an, alors que vous savez que les affaires sont florissantes, que votre division est très rentable et que vous méritez au moins le double de ce que vous recevez. Malgré tout, vous ne dites rien. Vous ne pouvez vous résoudre à demander une augmentation qui respecte vos résultats et votre valeur pour la compagnie.

• Vous êtes à la tête de votre propre entreprise prospère. Vos clients apprécient votre travail et ils vous envoient un grand nombre de nouveaux clients. Mais, même si vos coûts d'opération ont augmenté de 10 % au cours des trois dernières années, vous n'avez toujours pas augmenté vos tarifs, par peur de perdre des clients. Alors, plutôt que de facturer plus cher, vous prenez plus de travail pour générer plus de revenus. Vous vous tuez à la tâche parce que vous ne semblez pas valoriser ce que vous faites, même si tout le monde vous dit que vous faites un excellent travail.

• Vous êtes une femme au foyer. Votre conjoint travaille beaucoup et rapporte à la maison un salaire décent. Il vous donne de l'argent chaque semaine pour subvenir aux besoins du ménage, mais après avoir couvert tous les frais, il ne reste rien pour vous acheter quelque chose. Comme vous ne travaillez pas, vous ne pensez pas être en droit de lui demander un peu plus d'argent. Quand vous avez vraiment besoin de quelque chose, vous le lui faites savoir et, à ce jour, vous êtes heureuse d'échapper à l'inévitable tension et humiliation d'avoir eu à le lui demander.

• Vous êtes massothérapeute, manucure ou coiffeuse. Vous excellez dans votre domaine et vous gagnez bien votre vie. Pourtant, chaque fois qu'une amie ou une associée vous suggère d'échanger vos services et de travailler « gratuitement », vous acceptez. Vous ne voulez pas vraiment échanger des services – en fait, vous ne voulez pas vraiment les services que vous recevrez en échange –, mais vous acceptez quand même par crainte d'offenser l'autre personne. Les échanges de services ne paient pas le loyer ou la facture de votre carte de crédit, mais pour une obscure raison, vous ne savez pas refuser.

• Vous occupez un emploi à temps plein et vous avez une famille qui réclame toute votre attention, cependant, quand l'association des parents d'élèves vous demande de l'aider à organiser la vente aux enchères de l'école, vous acceptez. Ses membres savent qu'ils peuvent compter sur vous car, chaque fois que l'on vous propose des activités bénévoles, vous acceptez. Les femmes aiment faire du bénévolat, n'est-ce pas ? Ça fait partie intégrante de leur personnalité.

Vous retrouvez-vous quelque part ? Avez-vous compris ? Vous vous considérez comme un produit en solde. Vous êtes si réticentes à mettre une réelle valeur sur ce que vous faites que vous dévalorisez ce que vous êtes. Et, comme je l'ai déjà dit, cela crée un cercle vicieux : si vous dévalorisez ce que vous faites, inévitablement, vous et ceux qui vous entourent dévaloriseront ce que vous êtes.

Quand je demande à des travailleuses autonomes pourquoi elles refusent d'augmenter leurs tarifs, elles me répondent qu'elles craignent de faire passer leurs besoins en priorité. Quand je me demande pourquoi une employée loyale et productive ne réclame pas une augmentation de salaire significative, il me semble évident qu'elle a l'intention de jouer le rôle de petit soldat au travail. Quand je vois une mère au foyer qui agit comme si le salaire de son conjoint était à lui et non pas à eux deux, je vois une femme qui n'apprécie pas le travail que représente la tenue d'une maison et l'éducation des enfants à sa juste valeur.

Vous devez vous retirer de l'étagère « Soldes ». Dès que vous apprendrez à respecter votre droit à être considérée à votre juste valeur, vous découvrirez qu'il est facile et naturel de demander aux personnes de votre entourage de respecter cette valeur. Vous décidez de votre valeur et le monde doit l'accepter. Si vous traversez la vie en pensant que vous valez « plus que » plutôt que « moins que », l'abondance viendra à vous. Personne n'a jamais atteint l'autonomie financière en étant faible ou craintif. La confiance est contagieuse et elle apportera du « plus » dans votre vie.

Il est également important de reconnaître que votre temps a de la valeur. Je vois trop souvent des femmes qui acceptent de donner de leur temps, sans estimer le coût de cette décision. Si vous deviez calculer le prix de votre temps, il vous faudrait prendre en compte les facteurs affectif et financier auxquels vous renoncez. Le facteur financier est évident : êtes-vous compensée équitablement pour votre temps ? Le facteur affectif est tout ce que votre réponse positive implique. Trop souvent, ces deux mesures sont négligées quand on vous demande de faire du bénévolat, ce qui mène à...

Le syndrome du bénévolat

Inévitablement, lorsque je participe à une conférence ou à une réunion pour femmes, une animatrice fait ressortir que le bénévolat est très important pour les femmes. Avec toujours le même message : « il est de notre devoir de donner à la société et de montrer l'exemple à nos enfants ». À chaque fois, les auditrices opinent de la tête en signe d'acquiescement. Maintenant, voilà ce que je trouve fascinant : je n'ai jamais entendu un homme faire ressortir ce point. Les hommes parlent de pouvoir et de succès et de la façon dont l'argent peut engendrer plus de pouvoir. Les hommes n'ont pas de problème avec ce concept. Les femmes sont si mal à l'aise à l'idée de devenir fortes et de connaître la réussite, qu'elles doivent enrober chaque discussion sur ce sujet d'un voile douillet de bénévolat. Pourquoi cela ? Ce n'est pas un commentaire sur les hommes, mais une simple comparaison. Une fois de plus, c'est la raison pour laquelle vous devez vous détourner de votre passé et aller de l'avant.

Les hommes font-ils du bénévolat ? Bien sûr, mais pas de la même façon. Les hommes siègent à des conseils d'administration, organisent des enchères scolaires, servent d'accompagnateurs pendant les sorties scolaires. En général, les femmes ont tendance à s'investir dans ce qui demande plus de travail et dans les rôles secondaires qui prennent beaucoup de temps. Il s'avère également qu'il y a plus de bénévoles féminines. Un récent sondage américain montre que 33 % des femmes font du bénévolat contre 25 % des hommes. Si ce n'est pas inscrit dans notre ADN, cela résulte certainement du rôle traditionnel dévolu aux femmes dans le passé. Les hommes quittaient le foyer pour aller travailler, tandis que les femmes restaient à la maison et contribuaient au bien-être de la communauté. Les hommes donnent de l'argent, tandis que les femmes, n'ayant pas d'argent à elle, donnent de leur temps. Regardez votre propre vie et dites-moi si tout cela est encore vrai. Je souhaite que ce ne le soit pas, ce qui signifierait qu'un ajustement des attentes, au niveau collectif, est en cours.

Je voudrais maintenant être très claire. Je ne suis pas en train de vous dire que chaque minute de chaque jour doit être «comptabilisée» ou que vous ne devez jamais faire de bénévolat. C'est tellement loin de mon message, vous n'en avez pas idée. Devenir forte et autonome ne signifie pas devenir égoïste. Mais, pour ce faire, il vous faut examiner votre comportement et voir où vous pouvez être en déséquilibre. Et quand vous décidez de donner votre temps et vos efforts, soyez consciente de la valeur de ce que vous allez offrir.

Le piège des échanges de services

Pouvez-vous me dire pourquoi tant de travailleuses autonomes ont du mal à facturer leurs services? À la minute même où une amie, une associée ou même une totale étrangère leur suggère de faire un échange de services, elles acceptent. Encore une fois, ce n'est pas une mauvaise chose en soi, mais seulement si vous pouvez vous le permettre. Si vous avez besoin d'argent pour payer le loyer ou en verser dans votre cotisation à vos REÉR, pourquoi acceptez-vous d'échanger deux heures de vos services de consultation contre une heure d'expertise en relations publiques?

L'argent n'est pas sale. Vouloir de l'argent et en avoir besoin n'est pas mal. Quand votre relation avec l'argent est saine, vous comprenez sa valeur et son importance pour bâtir la sécurité que vous recherchez pour vous et votre famille. Ne donnez pas votre temps et vos services et ne faites pas d'échanges à moins d'être certaine d'avoir l'argent nécessaire pour prendre soin de vous-même. L'argent d'abord, l'échange de services ensuite; voilà la clé d'un comportement juste et d'une relation équilibrée.

Cependant, si vous décidez d'échanger vos services, je veux que vous soyez sûre que le marché est bien équilibré. Si votre temps vaut 100 $ de l'heure, puisque c'est ce que vous facturez à vos clients alors que l'amie qui vous demande cet échange ne facture son temps que 50 $ de l'heure, cet échange n'est pas équitable. Vous vous êtes une fois de plus dévalorisée puisque vous acceptez un échange à la moitié de votre tarif horaire. Si vous le faites en toute conscience pour aider votre amie, c'est acceptable, mais, je le redis, seulement si vous pouvez vous permettre financièrement de lui faire ce cadeau. Si vous donnez une heure de votre temps chaque semaine à 50 $, cela équivaut à 200 $ par mois que vous n'encaisserez pas. Si votre facture de carte de crédit est importante, ce sont 200 $ que vous donnez à quelqu'un plutôt que de rembourser une partie de vos dettes. Alors, ne me dites surtout pas que vous n'avez pas assez d'argent à investir dans votre REÉR : vous venez de perdre 200 $. D'autre part, si vous investissiez ces 200 $ par mois dans votre REÉR pendant les vingt prochaines années, ils fructifieraient jusqu'à atteindre la somme de 118 000 $, en présumant que le taux d'intérêt est à 8 %.

Cela vous ouvre les yeux, n'est-ce pas ? Alors, par pitié, soyez toujours consciente du coût des marchés que vous acceptez. Si vous pouvez véritablement vous le permettre, c'est parfait, mais, de grâce, ne prenez pas l'habitude de toujours dire oui ou de toujours accepter les termes suggérés par l'autre partie. Si vous dévalorisez ce que vous faites, le monde dévalorisera ce que vous êtes. C'est tout l'opposé de devenir forte pour contrôler son destin.

Combien vaut ce que vous aimez faire

Il existe une catégorie de professionnelles que nous n'avons pas incluses dans cette discussion : artistes, auteures, activistes et autres, qui ont choisi leur profession, non pour le salaire, mais parce que leur travail les satisfait et enrichit leur âme. J'espère que celles d'entre vous qui font partie de cette catégorie réalisent chaque jour qu'elles ne sont pas à brader, qu'elle font ce qu'elles aiment et à quel point nous leur en sommes toutes reconnaissantes.

Augmentez vos attentes

Compte tenu de ce que je fais pour vivre, les femmes me dévoilent librement leur situation financière. J'adore écouter et j'essaye toujours de leur donner des conseils quand elles me le demandent et, en retour, je ne cesse d'apprendre comment les femmes pensent et se sentent sur le plan financier. Vous voulez savoir ce que je remarque à chaque fois ? Des femmes trop craintives pour demander d'être payées à leur juste valeur, qu'il s'agisse de femmes au foyer ou de professionnelles qui gèrent des budgets de plusieurs millions de dollars et ne reçoivent pourtant que de faibles augmentations de salaire, depuis la massothérapeute à l'esthéticienne qui n'osent pas augmenter leurs tarifs. Cette condition est universelle et c'est un secret bien gardé des femmes, trop gênées pour en parler à leurs amies les plus proches. Heureusement, elles me font facilement leurs confessions.

Voici une autre histoire : je connais une massothérapeute si fabuleuse qu'elle est très sollicitée. Elle me confiait récemment qu'une femme qui s'était blessée au dos l'avait contactée. Elle annonça à la femme que son tarif était de 80 $ de l'heure. La femme, trouvant ce tarif trop élevé, lui dit qu'elle ne voulait pas payer plus de 60 $. Savez-vous ce qu'a fait mon amie ? Elle a baissé son tarif à 70 $ de l'heure. Tout en acceptant, de mauvaise grâce, la femme lui fait remarquer que c'est toujours trop élevé et prend un rendez-vous. Le jour venu, alors que mon amie était en route pour se rendre chez sa cliente, son téléphone cellulaire sonne. C'était la cliente qui annulait le rendez-vous.

À présent, réfléchissez bien. On aurait tendance à blâmer la cliente pour avoir osé annuler son rendez-vous au dernier moment, pour être si radine, etc. Mais il n'en est rien, c'est la massothérapeute qui est à l'origine de cette situation, et c'est ce que je lui ai dit. Elle avait bradé ses services. En acceptant de baisser son tarif horaire, elle avait encouragé la femme à marchander. Que se serait-il passé si mon amie avait eu le courage de dire : « Écoutez, en réalité, je vaux plus que 80 $. Donc, je maintiens ce tarif, c'est à prendre ou à laisser. » Et si la femme n'avait pas accepté ? Elle aurait pu avoir à la place une cliente désireuse de payer le plein tarif et elle se serait épargné le déplacement pour se rendre chez la femme. Ou, mieux encore, la cliente aurait respecté sa détermination, aurait accepté et aurait maintenu son rendez-vous. Elle aurait apprécié les bienfaits de son traitement et, non seulement elle aurait pris d'autres rendez-vous, mais elle aurait dit à toutes les personnes de son entourage qu'elle connaissait une excellente massothérapeute.

Je peux comprendre que les gens veuillent marchander. Il n'y a pas de mal à ça, mais vous offrir comme une marchandise en solde est une autre affaire. C'est vous qui le faites à vous-même, et personne d'autre. Dans une telle situation, vous n'êtes pas victime des circonstances, c'est vous qui êtes à l'origine de la situation. Vous avez le choix d'être forte ou faible. N'oubliez pas que ce choix vous appartient toujours.

Voici une autre histoire: une amie qui travaille dans une entreprise très importante m'a téléphoné pour me dire qu'elle avait été approchée par une société concurrente qui lui offrait pratiquement la même fonction qu'elle remplissait depuis des années, mais pour un salaire presque deux fois supérieur. Elle était furieuse. Elle venait de réaliser que son salaire était bien loin des standards de l'industrie et que sa patronne l'exploitait depuis des années. «Voilà comment tu es récompensée de ta loyauté», se plaignit-elle.

Voici le conseil que je lui donnai: «Va voir ta patronne et fais-lui savoir qu'il est temps de réviser ta rémunération», tout en lui recommandant cependant d'attendre d'être plus calme et de prendre conscience qu'elle était responsable de la situation.

Elle avait permis à son employeur de l'exploiter pendant tout ce temps.

– N'avais-tu vraiment aucune idée du fait que tu aurais dû gagner beaucoup plus?

Elle réfléchit pendant un moment, puis répondit:

– Je pense qu'une partie de moi le savait, mais je pensais que nous formions une équipe. Je ne pouvais pas m'imaginer que cette femme, que je respectais et pour qui je faisais un bon travail, pourrait ne pas me récompenser autant qu'elle le pouvait. Je la croyais quand elle me disait qu'il fallait se serrer la ceinture.

– Et pourtant tu savais que ton département faisait d'énormes profits, n'est-ce pas? demandais-je.

Elle réalisa qu'elle donnait l'impression d'être naïve. Pourtant, elle devait prendre conscience de sa propre responsabilité.

– Va la trouver et dis-lui: «Je réalise que je me suis permise d'accepter un salaire non équitable par le passé, mais à présent, j'aimerais corriger la situation et avoir une rémunération qui reflète à la fois les standards de l'industrie et la rentabilité de mon département», lui dis-je.

La leçon à tirer est que vous ne devez pas présumer du fait que si vous faites un bon travail vous serez correctement récompensée pour vos efforts. Certaines d'entre vous ont peut-être connu un employeur toujours prompt à vous donner les augmentations de salaire qui reflétaient vos efforts et votre valeur pour la compagnie, mais ce n'est vraiment pas habituel, et c'est même très rare. Dans ce domaine, les femmes ont des leçons à tirer des hommes. Les hommes aiment négocier; ils veulent négocier. Il faut quelquefois provoquer et faire bouger les choses? Eh bien, un homme fait ce qui doit être fait.

Beaucoup de femmes se sentent angoissées à l'idée de devoir négocier leur salaire. Des recherches montrent que les femmes sont 2,5 fois plus susceptibles que les hommes d'avouer que le fait de devoir négocier leur crée une grande appréhension. Dans une étude, les hommes ont comparé le fait de négocier à *gagner un match* tandis que les femmes ont employé la métaphore *aller chez le dentiste*. Hum, un match à gagner versus une expérience douloureuse… Vu sous cet angle, la différence peut coûter cher aux femmes. Dans le livre *Women don't Ask: Negotiation and the Gender Divide,* les auteures Linda Babcock et Sara Laschever estiment que le fait de ne pas vouloir négocier le salaire de votre premier emploi peut finir par vous empêcher de réaliser des économies estimées à 500 000 $ au cours de votre vie. Et il apparaît que les hommes sont quatre fois plus susceptibles de négocier.

Dans un autre livre *Get Paid What You're Worth,* deux professionnelles de niveau universitaire estiment qu'une femme qui négocie activement sa rémunération durant toute la durée de sa carrière peut potentiellement gagner un million de dollars de plus que si elle se contente de ce que son patron veut bien lui donner. C'est donc très clair : si vous ne demandez pas, vous n'obtenez pas, en général, ce que vous méritez.

Voici des façons de vérifier si vous vous sous-estimez au niveau de votre salaire :

• **Soyez proactive.** L'étape la plus importante est de reconnaître que vous devez prendre l'initiative. Pour obtenir plus, il faut demander plus. Si vous ne recevez pas ce que vous méritez, vous ne devez pas en jeter le blâme sur quelqu'un d'autre ou sur une situation extérieure. Il est de votre responsabilité de vous mettre en valeur et de faire en sorte que cette valeur soit reconnue. Ceci s'applique aussi bien aux employés, de grandes ou de petites sociétés, qu'aux artistes ou aux mères au foyer.

• **Soyez impatiente.** Vous ne devez pas rester assise à attendre que votre patron vienne vous annoncer qu'il a décidé de vous donner une promotion et d'augmenter votre salaire. Adoptez cette attitude et vous pourriez attendre très long-temps. Je ne suis pas non plus en train de vous recommander de réclamer une augmentation alors que vous n'occupez ce poste que depuis six mois. Soyez réaliste. Mais si vous rem-plissez cette fonction depuis un certain temps – disons deux ans ou plus – sans avoir eu d'augmentation, il est temps de passer à l'action.

• **Soyez bien préparée.** Dites à votre patron que vous voudriez le rencontrer pour parler de votre salaire. Avant cette entrevue, vous devez lui remettre un résumé d'une page de vos réalisations. Pas dix pages, une page. L'idée est que vous établissiez en termes clairs la valeur que vous avez apportée à la compagnie et pourquoi il est maintenant temps que la compagnie vous montre qu'elle apprécie vos efforts. Les mots qui ne devraient jamais sortir de votre bouche sont: «Je mérite une augmentation parce que je n'en ai pas eu depuis deux ans.» Si j'étais votre patron, cette raison ne serait pas suffisante. Mais si vous me prouviez que vous avez atteint et même dépassé vos objectifs, alors vous capteriez toute mon attention. Le fait de valoriser ce que vous faites provoque une belle réaction en chaîne. Vous aurez alors la confiance néces-saire pour présenter votre situation et il sera difficile pour votre patron de ne pas estimer votre travail à sa juste valeur.

• **Celles d'entre vous qui sont travailleuses autonomes doivent bien sûr suivre une dynamique différente.** Vous ne demandez pas d'augmentation à votre patron; vous deman-dez une augmentation à vos clients. Cela semble perturber profondément les femmes; vous préféreriez prendre une douche glacée plutôt que de négocier de nouveaux tarifs avec vos clients. Ne vous excusez pas d'augmenter vos tarifs. Ne demandez pas frileusement. Vous devez simplement donner vos nouveaux tarifs à vos clients. Vous êtes une femme d'affaires – mettez l'accent sur les affaires. Ceci est une décision d'affaires que vous communiquez à vos clients. Ils ne sont pas obligés de payer ce tarif et ils peuvent toujours chercher d'autres options. Mais si vous excellez dans votre domaine et savez mettre en valeur votre talent, ils ne vous quitteront pas. S'ils le font, sachez que vous êtes capables de trouver des nouveaux clients qui accepteront de vous payer le tarif que vous méritez.

Bon, supposons que vous demandiez une augmentation et que votre patron vous réponde d'un air triste :

– J'aimerais beaucoup pouvoir faire plus pour vous, mais j'ai les mains liées. Je ne peux pas faire plus que de vous donner une augmentation de 3 % cette année, car je dois suivre la politique salariale de l'entreprise.

Votre patron compte sur votre gentillesse et espère que vous comprendrez qu'il n'a pas d'enveloppe pour cela, que peut-être « l'année prochaine » tout ira mieux.

Allez-vous sortir sans avoir rien obtenu ? C'est ce que vous faites d'habitude, n'est-ce pas ? La femme a besoin de se sentir appréciée, d'être reconnue pour son esprit d'équipe et votre réticence à intervenir pour obtenir ce qui vous revient vous amène à accepter ce que votre patron veut bien vous donner.

La générosité est une voie à double sens. Si en étant généreuse (en esprit, en patience) envers votre patron, vous n'êtes pas généreuse envers vous-même, alors vous n'agissez pas comme une femme forte. Donc, même si votre patron essaye de vous mettre mal à l'aise, je veux que vous restiez très droite dans votre siège et que vous poursuiviez la conversation. Si vous savez que la compagnie rencontre des ennuis financiers, vous devez bien sûr en tenir compte. Mais si la compagnie est florissante et si vous avez contribué à sa bonne santé, alors vous ne devez pas partir les mains vides. Demandez que votre situation soit révisée dans six mois et quel montant d'augmentation vous pouvez espérer recevoir à ce moment-là. Faites écrire que vous aurez une autre entrevue pour réviser votre salaire dans six mois – pas un an, six mois. Pour l'instant, si vous ne pouvez pas avoir d'augmentation, négociez plus de jours de vacances. Vous devez obtenir quelque chose de valeur car vous n'êtes pas gratuite.

Je dois vous dire que si votre patron continue à ne vous donner que de faibles augmentations et de nouvelles excuses, vous devrez quitter cet emploi. Je sais que changer d'emploi ne se fait ni facilement ni rapidement, mais si vous travaillez pour un employeur qui n'accorde pas de valeur à ce que vous faites, vous devez aller travailler pour quelqu'un qui saura vous estimer à votre juste valeur. Quand vous vous valorisez suffisamment pour ne pas accepter une mauvaise situation, vous êtes forte et cette force vous motivera à trouver un meilleur emploi.

La poursuite du bonheur
Un courriel de mon amie Debra

«Chère Suze,

Te souviens-tu quand nous nous sommes rencontrées? Tu étais venue donner une conférence parrainée par la grande compagnie de Silicon Valley où je travaille. Pendant une pause, nous avons eu une conversation. Je t'ai dit à l'époque que je pensais acheter le condominium que je louais et la première question que tu m'as posée était de savoir si j'étais heureuse dans mon emploi. J'avais été très surprise par cette question. Quel était le rapport avec l'achat de mon condominium? Tu m'as alors dit que je ne devrais rien acheter tant que je n'aurais pas trouvé un emploi qui me satisfasse, car l'argent que j'avais épargné, qui devait servir d'acompte pour l'achat, me donnerait la liberté de chercher un emploi qui me convienne. La réponse était tellement simple, pourtant il a fallu que tu me parles de mon bonheur pour que je voie la lumière.

Tu m'as aussi suggéré de demander plus la prochaine fois que mon patron me donnerait une faible augmentation. J'occupais mon poste depuis neuf mois au moment de l'évaluation de la performance juste avant Noël. Quand il m'a appelé dans son bureau cette semaine-là, nous avons parlé pendant au moins vingt minutes (longtemps pour lui !) et il m'a expliqué que plus le temps passait et plus les choses allaient bien et qu'il était très heureux que je travaille avec lui. Puis, il m'a annoncé qu'il m'accordait une augmentation ridiculement basse. J'avais accepté une diminution de mon salaire de base de 3 000 $ pour travailler avec lui, en pensant que lorsqu'il aurait pu apprécier l'éthique professionnelle et la loyauté dont je faisais preuve, il me donnerait une augmentation. Quelle idiote j'avais été !

Après les fêtes de fin d'année, j'ai approché mon patron pour lui faire savoir que j'étais contente qu'il apprécie ma performance, mais que j'étais déçue par l'augmentation qu'il m'avait donnée. J'avais décidé de ne pas m'abaisser à demander plus et je ne l'ai donc pas fait. Après trois mois d'hésitation, il a fini par me donner l'augmentation que je demandais, avec rétro-activité ! J'étais tellement fière d'avoir su me tenir debout. Il m'a fallu du temps pour en arriver là – je vais avoir quarante-sept ans en février ! – mais j'y suis arrivée, et je me suis vraiment sentie bien. Je tiens à te remercier. Tu m'as inspirée plus que tu ne l'imagines.

Cordialement,

DEBRA »

Votre objectif est, qu'à partir de ce jour, vous ferez conscien-cieusement attention à ce qu'il vous faut payer pour vous sentir forte dans votre vie et en sécurité au niveau de vos finances. Vous devrez déterminer votre valeur, communiquer cette valeur autour de vous et ne pas accepter moins. Cela vous semble effrayant ? C'est simplement parce que cela vous oblige à sortir de votre zone de confort. Vous devez cesser d'entraver votre route vers l'autonomie, la sécurité et le bonheur. Vous devez comprendre qu'affirmer votre valeur est largement dans vos possibilités. Ne laissez pas les autres décider de ce que vous valez. Vous ne vous sous-évaluerez plus jamais.

Chapitre 5
LES HUIT QUALITÉS D'UNE FEMME RICHE

Après avoir examiné les forces extérieures qui ont tendance à susciter un sentiment d'impuissance face à l'argent chez les femmes, il est temps d'apprendre à se conditionner de l'intérieur. Il faut maintenant que vous partiez d'un point différent situé à l'intérieur de vous-même pour prendre conscience du potentiel que chacune d'entre vous possède afin de devenir forte et riche. Êtes-vous surprise que j'emploie le terme «riche»? Il est encore surprenant de nos jours d'entendre une femme exprimer le désir de connaître la richesse.

Une femme riche doit absolument avoir de l'argent, mais elle doit aussi avoir du bonheur, du courage, de l'équilibre et de l'harmonie. Une femme riche est généreuse, rigoureuse, avisée et, par conséquent, belle. En d'autres mots, une femme riche possède toutes ces qualités, puis les investit dans chacune de ses relations et les porte en elle à chaque moment de la journée.

Je souhaite que vous portiez ces huit qualités à l'intérieur de vous, où que vous alliez, et qu'elles vous servent de ligne de conduite afin que vous soyez assurée de toujours vous rapprocher de la prospérité plutôt que de vous en éloigner.

Il est important de bien comprendre que ces huit qualités doivent être présentes et se conjuguer à tout moment afin de devenir une femme riche et le rester.

Harmonie	Équilibre	Courage	Générosité
Bonheur	Sagesse	Rigueur	Beauté

Qualités 1 et 2 : l'harmonie et l'équilibre

L'**harmonie** est l'accord entre les sentiments, l'approche et la sympathie. C'est l'interaction agréable entre vos pensées, vos émotions, vos paroles et vos actions.

L'**équilibre** désigne l'état de stabilité émotionnelle et rationnelle dans lequel vous êtes calme et dans lequel vous pouvez prendre des décisions avisées, puis poser des jugements éclairés.

L'harmonie et l'équilibre sont peut-être les qualités les plus importantes de toutes puisque ce sont sur elles que reposent les autres. Lorsque vous atteignez une réelle harmonie intérieure, ce que vous pensez, dites, ressentez et faites ne font qu'un. Nous sommes tellement habituées à être dans un état divisé où nous pensons une chose, en disons une autre et en ressentons une troisième, pour finalement agir d'une façon qui n'a rien à voir avec ce que nous venons tout juste de penser, de dire ou de ressentir. Lorsque vos pensées, vos sentiments, vos paroles et votre comportement ne sont pas en harmonie, cela se traduit par un déséquilibre ; vous êtes alors agitée et mal à l'aise, puis vous sentez que quelque chose ne va pas, de sorte qu'il vous est difficile de prendre des décisions sages et rationnelles. Voilà pourquoi ces deux qualités vont de pair.

Afin de vous assurer que ces deux qualités sont présentes dans votre vie, vous devez porter une attention particulière à vos sentiments. Observez et écoutez les mots que vous employez ; les gestes que vous faites devraient refléter parfaitement vos pensées. Si vous demeurez consciente de cela, vous remarquerez les moments où vous n'êtes plus dans un état d'harmonie ou d'équilibre.

Lorsque vous ressentez un déséquilibre, vous devez arrêter tout ce que vous êtes sur le point de faire ou de dire afin d'en découvrir l'origine. Faites attention, soyez attentive lorsque vous vous sentez agitée puisqu'il s'agit d'un signe de défaillance. Si vous relisez la définition de l'équilibre, *un état de stabilité émotionnelle et rationnelle dans lequel vous êtes calme et dans lequel vous pouvez prendre des décisions avisées, puis poser des jugements éclairés,* vous comprendrez que c'est la pierre angulaire d'une vie remplie de comportements justes et puissants.

Qualité 3 : le courage

Le **courage** est la capacité de faire face au danger, aux difficultés, à l'incertitude ou à la douleur sans être submergée par la peur ni s'écarter de sa ligne de conduite.

Le courage permet l'expression de l'harmonie. Lorsque vos pensées et vos sentiments ne font qu'un, le courage vous aide à les manifester dans vos paroles et dans vos actes. Lorsque vous n'osez pas parler ou agir, le courage vous aide à surmonter votre peur. Le courage vous permet d'exprimer votre vérité, même quand ce n'est pas ce que les autres voudraient entendre.

Il peut être difficile pour les femmes d'établir un lien entre elle et leur courage. Les femmes peuvent facilement s'écarter de leur ligne de conduite si elles croient que quelqu'un pourrait en être blessé. Il est tellement plus facile de se blesser soi-même que de blesser quelqu'un d'autre, n'est-ce pas ? Les femmes perdent aussi leur courage lorsqu'elles croient que quelqu'un ou quelque chose est la clé de leur bonheur plutôt que de reconnaître que la force repose en elles-mêmes.

Si vous êtes dépendante de votre conjoint, il est facile de manquer de courage lorsque vient le moment de parler en votre nom ou en celui de votre famille. Pensez-y : êtes-vous prête à risquer de perdre le toit au-dessus de votre tête pour vos besoins et désirs ?

La peur est habituellement ce qui se place entre vous et votre courage. Vous avez peur de tout bouleverser, peur de la confrontation, peur d'indisposer quelqu'un, peur de perdre votre emploi, peur que votre conjoint vous quitte, peur que vos enfants ne vous aiment pas, peur de ce que les autres pensent de vous, peur de vous retrouver sans le sou. Et la liste continue encore et encore.

Mais, si vous accueillez cette qualité qu'est le courage à son plein potentiel, vous ne pouvez plus vous cacher derrière la peur.

En définitive, la seule façon de surmonter votre peur, c'est d'agir. Vous pouvez réfléchir à vos peurs et y penser de façon rationnelle en essayant de les faire disparaître par votre seule volonté, mais, à la fin, si vos peurs vous empêchent d'agir, vous devez vous connecter à votre courage et agir afin de les surmonter. Vous trouvez alors le courage nécessaire pour faire taire vos peurs et vous dites ce que vous pensez, vous faites ce que vous croyez devoir faire et vous exprimez vos sentiments. Surtout, n'allez pas croire que je ne sais pas que cela est plus facile à dire qu'à faire.

L'histoire de Suze

Il fut un temps, il n'y a pas si longtemps de cela en réalité, où tout semblait bien aller dans ma vie. Trois de mes livres figuraient sur la liste des best-sellers du *New York Times*, j'apparaissais à la télévision, j'étais à l'aise financièrement, j'étais célèbre et je faisais le bien en aidant les gens à se connecter à leurs finances et à améliorer leur situation financière. J'étais entourée par ma famille et par un cercle d'amis et de collègues dont j'étais très proche… et pourtant quelque chose n'allait pas. Même si, dans mon livre *Le courage d'être riche*, j'avais écrit que les pensées, les sentiments, les paroles et les actions doivent être en harmonie, il me fallut un certain temps pour mettre le doigt sur la source d'inconfort qui régnait dans ma vie. Je réalisai alors que j'avais dans mon entourage quelques amis et collègues qui ne prenaient pas mes intérêts à cœur. Même si nous semblions proches en surface, en réalité nous ne l'étions pas du tout. J'avais l'impression d'être toujours à leur disposition.

Je m'adaptais à leur horaire, je m'intéressais à ce qu'ils faisaient alors qu'ils ne montraient que peu d'intérêt pour ce qui m'arrivait, à moins qu'ils ne puissent en tirer un certain avantage pour faire progresser

---

leur carrière. Si on me l'avait demandé à cette époque, j'aurais répondu que je les aimais, mais, en réalité, je ne les appréciais d'aucune façon. J'avais peur de l'avouer, y compris à moi-même, et d'agir en conséquence, m'empêchant ainsi d'être heureuse, forte et fière de moi-même.

Un jour, j'ai décidé qu'il fallait que ça change. Il m'a fallu réunir tout mon courage pour éloigner ma peur et faire ce que mes sentiments me dictaient, même si je n'avais pas voulu en tenir compte pendant des années. J'ai alors pris une grande inspiration et j'ai fait le grand ménage une fois pour toutes. En quelques heures, littéralement, j'ai mis fin une à une à ces relations. Pour la première fois depuis des années, je me suis sentie vraiment en harmonie, en équilibre avec moi-même et fière de moi. Malgré ma peur, j'avais osé être sincère avec moi-même et j'en étais récompensée par l'harmonie et un sentiment de bien-être.

Depuis ce jour, cela reste une des meilleures choses que j'aie accomplie. En faisant le grand ménage autour de moi, j'ai fait de la place pour que d'autres personnes puissent entrer dans ma vie. Et quand j'ai rencontré ces bonnes personnes, ma vie a pris son envol.

J'ai entretenu des relations basées sur la vérité. J'ai ressenti les bienfaits d'une vie équilibrée et harmonieuse et je me suis sentie plus forte. J'ai réveillé le courage qui dormait au fond de moi et il se manifestait maintenant dans toutes les sphères de ma vie. Plus je le sollicitais et plus il apparaissait rapidement pour m'aider. Je me suis épanouie, je suis devenue plus heureuse et plus riche.

Qualité 4 : la générosité

La **générosité** est le fait de donner la bonne chose à la bonne personne au bon moment et que cela profite aux deux.

La générosité est une qualité que la plupart des femmes peuvent mettre à profit facilement, peut-être même trop facilement si vous voulez mon avis. Les femmes ont tendance à être trop généreuses de leur temps, de leur soutien, de leur amour et de leur argent, mais donner juste pour donner ne correspond pas à la définition de la vraie générosité, telle que décrite ci-dessus.

La vraie générosité va bien au-delà de ce que vous donnez aux autres. Dans le don, il y a une force, une compréhension du fait que vous n'êtes que le canal par lequel se transmettent la fortune et l'énergie. Vous permettez à l'argent d'entrer par l'intermédiaire de vos mains et de sortir par l'intermédiaire de votre cœur. Avoir le pouvoir de donner, d'être émue par un don qui provient directement du cœur est un sentiment que tout l'argent du monde ne pourrait vous procurer. C'est ce que j'aimerais que vous ressentiez lorsque vous êtes réellement généreuse.

Alors, permettez-moi de vous demander : est-ce ainsi que vous vous sentez lorsque vous donnez ? Vous sentez-vous transportée ou affaiblie ? Soyez honnête. Vous vous percevez comme une personne généreuse de votre temps, de vos talents, de votre compassion et de votre argent. Les autres vous décrivent sûrement comme une femme généreuse mais, si je vous observais, je penserais peut-être que vous donnez pour les mauvaises raisons. Donnez-vous parce que vous croyez que vous le devez ? Donnez-vous afin de sentir que vous faites partie d'un groupe ? Donnez-vous parce que vous vous sentez coupable ou gênée ? Donnez-vous parce que vous vous inquiétez de ce que les autres penseront si vous ne le faites pas ?

Il est très important de comprendre que *la vraie générosité réfère tout autant à celui qui donne qu'à celui qui reçoit.* Si un acte de générosité profite à la personne qui reçoit, mais affaiblit celle qui donne, je pense qu'il ne s'agit pas de vraie générosité. À mon avis, pour donner de manière honnête vous devez toujours respecter les six règles suivantes :

1. **Vous donnez en guise de remerciement et par pur amour, non pour recevoir quelque chose en retour.** Un vrai cadeau ne comporte ni attente ni demande en contrepartie.

2. **Que vous donniez de votre temps, de l'argent ou de l'amour, vous devez ressentir avec conviction que ce cadeau est une offrande.** Il devrait être donné gratuitement et par pur amour.

3. **Un geste de générosité ne devrait jamais nuire à la personne qui donne.** Lorsque vous donnez un montant d'argent que vous ne pouvez pas vous permettre d'offrir, ce cadeau vous nuit.

4. **Un geste de générosité doit être fait en toute conscience.** Vous devez connaître la façon dont votre cadeau sera perçu par la personne qui le reçoit et vous assurer qu'il ne sera pas un fardeau.

5. **Un geste de générosité doit être fait au bon moment.** Vous devez pouvoir vous permettre d'offrir votre cadeau, qu'il s'agisse de quelque chose de matériel ou simplement de temps.

6. **Un geste de générosité doit provenir d'un cœur empathique.** Votre générosité devrait être dirigée vers ceux que vous portez dans votre cœur, vers ceux qui, vous le croyez, ont besoin de votre aide et qui apprécieront celle que vous leur apporterez. Donner devrait vous transporter et non vous affaiblir.

Qualité 5 : le bonheur

Le **bonheur** est un état de bien-être et de satisfaction.

Lorsque vous trouvez le courage de vivre votre vie de façon harmonieuse et équilibrée, lorsque vous comprenez et pratiquez la générosité dans son sens véritable, le bonheur apparaît spontanément.

Lorsque vous êtes heureuse, vous êtes ouverte et disponible. Lorsque vous êtes heureuse, vous avez tendance à être plus optimiste. Vous relevez les nouveaux défis avec un esprit ouvert qui cherche des solutions positives et vous voyez des possibilités plutôt que des problèmes.

Si vous n'êtes pas heureuse, alors je vous demande de trouver dans quel aspect de votre vie se trouve la discorde et non l'harmonie. Auriez-vous voulu faire ou dire quelque chose, mais vous n'avez pas trouvé le courage d'agir? Avez-vous trop donné ou été trop généreuse pour les mauvaises raisons? Lorsque vous n'êtes pas heureuse, vous avez la sensation qu'il manque quelque chose dans votre vie et ce quelque chose devient un gouffre qui doit être comblé. Il est dangereux de se trouver en état de manque car cela vous fait prendre des décisions qui ne tiennent pas compte du meilleur de vos intérêts à long terme.

Le bonheur n'est pas un luxe: il est nécessaire pour accéder à la véritable prospérité. Lorsque vous êtes heureuse, vous expérimentez le vrai bonheur dans votre vie. Vous n'êtes pas dans un état de manque, mais plutôt dans un état de contentement. Vous avez la satisfaction de savoir que vos gestes proviennent d'une personne pure et équilibrée, qu'ils sont justes, généreux et charitables. Il n'y a place pour aucun regret dans l'état de bonheur et c'est un objectif qui mérite d'être visé dans toutes les sphères de votre vie.

Qualité 6 : la sagesse

La **sagesse** est la connaissance et l'expérience nécessaires pour prendre des décisions avisées et poser des jugements éclairés ou encore signifié le bon sens démontré par les décisions prises et les jugements portés en faisant appel à la somme des connaissances de la vie qui ont été acquises à travers différentes expériences.

La sagesse est une qualité plus que simplement intellectuelle, qui ne dépend en aucune façon de votre niveau d'éducation. Elle exige que vous étouffiez les interférences dans votre vie et que vous vous concentriez sur ce que vous croyez réellement afin de prendre des décisions en toute connaissance de cause. La sagesse est le résultat de toutes les qualités citées précédemment. Une femme sage sait reconnaître que sa vie n'est pas équilibrée et rassembler son courage afin de corriger la situation. Une femme sage sait ce que signifie la véritable générosité. Une femme sage sait que le bonheur est une forme de récompense pour une vie vécue dans l'harmonie, le courage et la grâce. Une femme sage sait rassembler son courage pour faire ce qui est juste, plutôt que ce qui est facile.

Qualité 7 : la rigueur

La **rigueur** est un état de pureté, de transparence et de précision.

La rigueur consiste à respecter l'importance de l'ordre et de l'organisation. Lorsque vous ne savez pas où se trouve votre argent, lorsque vous n'avez pas de système de classement pour vos documents importants, lorsque vous plongez la main dans votre portefeuille pour en ressortir des factures froissées, lorsque votre voiture ressemble à une poubelle, lorsque votre garde-robe est encombrée d'objets inutiles et en désordre, je suis désolée, mais vous ne pouvez être une femme prospère.

Il vous faut, littéralement, nettoyer tout ce désordre pour accueillir la véritable prospérité dans votre vie. En Inde, les femmes balaient chaque matin le pas de leur porte pour accueillir Lakshmi, la déesse de l'abondance matérielle et spirituelle, dans leur demeure puisque la croyance veut qu'elle réside sur le seuil de chaque maison et que la voie doit être dégagée pour lui permettre d'entrer.

Commencez par votre portefeuille. Assurez-vous que vos factures sont toutes classées dans le même sens et remettez-les en ordre chaque matin. Ensuite, donnez les vêtements que vous n'avez pas utilisés ou portés au cours des douze derniers mois à une œuvre caritative de votre choix. Jetez tous les produits de beauté inutilisés. Rappelez-vous que lorsque vous gardez des choses qui n'ont aucune valeur pour vous, cela finira par faire de vous une personne sans valeur.

Vos documents importants sont-ils bien classés? Ils le devraient. Lorsque vos comptes sont ordonnés et soigneusement rangés, vous pouvez facilement trouver les renseignements dont vous avez besoin pour prendre les bonnes décisions.

◀ Il est important de tenir à jour vos documents financiers tels que vos relevés bancaires, vos impôts et vos relevé de placement. Sur mon site Internet au www.suzeorman.com, j'explique comment organiser ses documents. Plusieurs banques canadiennes offrent des outils d'organisation de nos documents fiscaux en ligne.

Il se peut que vous lisiez ceci en pensant que la rigueur est importante, mais pas essentielle pour votre santé financière. Je suis ici pour vous dire que si cette qualité n'est pas mise de l'avant et au centre de vos priorités et que si vous n'y adhérez pas, il vous sera impossible de contrôler votre destin. La prospérité vous échappera et il ne vous restera que le désordre que vous avez créé. Respectez le pouvoir de cette qualité. Faites-en votre façon d'honorer Lakshmi, même si ce n'est que symboliquement.

Qualité 8 : la beauté

La **beauté** est la qualité ou l'ensemble des qualités d'une personne qui éveille une impression plaisante ou qui exalte agréablement l'esprit.

La beauté est ce que vous créez lorsque vous intégrez les sept autres qualités à votre vie. Lorsque vous franchissez les étapes qui mènent à l'harmonie, à l'équilibre, au courage, à la générosité, au bonheur, à la sagesse, à la rigueur et à la beauté dans votre vie, vous respirez la confiance en vous-même. Rien n'est plus beau qu'une femme pleine de confiance. Souvenez-vous que, lorsque vous êtes confiante, vous vous sentez en sécurité et quand vous êtes en sécurité, vous n'avez plus peur. Lorsque vous n'avez aucune crainte, vous avez le courage de dire ce que vous pensez et ressentez posément et avec sagesse. Lorsque vous êtes calme, vous prenez de sages décisions en ce qui concerne votre argent, ce qui vous permet ensuite d'être réellement généreuse avec les autres en plus de l'être avec vous-même, de sorte que vous vous sentez heureuse, forte et belle en retour. Voyez-vous comment toutes ces qualités interagissent afin de vous aider à atteindre votre objectif qui est d'être une femme qui contrôle son destin?

Démontrer ces huit qualités

J'ai remarqué, dans ma propre vie et dans celle des autres, que plus on emploie ces qualités, plus il est facile d'y accéder. L'harmonie aspire à plus d'harmonie, l'équilibre a horreur du déséquilibre et le courage engendre plus de courage. Dès que vous faites preuve d'une véritable générosité, vous percevez toute autre forme de générosité comme inférieure. Le vrai bonheur ne vous permettra jamais d'accepter à un semblant de bonheur. La rigueur ne supporte pas le désordre. Une fois atteinte, la sagesse est à vous pour toujours et la beauté inspire la beauté dans toute chose.

Conservez ces qualités avec vous tout au long de votre vie. Notez-les sur une feuille et gardez-la à portée de main, dans votre portefeuille ou dans votre poche. Considérez-la comme un talisman qui vous guidera à travers tous les méandres de votre vie. Ces qualités vous permettront de demeurer concentrée et paisible. Si vous le leur permettez, elles vous offriront en tout temps l'assurance que vous agissez avec force et justesse, avec amour et avec les intentions les plus pures, en vue de réaliser vos objectifs de sécurité et de confort pour vous-même ainsi que pour ceux que vous aimez.

Harmonie	Équilibre	Courage	Générosité
Bonheur	Sagesse	Rigueur	Beauté

Chapitre 6
LE PROGRAMME
« PRENEZ LE CONTRÔLE DE VOS
FINANCES »

Quand il s'agit de savoir pourquoi vous n'avez pas fait ce que vous saviez devoir faire sur le plan financier, nous pourrions nous demander éternellement *pourquoi ceci* et *pourquoi cela*. Nous pouvons affirmer que vous pensez d'une façon juste et que vous dites les mots justes, mais à la fin de la journée, vous devez cesser de parler et agir.

Êtes-vous effrayée? Si vous l'êtes, c'est normal, mais il n'existe qu'une seule façon de surmonter sa peur, c'est de passer à l'action. C'est la raison pour laquelle j'ai divisé le programme « Prenez le contrôle de vos finances » en plusieurs parties.

Ce programme comprend une combinaison d'actions à entreprendre ainsi que des concepts et des principes à apprendre. La partie à apprendre est indispensable à votre succès à long terme. Elle vous apportera la connaissance dont vous avez besoin pour poser les bonnes actions en toute confiance chaque fois que vous serez confrontée à un nouveau défi ou à un nouveau choix.

Je ne suis pas en train de vous demander de vous lancer à corps perdu à la poursuite de la connaissance du domaine financier. Le programme « Prenez le contrôle de vos finances » se concentre uniquement sur les bases en matière de finances personnelles que vous devez connaître et prendre en compte.

Je vous demande tout simplement d'apprendre une version résumée des conseils que j'ai abordés de façon détaillée dans mes livres précédents. Je sais que vous êtes nombreuses à les avoir lus. Le fait que vous consultiez ce livre m'indique néanmoins que, pour quelque raison que ce soit, ce que vous avez lu précédemment ne vous a pas permis d'agir.

Voilà la raison d'être de ce programme. Il est bâti sur l'hypothèse que vous devriez commencer par les bases et ne rien tenir pour acquis. Les définitions et les explications des bases sont exactement ce que vous allez trouver ici. Le programme « Prenez le contrôle de vos finances » ne requiert aucune connaissance du monde des finances ni de son vocabulaire spécialisé. Nous commençons au tout début et nous avancerons ensemble.

Ce programme est très simple. En le concevant, je me suis efforcée de rester constamment concentrée sur cet objectif très clair : « Si vous faites X, je serai très fière. » Mon défi était de faire en sorte que X représente tout ce que vous devez savoir et faire, mais rien de plus que ce qui est absolument essentiel et faisable, un peu comme dans les livres de cuisine. Certains livres de cuisine sont intéressants à lire, les images sont magnifiques, mais les recettes sont très compliquées, les ingrédients très difficiles à trouver et les techniques bien trop compliquées pour que vous puissiez réellement essayer de les faire. Ces livres se retrouvent généralement sur la table du salon et non sur celle de la cuisine. Puis, il y a une autre sorte de livres de cuisine, ceux qui restent à portée de main pour préparer les repas. Ils proposent des recettes que vous pouvez facilement réaliser en un temps raisonnable. Voilà ce à quoi je pensais en créant le programme « Prenez le contrôle de vos finances » : des recettes financières, faciles à suivre et simples à réaliser.

Le programme est divisé en cinq parties distinctes et j'espère que vous en assimilerez une chaque mois. Vous passerez les deux premiers mois à prendre le contrôle de vos dépenses et de vos épargnes fondamentales, à manipuler vos comptes bancaires et vos cartes de crédit et à maîtriser votre dossier de crédit. Le troisième mois est consacré aux investissements en prévision de votre retraite, y compris ce que vous devez faire par l'intermédiaire de votre employeur et ce que vous devez faire par vous-même.

Puis, au cours du quatrième mois, vous apprendrez les documents essentiels que toute femme doit posséder. Le cinquième mois concerne la protection : les assurances-vie et les assurances habitation que vous devez souscrire pour assurer votre propre sécurité financière et celle de votre famille, quel que soit ce que l'avenir vous réserve. Enfin, je vous dirai ce que j'attends de vous, au-delà du programme. C'est une approche qui fait en sorte que ce qui vous paraissait étranger devienne une partie intégrante de votre vie – jusqu'à la fin de votre existence.

Étant donné l'approche minimaliste de ce plan, j'imagine que, par moments, certaines d'entre vous préféreront que j'entre plus dans les détails ou que j'aborde un sujet qui n'apparaît pas dans ce livre. C'est pourquoi j'ai prévu une rubrique « Aidez-vous » sur mon site Internet au www.suzeorman.com. Chaque fois que vous voyez cette icône (♠), vous pouvez vous reporter à mon site Internet pour avoir plus de détails. Pour avoir accès au site, vous devez vous enregistrer en inscrivant votre nom, votre adresse de courriel ainsi que le code d'accès suivant : EIEIO. La consultation des nombreuses rubriques est gratuite pour les lectrices des *Femmes & l'argent*. Plusieurs sites canadiens offrent également des outils pour la planification financière, voici quelqu'uns que vous pouvez aller consulter : la banque ING qui est une institution financière virtuelle au www.ingdirect. ca/fr ou celui de la Banque de Montréal au www4.bmo. com/francais.

Au début de chaque mois, l'encadré « Je serai fière si » vous propose un résumé des gestes que vous devez accomplir au courant de ce mois et, à la fin de chaque mois, l'encadré « Plan d'action » reprend la liste des choses que j'aimerais vous voir faire ce mois-ci.

Tout ce que je vous demande est de me consacrer un jour entier (24 heures) par mois au maximum pour effectuer les tâches que j'ai prévues ou, si vous préférez, le temps passé devra être équivalent à seulement cinq jours, répartis sur cinq mois. Vous pourrez vous organiser comme bon vous semble et faire soit plusieurs fois de longues sessions au cours du mois, soit choisir d'y consacrer quelques jours par mois.

Le programme de cinq mois est simplement une cible rationnelle que je suis sûre que chacune d'entre vous peut atteindre. Étant donné que je vous demande d'y consacrer l'équivalent de cinq jours d'activité, j'imagine que certaines d'entre vous voudront le compléter en un mois ou deux. C'est parfait, mais ne vous mettez pas de pression en vous dépêchant de passer tous les points en revue. Il n'y a rien à gagner à aller plus vite. Ce que vous apprendrez – et ferez – constitue les bases financières pour le reste de votre vie ; prenez le temps de réaliser le travail à un rythme qui vous convient et qui vous permet de bien comprendre ce que vous faites.

Il est très important que vous suiviez, à votre façon, le programme dans l'ordre dans lequel je l'ai conçu. En d'autres termes, je vous demande de lire et de suivre les étapes du premier mois avant de passer au deuxième mois. Il y a également une progression logique à l'intérieur de chaque mois, aussi ne sautez pas d'étape. Chaque étape a sa raison d'être.

Pour de meilleurs résultats, je vous demande également de ne pas survoler un passage sous prétexte que vous pensez ne pas avoir besoin de le lire parce que vous avez déjà appliqué ce sujet dans votre vie, ou parce que vous avez laissé quelqu'un d'autre – conjoint, frère, oncle, conseiller financier – en prendre soin pour vous et que cette personne vous assure que tout est « en place ». Je ne veux pas savoir si Warren Buffet est votre conseiller financier. L'autonomie financière ne s'obtient pas en comptant sur quelqu'un d'autre pour gérer ses finances. Vous l'avez atteint lorsque vous – et vous seule – prenez l'initiative de savoir ce dont vous disposez et que vous vous assurez d'avoir ce dont vous avez besoin. Voilà ma définition de l'autonomie. Et il est autant question de passer en revue vos avoirs que de prendre de nouvelles mesures pour assurer votre sécurité.

Par exemple, même si vous détenez déjà un compte d'épargne, j'aimerais que vous lisiez ce que je dis à ce sujet pour être certaine que vous avez le meilleur compte offert sur le marché. Et si vous avez une assurance-vie, ne sautez pas la section qui lui est réservée. Je ne saurais vous dire le nombre de femmes qui m'ont affirmé qu'elles avaient une assurance-vie, alors qu'après être entrées dans les détails, elles étaient surprises d'apprendre qu'elles n'avaient pas le bon type d'assurance et qu'elles n'avaient pas la couverture nécessaire pour vraiment se protéger elles-mêmes ainsi que leurs proches.

Dans certains cas, je vous demanderai de faire certaines choses seulement pour vous-même, comme, par exemple, ouvrir un compte d'épargne à votre nom. Dans d'autres cas, vous devrez revoir les investissements et les documents financiers que vous détenez avec votre conjoint ou n'importe quelle personne à qui vous avez confié la gestion de vos finances. Expliquez-leur clairement que vous ne voulez pas les provoquer ou remettre leurs choix en question, qu'ils ne sont pas en cause et qu'il s'agit de vous et de votre désir de devenir autonome en comprenant si ce que vous avez est vraiment ce dont vous – et eux – avez besoin. Dans le chapitre suivant du programme, je vous ecpliquerai comment créer de nouvelles relations financières saines avec ceux que vous aimez, incluant des conseils sur la façon de vous y prendre pour jouer un rôle actif dans la gestion des finances familiales dont seul votre conjoint était responsable jusqu'à présent.

Contrôler votre avenir financier, en abandonnant toute peur, honte et confusion, n'est qu'à cinq mois de se concrétiser.

Premier mois
COMPTE-CHÈQUES ET COMPTE D'ÉPARGNE

Je serai fière si vous…

… apprenez à lire votre état de compte bancaire et à le comparer avec votre carnet de chèque.

… arrêtez de payer des frais pour les services bancaires de base.

… comprenez la différence entre un compte-chèques et un compte d'épargne.

… vous rendez compte qu'un compte d'épargne est la pierre angulaire de la sécurité.

… vous assurez que les intérêts de votre compte d'épargne sont les plus élevés possibles.

… utilisez un plan d'épargne mensuel pour alimenter votre compte d'épargne de façon à pouvoir couvrir les dépenses courantes pendant trois mois.

… ouvrez un compte d'épargne à votre propre nom, en plus de votre compte d'épargne familial.

Un constructeur de maison vous dirait qu'une maison est aussi bonne que les fondations sur lesquelles elle repose. La même chose est vraie en ce qui concerne vos finances, ce qui signifie qu'il faut commencer par vous assurer que vous avez le contrôle de votre compte-chèques de base et de votre compte d'épargne. Attachez de l'importance au «contrôle». Je suis sûre que chacune d'entre vous possède à la fois un compte-chèques et un compte d'épargne, mais cela ne signifie pas que vous compreniez vraiment comment ils fonctionnent et si vous avez la meilleure combinaison qui existe ou que vous compreniez comment les gérer tous les deux de façon à savoir – pas supposer, mais *savoir* – que vous pouvez payer les factures de ce mois et avoir encore assez d'économies pour couvrir n'importe quelle dépense imprévue.

Donc, ce mois-ci met l'accent sur la banque. Nous allons tout d'abord apprendre les avantages et les inconvénients d'un compte-chèques, puis nous intéresser aux comptes d'épargne.

Quelques définitions que vous devez connaître[3]

• Une **caisse d'épargne et de crédit** est un mouvement coopératif qui offre des services similaires aux banques traditionnelles. La caisse peut recevoir et faire fructifier les économies de ses membres et leur consentir des prêts. Elle peut avoir un nombre illimité de membres. Les membres eux-mêmes détiennent des parts sociales, dont le nombre est limité, et qui leur confèrent un droit de vote unique lors de l'assemblée annuelle des membres. Les caisses d'épargne et de crédit peuvent se regrouper en confédération ou en fédération.

• Une **société de fiducie et société d'épargne** est une personne morale autorisée à emprunter des fonds du public sous forme de dépôt pour faire des prêts et des placements. Pour avoir le droit d'exercer ces activités, l'institution doit être inscrite auprès de l'Autorité des marchés financiers (AMF).

• Une **société de courtage** est une institution financière qui propose diverses solutions d'investissements (actions, obligations, fonds cotés en Bourse, fonds commun de placement, etc.) et qui dépose l'argent dans différents types de comptes d'épargne, tels que les comptes de marché monétaire.

Dans les pages qui suivent, quand je ferai référence à la banque, je voudrais également parler des comptes que vous pourriez avoir dans une société de courtage, dans une caisse d'épargne et de crédit ou dans une société de fiducie et société d'épargne.

---

3. Nous avons adapté le propos pour le monde financier canadien avec les institutions présentes sur notre territoire. (note de l'adaptatrice)

Si vous faites régulièrement affaire avec une société de fiducie et une société d'épargne, c'est bien, à condition que vous obteniez tous les services que je décris plus loin. Le point le plus important, quel que soit le type d'institution, est que vos dépôts soient assurés. Vous devez être certaine que, peu importe ce qui arrive à cette institution, votre argent est garanti et cela ne peut se faire qu'avec une assurance. Dans les institutions les plus importantes, l'assurance provient de la Société d'assurance-dépôts du Canada (SADC). Si vous faites affaire avec une société d'épargne et de crédit, vous devez vous assurer qu'elle offre une assurance en conformité avec la *Loi sur l'assurance-dépôts*. Cette exigence est ordinairement rencontrée quand l'institution est enregistrée auprès de l'AMF au Québec.

Les comptes-chèques

Votre compte-chèques ne devrait servir qu'à une seule chose: conserver les liquidités dont vous avez besoin pour payer vos factures et pour vos besoins journaliers. Un point c'est tout. Ce n'est pas là que vous gardez votre prime de fin d'année ou l'argent que vous économisez pour l'achat d'une maison ou pour les vacances. Il ne concerne que vous et votre flux de trésorerie quotidien. Le gros problème est que vous êtes nombreuses à adopter l'approche *crainte/prière* pour gérer votre flux de trésorerie. Vous redoutez le rituel mensuel d'examiner votre état de compte et vous priez pour qu'il y ait assez d'argent sur le compte pour couvrir les factures. Où est le contrôle dans tout cela?

Votre première étape ce mois-ci sera de prendre la responsabilité de comparer votre carnet de chèques avec votre état de compte, et ce tous les mois à partir de maintenant. Je sais que ce n'est pas très excitant, mais c'est probablement le geste le plus important que vous aurez effectué à ce jour pour contrôler votre avenir. **En comparant votre carnet de chèques avec votre état de compte, vous êtes confrontée à la réalité.** Quand vous vous asseyez et que vous comparez vos dépôts du mois avec vos retraits du mois, vous vous mettez dans une position de responsabilité vis-à-vis de vos dépenses.

Si vous faites déjà cette comparaison tous les mois et si vous contrôlez l'argent qui entre et celui qui sort, alors vous pouvez passer à la section consacrée aux comptes d'épargne, sinon, lisez la suite.

Commencez par ouvrir un nouveau compte-chèques

Je recommande d'ouvrir un tout nouveau compte-chèques, de façon à savoir à partir du premier jour ce que vous avez, plutôt que d'essayer de vous y retrouver avec un ancien compte dont vous ne vous êtes pas beaucoup occupée. Ainsi, après avoir payé vos factures ce mois-ci, je veux que vous cessiez d'utiliser votre compte-chèques habituel. Gardez-le ouvert et laissez-y le montant nécessaire pour couvrir les chèques que vous avez déjà faits sur ce compte jusqu'à ce qu'ils soient tous encaissés. Ne vous servez plus de la carte rattachée à ce compte. Maintenant, je veux que vous preniez l'argent dont vous n'avez pas besoin pour couvrir les chèques qu'il vous reste à payer et l'argent que vous mettrez dans le nouveau compte et que vous ouvriez immédiatement un tout nouveau compte-chèques assorti d'une nouvelle carte bancaire.

Vous pouvez très bien ouvrir ce nouveau compte dans votre banque habituelle, à condition qu'elle vous offre de bons services. J'entends par là que vous ne soyez pas noyée et enterrée sous toutes sortes de frais. N'oubliez pas que ce n'est pas parce que vous aviez un compte-chèques dans une banque que c'était un bon compte-chèques. Voici ce qui fait d'un compte-chèques un bon compte-chèques.

Un bon compte-chèques doit remplir les conditions suivantes :
• Pas de frais mensuels pour simplement détenir le compte.
• Un solde peu élevé pour profiter des chèques gratuits (sans frais mensuels).
• Pas de frais pour les chèques.
• Accès électronique à vos états de compte et paiement en ligne gratuit de vos factures.
• Assurance pour vos dépôts.

Ne payez pas de frais mensuels

Il n'y a pas de raison de payer des frais mensuels pour votre compte-chèques. Beaucoup de banques sont si désireuses de faire affaire avec vous qu'elles vous ouvriront un compte-chèques sans vous faire payer de frais mensuels et sans vous demander de conserver un montant minimum à quatre chiffres. Je vous expliquerai plus loin comment trouver les frais sur votre état de compte pour que vous puissiez vous rendre compte de ce que vous avez payé par le passé.

Le seul compte-chèques que vous désiriez posséder

Il existe deux sortes de comptes-chèques de base : avec intérêts et sans intérêts.

Les intérêts sont le montant que la banque vous verse pour l'argent que vous conservez dans votre compte (votre solde). Je sais qu'à première vue, il semble plus avantageux de toucher des intérêts, mais c'est rarement le cas. Vous devez comprendre que le taux réel des intérêts versés sur les comptes-chèques a tendance à être très bas comparé à celui que vous pourriez obtenir avec d'autres sortes de comptes bancaires. De plus, pour vous éviter de payer des frais mensuels, on vous demande de maintenir un solde élevé, 2 500 $ et plus, ce qui n'a aucun sens puisque vous ne recevez pas un taux d'intérêt satisfaisant sur le solde que vous devez maintenir sur le compte.

Par exemple, au début de l'année 2007, le taux d'intérêt annuel pour un compte-chèques avec intérêts et un solde de 2 500 $ était en général de 1 %, c'est-à-dire moins de 25 $ crédités à votre compte. Mais, si votre solde tombe sous le minimum demandé – généralement 2 500 $ – vous paierez des frais mensuels de 10 $. Si cela vous arrive trois fois dans l'année, vous finirez par payer plus de frais mensuels (30 $) que vous n'aurez perçu d'intérêts. De plus, il est préférable de maintenir le solde de votre compte-chèques aussi bas que possible pour couvrir les factures et les dépenses courantes et de déposer le restant dans un compte d'épargne, mais j'en parlerai plus longuement plus loin. En janvier 2007, vous pouviez trouver un compte d'épargne qui rapporte 5 %, ce qui est beaucoup mieux que ce que vous pouvez avoir sur un compte-chèques.

Procurez-vous un meilleur compte-chèques

Si votre banque n'offre pas de compte-chèques sans frais mensuels, je vous recommande d'aller sur le site Internet de Desjardins au www.desjardins.com.

Payez vos factures en ligne

Je vous recommande d'utiliser le service de paiement de factures en ligne, service qui devrait être offert gratuitement. Payer vos factures en ligne vous dispense de faire des chèques et de les envoyer par la poste ; de plus, vous pouvez configurer des paiements électroniques automatiques, débités directement de votre compte-chèques. Vous vous inquiétez au sujet de la sécurité des transactions bancaires en ligne ? Rassurez-vous. Les banques investissent de grosses sommes pour sécuriser leur réseau de façon à ce qu'aucun voleur d'identité ne puisse avoir accès à vos renseignements. En réalité, payer vos factures en ligne peut se révéler plus sûr que de les envoyer par la poste.

Faites les mises à jour pour vos dépôts et vos retraits

Après avoir organisé votre nouveau compte-chèques, assurez-vous de mettre à jour tous vos dépôts et retraits automatiques que vous auriez pu mettre en place avec votre ancien compte. Si votre salaire est déposé directement sur votre compte, informez le service des ressources humaines de votre employeur que vous désirez que votre salaire soit versé sur votre nouveau compte-chèques et donnez-leur les références de votre nouveau compte. Si d'autres paiements sont prélevés directement sur votre compte-chèques, il vous faut également donner aux compagnies concernées les références de votre nouveau compte.

Visites aux guichets automatiques

Nous sommes maintenant prêtes à commencer une toute nouvelle gestion de votre flux de trésorerie. L'objectif est d'avoir le plein contrôle sur les entrées et les sorties. Pour commencer, vous devez archiver les retraits que vous faites aux guichets automatiques. Chaque fois que vous utilisez un guichet automatique, demandez un relevé d'opération, placez-le dans une section réservée de votre portefeuille, puis, une fois par semaine, sortez tous les relevés de votre portefeuille et mettez-les dans un dossier réservé aux factures et aux relevés d'opérations des guichets automatiques. Vous pouvez les mettre dans un vrai dossier, dans une enveloppe ou dans une boîte, à votre choix; cependant, ma seule exigence est que cet endroit soit réservé exclusivement aux confirmations de transaction et aux relevés d'opérations bancaires. Le tiroir de la cuisine, qui abrite également la liste des numéros de téléphone d'urgence, les publicités des restaurants avec menus à emporter et les sacs Ziploc n'est pas autorisé. Prendre le contrôle exige que vous sachiez très exactement où se trouvent vos documents et que vous puissiez y accéder rapidement.

Créez un dossier pour les factures

Vous devez également créer un autre dossier réservé au classement des factures que vous recevez par la poste. Ce peut être un dossier différent, une corbeille ou un tiroir de votre bureau réservé à cet effet. De nouveau, ma seule exigence est que cet endroit soit réservé au classement des factures que vous devez payer ce mois-ci. Chaque jour, vous devez trier le courrier que vous recevez et les factures doivent être immédiatement rangées à l'endroit que vous avez choisi pour les classer. Contrôle = organisation.

Avant de classer les factures, je vous demande de commencer par ouvrir chaque lettre en provenance de votre banque et d'y jeter un rapide coup d'œil, simplement pour vérifier que tout est bien en place et de noter les dates d'échéance de vos paiements. Le simple fait d'ouvrir et de vérifier vos factures et vos états de compte aussitôt qu'ils arrivent est la bonne façon de commencer à construire une relation saine avec votre argent. Rien n'est perdu, rien n'est négligé et vous n'êtes pas surprise le jour qui précède l'échéance de vos paiements. Vous êtes en plein contrôle, sans grand effort. Trier votre courrier et jeter un coup d'œil à vos factures ne prend que quelques minutes chaque jour.

Idéalement, vous devriez vous asseoir et payer vos factures une fois par mois; c'est une excellente façon de rester bien organisée. Si vous avez actuellement plusieurs relevés de cartes de crédit avec différentes dates d'échéance réparties dans le mois, téléphonez au service à la clientèle et demandez-leur de changer la date d'échéance. Les sociétés qui émettent les cartes ne sont pas tenues de le faire, mais beaucoup acceptent. Si la société émettrice d'une de vos cartes de crédit refuse de le faire ou si vous devez répartir vos paiements en fonction de vos dépôts de salaire, ne changez rien. L'essentiel est qu'il vous faut mettre en place un rituel que vous devez respecter pour pouvoir rester organisée. Si cela se fait toutes les deux semaines, c'est très bien. Le but est que vous cessiez de payer vos factures quand cela se présente, sans en garder une trace.

Quand vous êtes prête à payer vos factures et à vérifier le solde de votre compte, installez-vous devant votre ordinateur, connectez-vous au site Internet de votre banque et allez à la page qui vous présente votre état de compte. Pour toute opération avec le site Internet de votre banque, je vous recommande de ne pas utiliser un ordinateur public et, si vous avez un ordinateur portable, je vous déconseille de le faire dans un endroit public. Il est plus sûr d'accéder à votre compte depuis votre domicile, car vous êtes certaine que votre connexion Internet est protégée par un pare-feu.

Fondamentalement, ce que nous allons faire consiste à vérifier les sommes qui ont été débitées de votre compte durant le mois en cours (affichées dans la colonne « débits » de votre état de compte) et les sommes que vous avez déposées sur votre compte au cours de ce mois (affichées dans la colonne « crédits » de votre état de compte).

Cherchez les frais que vous n'auriez pas dû payer

Vous devez commencer par évaluer vos facteurs de négligence. J'entends par là tous les frais qui sont débités si vous n'êtes pas attentive à ces détails. Ils sont identifiés sur votre état de compte comme frais ou débits. Voici ce que vous devriez chercher :

• **Frais pour transactions aux guichets automatiques.** Votre propre banque ne devrait pas vous faire payer des frais pour utiliser ses guichets automatiques. Si c'est le cas, vous devriez changer de banque. En revanche, si vous utilisez le guichet automatique d'une autre banque, vous devrez payer des frais. En réalité, vous payez des frais deux fois: une fois à la banque à qui appartient le guichet automatique et une fois à votre banque pour avoir utilisé le guichet d'une autre banque, ce qui peut facilement vous coûter 3 $ par transaction.

• **Frais pour chèques sans provision.** Faites un chèque alors que votre compte n'est pas approvisionné et vous devrez supporter des frais de 25 $ et plus. Pires encore sont les assurances que les banques vous proposent de souscrire. La banque couvrira votre découvert – à condition qu'il ne dépasse pas, environ 1 000 $ – et vous fera payer 35 $ pour ce service, plus des frais quotidiens de 2 $ à 10 $ jusqu'à ce que vous puissiez combler votre découvert[4].

Alors, à combien se montent les frais que vous avez payés le mois dernier? Ou le mois d'avant? Soyez honnête envers vous-même; vous prélève-t-on des frais ici et là auxquels vous ne faites pas attention? Vous devez comprendre que prendre le contrôle commence par considérer qu'aucun frais n'est trop faible pour rester ignoré. Supposons que vous ayez des frais de 6 $ par mois pour vos transactions aux guichets automatiques et que vous faites trois chèques sans provision dans l'année. Cela représente des frais de 150 $ par an (72 $ pour les frais de transactions aux guichets automatiques et environ 75 $ pour les chèques sans provision). C'est 150 $ que vous n'auriez pas dû payer et seule votre négligence est à blâmer. Et n'essayez pas de me dire que ce ne sont *que* 150 $. Si au lieu de dilapider 150 $ chaque année pendant dix ans, vous les aviez déposés dans un compte d'épargne avec un taux d'intérêt de 5 %, vous auriez économisé presque 2 000 $. Voilà le prix de votre négligence.

Vérifiez tous les dépôts et tous les retraits

Ensuite, je voudrais que vous sortiez votre dossier « Factures et relevés d'opérations des guichets automatiques » pour le mois en cours. Même si les banques commettent rarement des erreurs, cela ne signifie pas que ça ne se produira pas. Aussi, il vous faut vérifier que tous les dépôts et tous les retraits que vous avez faits aux guichets automatiques apparaissent sur votre état de compte.

---

4. Il se peut que cette information ne soit pas vraie pour toutes les institutions. Le mieux est de vérifier directement avec la vôtre.

Prenez un moment pour faire le total de tous les retraits aux guichets automatiques que vous avez faits durant le mois. C'est un réel choc la première fois que vous le faites. Mon expérience m'a démontré que nous avons tendance à oublier un ou deux retraits chaque mois.

Si vous vous demandez où est passé votre argent, je vous recommande de tenir un état de vos dépenses payées en liquide pendant quelques mois. Lorsque vous pourrez analyser toutes les dépenses que vous faites, il sera plus aisé de déterminer une stratégie pour les limiter et avoir plus d'argent sur votre compte à la fin du mois. Vous trouverez sur mon site Internet une feuille pour noter tous vos achats. Vous pouvez également vous faire un tableau de budget ou aller chercher un guide de budget sur les sites Internet des banques canadiennes ou des caisses Desjardins.

Maintenant, sortez vos relevés d'opérations du mois et assurez-vous que tous vos dépôts aux guichets automatiques ont bien été crédités sur votre compte. Encore une fois, les erreurs sont rares, mais on ne sait jamais.

Vous êtes maintenant prête à payer vos factures. Comme je l'ai déjà expliqué, il serait préférable que ce rituel ait lieu une fois par mois. Il est difficile de suivre les traces de votre argent si vous faites des chèques plusieurs fois au cours du mois. Que vous utilisiez le système de paiement en ligne ou que vous utilisiez la bonne vieille méthode, l'opération est très simple : vous devez vérifier que tous les chèques que vous avez faits ont bien été portés au débit de votre compte. Puis, soustrayez le total de votre crédit pour vérifier votre solde. Évidemment, le but est que la somme apparaissant dans la colonne « crédit » soit plus que suffisante pour couvrir tous vos débits, ce qui signifie qu'après avoir rempli tous les chèques, le solde du compte doit être positif.

Ne vous laissez pas tenter par la protection contre les chèques sans provision et les découverts

Ne faites pas confiance aux banques qui vous promettent des assurances gratuites ou gracieusement offertes contre les découverts. Comme je l'ai déjà expliqué, elles sont tout sauf gratuites. Ne vous fiez pas non plus au système qui autorise votre banque à puiser dans votre compte d'épargne ou dans votre carte de crédit dès que le solde de votre compte-chèques atteint le point zéro pour le renflouer et effectuer vos paiements. C'est certainement très pratique, mais une fois de plus, en faisant cela vous ne prenez pas véritablement le contrôle de la situation ; vous ne faites que réduire vos propres économies ou augmenter le débit de votre carte de crédit pour solutionner vos problèmes de trésorerie. C'est une version personnelle du « déshabiller Pierre pour habiller Paul ».

Le plan le meilleur à long terme consiste à surveiller étroitement vos dépenses et à voir où vous pouvez couper pour ne plus vous retrouver proche du découvert tous les mois.

▲ Si vous avez des difficultés pour payer vos factures tous les mois, vous trouverez dans mon site Internet des conseils pour diminuer vos dépenses et avoir plus d'argent dans votre compte à la fin du mois pour régler vos factures. En établissant un budget prévisionnel pour le mois, il vous sera également plus facile de comprendre où vous dépensez votre argent et de mieux voir si vous faites des dépenses superflues.

Les comptes d'épargne

Maintenant que vous savez ce qu'il faut regarder sur votre compte-chèques et comment l'utiliser, l'autre pilier de la sécurité financière est le compte d'épargne, sur lequel vous n'avez aucun risque de perdre votre argent et sur lequel la banque vous rémunère.

Il existe diverses façons d'épargner, qui portent toutes des noms différents, selon que vous ouvriez un compte dans une banque, une compagnie de fonds commun de placement ou une société de courtage. Par exemple, un compte de marché

monétaire ouvert dans une société de courtage est pratiquement un compte dans un compte, ce qui signifie que vous
ouvrez un compte de courtage à l'intérieur duquel vous versez
et épargnez votre argent. Le compte de courtage qui abrite le
compte de marché monétaire vous procure d'autres options
que l'épargne; il vous permet de faire divers investissements,
tels que des actions, des obligations, des fonds communs de
placement, des certificats de dépôts, et même d'acheter de
l'or. Un simple compte d'épargne ouvert dans une banque
ne propose aucune de ces options d'investissement. Pour les
besoins de ce chapitre, j'utiliserai le terme « compte de marché
monétaire » pour faire référence aux dépôts faits sur de tels
comptes.

Apprenez à distinguer un compte-chèques d'un compte d'épargne

Je veux être très claire sur un point. Un compte-chèques
n'est pas un compte d'épargne. J'aimerais que vous ayez ces
deux types de comptes, mais il est très important que vous
compreniez qu'ils doivent être utilisés de façon différente.
Comme nous l'avons vu précédemment, un compte-chèques
sert à garder l'argent nécessaire pour couvrir vos dépenses
mensuelles. Vos retraits aux guichets automatiques aussi bien
que les chèques que vous faites pour payer vos factures sont
débités sur ce compte. Il est très pratique et facile à utiliser. Vous
pouvez retirer de l'argent à tout moment, par chèque ou par
retrait automatique. Cependant l'inconvénient est que vous
trouverez difficilement un compte-chèques qui vous donne un
bon taux d'intérêt sur votre solde.

Un compte d'épargne peut être un peu moins facile
d'utilisation. Il peut être assorti d'un nombre limité de retraits
ou d'un montant minimum lors des retraits, par exemple, mais
la banque vous versera un taux d'intérêt plus élevé sur votre
solde que pour un compte-chèques. Ces légères différences
ne devraient pas poser de problème puisque votre compte
d'épargne n'est pas destiné à régler vos dépenses courantes,
qui doivent être couvertes par votre compte-chèques.

Comment un compte d'épargne vous aidera-t-il à prendre le contrôle de vos finances?

Un compte d'épargne sert à vous constituer une réserve d'argent. Ainsi, lorsque vous devrez faire face à une grosse dépense imprévue, vous saurez que vous pouvez la régler sans avoir à recourir à un emprunt ou à votre carte de crédit (ou faire un chèque sans provision sur votre compte-chèques). C'est sur votre compte d'épargne que vous gardez les 700 $ qui serviront à payer la facture du mécanicien quand votre voiture tombera en panne. C'est là que vous gardez les 1 000 $ pour payer la franchise de votre assurance santé si votre enfant a besoin de soins dentaires qui ne sont pas couverts par votre plan d'assurance. Votre réserve d'argent représente une sécurité qui vous empêchera de paniquer si vous êtes victime d'un licenciement, car vous saurez que vous avez suffisamment d'économies pour couvrir vos dépenses jusqu'à ce que vous ayez trouvé un autre emploi. Un compte d'épargne est aussi une solution qui vous permet de sortir d'une relation insatis- faisante et de déménager dans votre propre appartement. Si vous gardez «une réserve d'argent en cas d'urgence» sur votre compte-chèques, vous faites une erreur coûteuse. Vous pour- riez obtenir des intérêts plus élevés en le conservant sur votre compte d'épargne.

Comprenez comment fonctionnent les intérêts

Quand je fais référence à gagner de l'argent sur votre compte, je parle du montant que l'institution financière vous verse pour conserver votre argent sur le compte que vous détenez chez elle. Ce montant est calculé selon un taux exprimé en pourcentage. Ce pourcentage porte différents noms: «taux d'intérêt», «rendement» et «taux de rendement annuel» sont les plus communs. Ce sont des versions diffé- rentes d'un même concept de base: combien vous allez gagner sur l'argent que vous conservez sur votre compte. Fidèle à la promesse de simplicité que je vous ai faite, je ne vais pas insister pour que vous appreniez les nuances qui existent entre chaque appellation. J'aimerais plutôt que vous vous concen- triez sur une seule: le taux de rendement annuel. Chaque fois que vous voyez une publicité ou que vous êtes sollicitée pour ouvrir un compte d'épargne, portez votre attention sur le taux de rendement annuel, car c'est la mesure réelle de ce que vous toucherez vraiment. Si vous comparez les comptes de différentes institutions financières, demandez toujours le taux de rendement annuel, vous pourrez ainsi comparer des pommes avec des pommes.

Obtenez le meilleur taux de rendement annuel

Comme je l'ai mentionné, le meilleur compte-chèques avec intérêt vous rapporte un faible taux d'intérêt, habituellement moins de 1 %. Ce que vous gagnez en facilité d'utilisation, vous le perdez en gains. En comparaison, certains comptes d'épargne en ligne proposaient un taux d'environ 5 % au début de l'année 2007.

Je sais que les pourcentages peuvent être quelque peu déroutants, alors faisons la conversion en dollars. Si le solde de votre compte-chèques est de 2 000 $ et si le taux de rendement annuel est de 1 %, vous recevrez 20 $ d'intérêts répartis sur toute l'année. Maintenant, supposons que vous gardiez ce montant sur votre compte d'épargne dont le taux de rendement annuel est de 5 %, vous toucherez des intérêts de 100 $. Énorme différence, n'est-ce pas ?

Rappel : Votre compte-chèques ne devrait contenir que l'argent nécessaire pour couvrir vos factures mensuelles et vos dépenses courantes. L'argent que vous voulez garder pour les urgences doit être conservé sur un compte d'épargne qui vous rapporte des intérêts. L'autonomie ne consiste pas seulement à faire des économies, mais aussi à déposer vos économies sur le compte qui vous rapportera le plus.

Un compte d'épargne à votre nom

Chaque femme devrait posséder un compte d'épargne complètement séparé des comptes d'épargne qu'elle pourrait détenir avec son conjoint, parent, enfant, etc. Il n'est pas besoin de cacher l'existence de ce compte, car il n'y a rien de honteux ou de douteux à faire ses propres économies. Cette démarche va dans le sens du cheminement que j'ai décrit précédemment : prendre soin de vous-même ne doit pas passer après quelque chose ou quelqu'un d'autre. Vous méritez d'avoir une sécurité financière bien à vous, de savoir que vous pouvez compter sur vos propres économies en cas de dépenses personnelles imprévues.

Quel devrait être le montant de vos économies ?

Le solde d'un compte d'épargne qui sert pour les urgences devrait être suffisant pour couvrir les dépenses courantes pendant trois mois, et ceci s'applique aussi bien à celles qui vivent en couple qu'à celles qui vivent seules. Je suis très prudente pour que vous soyez bien protégées contre les contretemps financiers majeurs. Par exemple, plus vous avancez dans votre carrière, plus il peut être difficile pour vous de retrouver un emploi avec un salaire comparable à celui que vous venez de quitter. Un compte d'épargne bien garni représente aussi une protection contre les dépenses imprévues. On constate que les faillites personnelles aux États-Unis sont dues la plupart du temps aux frais médicaux impayés.

Comme je l'ai déjà mentionné, celles d'entre vous qui vivent en couple doivent posséder un compte d'épargne à leur nom. Le solde de ce compte devrait être suffisant pour couvrir vos dépenses courantes pendant au moins trois mois. Je ne voudrais pas qu'une femme se sente obligée de rester dans une relation qui ne lui convient pas uniquement pour des raisons financières ; ce compte d'épargne à votre nom représente votre liberté. Je souhaite que vous n'ayez jamais à l'utiliser, mais il est bon de savoir que vous l'avez au cas où vous en auriez besoin.

Donc, si vous avez besoin de 3 000 $ par mois pour vivre et si vous êtes célibataire, votre compte d'épargne devrait présenter un solde d'au moins 24 000 $, réservé pour les urgences. Si vous vivez en couple, votre compte familial devrait contenir 24 000 $ et votre compte personnel 9 000 $.

En ce qui concerne la façon de jongler avec deux comptes d'épargne, je vous conseille de répartir par moitié les économies que vous pouvez réaliser. Donc, si vous pouvez économiser 200 $ par mois, déposez 100 $ dans votre compte personnel et 100 $ dans le compte familial.

Je sais que ce comportement peut sembler égoïste, mais il est important de savoir que vous possédez de l'argent à vous.

Cela ne signifie pas que vous n'aimez pas votre famille, c'est simplement une chose que vous devez faire pour vous-même. Et chaque couple devrait mettre sur pied un système qui leur permet de séparer leur argent. Dans le chapitre intitulé «Les engagements», j'expliquerai pourquoi les couples devraient diviser l'argent qu'il leur reste à la fin du mois, après avoir couvert leurs obligations financières conjointes, et se donner ainsi la possibilité de dépenser ou d'épargner leur part comme ils l'entendent. Je recommande aux femmes – et plus spéciale-ment aux femmes au foyer – d'utiliser leur part de l'argent qui reste à la fin du mois pour bâtir leur propre coussin pour couvrir les dépenses imprévues. Cela n'a rien à voir avec le fait de faire confiance ou pas, mais plutôt de faire ce qu'il faut pour vous sentir vraiment indépendante et en plein contrôle de votre vie.

Cependant, je réalise que beaucoup d'entre vous n'ont peut-être même pas les économies suffisantes pour couvrir les dépenses courantes pendant trois mois. Ne vous découragez pas. La solution est de vous engager à commencer à économiser autant que vous le pouvez chaque mois. Peu importe que cela vous prenne un an, trois ans ou plus pour atteindre votre objectif, vous agissez en personne responsable aussi longtemps que vous faites de votre mieux pour économiser de façon constante.

Économisez de façon systématique

La meilleure façon d'approvisionner votre compte d'épargne est de mettre sur pied un système où vous autorisez la banque qui détient votre compte-chèques à transférer auto-matiquement de l'argent chaque mois de ce compte vers votre compte d'épargne ou vers votre compte de marché monétaire. Il n'est pas obligé que ce soit à la même banque. Utiliser un système de transfert automatique vous permet de ne plus vous en occuper et, regardons les choses en face, c'est une excel-lente décision. Vous n'avez plus à penser à approvisionner votre compte d'épargne et vous ne pouvez plus vous auto-riser à sauter un mois quand vous prend l'envie de dépenser plutôt que d'économiser. Cette solution vous force à faire des économies.

Vous pouvez choisir cette option au moment où vous ouvrez votre compte. Si vous possédez déjà un compte, contactez le service à la clientèle et demandez-leur comment mettre ce service en place. Cela se fait très facilement. Vous devrez fournir à l'institution financière qui détient votre compte d'épargne deux informations : le numéro de votre compte-chèques ainsi que le numéro d'identification de la banque et de la succursale qui détient votre compte. Vous trouverez le numéro d'identification de l'institution bancaire dans la partie gauche, en bas de votre chèque ; sinon, vous pouvez joindre votre banque et lui demander de vous le donner. Avec ces deux informations, les deux institutions seront en mesure de communiquer entre elles et de mettre le système de transfert automatique en place.

Le montant que vous pouvez économiser chaque mois sera le montant juste pour vous. Vous seule êtes en mesure de savoir combien vous pouvez économiser. Tout ce que je vous demande est de vous respecter : ne vous en sortez pas avec l'excuse que vous ne pouvez faire aucune économie. Cela peut demander quelques sacrifices, mais si vous voulez atteindre la sécurité financière en possédant un compte d'épargne bien approvisionné, vous devez être motivée pour analyser sérieusement vos dépenses et regarder de quelle façon vous pouvez trouver de l'argent à économiser.

▲ Pour trouver des conseils pour réaliser plus d'économies, consultez mon site Internet.

Et ne croyez pas que le montant doit être important chaque mois.

En mettant ce montant et si votre compte a un taux de rendement annuel sur votre compte de 5 %, vos économies se monteront à :

Chaque mois	En un an	En trois ans	En cinq ans	En dix ans
50,00 $	614,00 $	1 938,00 $	3 400,00 $	7 764,00 $
100,00 $	1 228,00 $	3 875,00 $	6 801,00 $	15 528,00 $
200,00 $	2 456,00 $	7 751,00 $	13 601,00 $	31 056,00 $

▲ Vous trouverez sur mon site Internet un calculateur qui vous permettra d'évaluer la croissance de votre compte d'épargne en entrant le montant que vous comptez économiser chaque mois et le taux de rendement annuel que vous obtenez actuellement. Vous pouvez également consulter le site Internet de l'Association des banquiers canadiens qui offrent de nombreux renseignements aux consommateurs : www.cba.ca.

Comment évaluer un compte d'épargne/ compte de marché monétaire

Un bon compte d'épargne/compte de marché monétaire ne contient aucun frais et le taux de rendement annuel est aussi élevé que possible. Le tout est de savoir quel taux représente un bon taux.

Suivez la Banque du Canada

Le taux de rendement annuel d'un compte d'épargne/ compte de marché monétaire n'est pas coulé dans le béton. En termes financiers, le taux a tendance à flotter plutôt qu'à rester fixe (permanent). Une institution financière peut vous offrir n'importe quel taux, et les taux peuvent varier considérablement d'une banque à une autre, mais toutes les banques ont tendance à suivre les taux directeurs de la Banque du Canada, la banque centrale du Canada. Elle détient différents pouvoirs et est chargée de mettre en place toutes sortes de politiques financières, mais la seule chose que vous devriez retenir est que le conseil d'administration se réunit huit fois par an pour décider s'il faut majorer, stabiliser ou abaisser le taux d'intérêt cible connu sous le nom de taux directeur. Les banques s'adaptent à ce taux directeur. Quand le taux directeur est majoré, les taux d'intérêt sur les comptes d'épargne/comptes de marché monétaire augmentent. Quand le taux directeur est en baisse, les taux offerts par les banques baissent eux aussi. Certaines institutions réagissent instantanément, d'autres font des ajustements tous les mois ou tous les quatre mois. Le fait est que, si vous connaissez le taux directeur – les quotidiens nous tiennent informés du moment où la Banque du Canada annonce son taux directeur et vous pouvez trouver son montant dans la section affaires de vos quotidiens ou en ligne – vous pouvez avoir une idée de ce que devrait être un bon taux de rendement.

Par exemple, à la fin de l'année 2006, le taux directeur était de 5,25 %. Donc, un bon taux aurait dû se situer entre 4,5 et 5 %. À la même période, de nombreuses institutions financières offraient des comptes d'épargne avec un taux de rendement annuel de seulement 2 ou 3 %. Vous ne devez pas vous contenter d'un compte d'épargne avec un taux d'intérêt très bas. Si le taux d'intérêt de votre compte d'épargne est de plus de trois quarts de point (0,75) inférieur au taux directeur de la Banque du Canada, je pense que vous devriez transférer votre argent sur un compte avec un taux d'intérêt plus élevé.

Une autre mise en garde importante : je suis consciente que certaines d'entre vous peuvent bénéficier d'un programme sans frais de votre banque lorsque les soldes combinés de votre compte-chèques et de votre compte d'épargne s'élèvent à un montant fixé par la banque. Aussi, si vous fermez votre compte d'épargne, vous pourriez ne plus profiter du programme sans frais sur votre compte-chèques. Si tel est le cas, soyez proactive et transférez votre compte-chèques en même temps que votre compte épargne. L'idéal pour trouver l'institutions financière qui vous offrent des comptes-chèques sans frais est de visiter leur site Internet pour connaître leurs caractéristiques. Vous pouvez également chercher celles qui offrent les comptes d'épargne avec les taux d'intérêt les plus élevés.

Ouvrir un nouveau compte ne vous prendra que dix minutes. À la fin de l'année 2006, quelques-unes des banques qui offraient les taux de rendement les plus élevés étaient celles qui offrent des comptes en ligne. Voici certaines de mes préférées :

- HSBC : www.hsbcdirect.ca
- ING Direct : www.ingdirect.ca

Au-delà des comptes d'épargne

J'insiste pour que vous ayez un compte d'épargne ou un compte de marché monétaire, mais je veux que vous sachiez qu'il existe d'autres excellentes options pour épargner, telles que les certificats de dépôt (CDE), les fonds du marché monétaire, tous deux disponibles dans les banques, les compagnies de fonds mutuels et les firmes de courtage.

▲ La Société d'assurance-dépôts du Canada (SADC) est une société d'État fédérale établie par le Parlement qui donne plusieurs renseignements ainsi que les différentes options qui s'offrent à vous pour épargner. Vous pouvez consulter leur site Internet : www.sadc.ca.

Un mot sur la sécurité

Les banques virtuelles, les banques, incluant les épargnes et les prêts, et les firmes de courtage peuvent tous faire partie du programme de la Société d'assurance-dépôts du Canada (SADC). La première chose à vérifier quand vous cherchez une institution financière avec qui vous voulez faire affaire est si elle est membre de la SADC. La plupart des banques le sont et sont heureuses de vous le faire savoir : vous verrez le sigle SADC sur la page d'accueil de leur site web ou affiché sur la porte d'entrée, et à peu près partout où c'est possible. Les groupes financiers coopératifs ont un système d'assurance semblable. Recherchez le sigle qui signale que votre groupe financier coopératif est membre de l'Autorité des marchés financiers ou est couvert par un programme d'assurance gouvernemental.

La SADC est une société d'État fédérale qui protège les dépôts faits chez ses membres, banques et sociétés de courtage. L'Autorité des marchés financiers est l'organisme mandaté par le gouvernement du Québec pour encadrer les marchés financiers québécois. Si l'institution fait faillite et ne peut pas vous redonner l'argent que vous aviez déposé, ces organismes interviennent et couvrent vos dépôts jusqu'à une certaine limite.

• **100 000 $ pour le compte d'un particulier.** L'assurance couvre jusqu'à 100 000 $ de vos dépôts combinés dans un compte-chèques et un compte d'épargne, et ceci par institution. Donc, si vous avez 100 000 $ dans une institution et 100 000 $ dans une autre, l'assurance couvre vos 200 000 $. Veuillez toutefois noter qu'il doit s'agir d'institutions totalement différentes et non de différentes succursales de la même institution.

• **200 000 $ pour les comptes joints.** En plus de votre couverture individuelle, l'assurance couvre jusqu'à 200 000 $ les dépôts faits dans un compte joint (100 000 $ pour chaque détenteur)[5].

---

5. Pour obtenir plus de détails sur ces questions, veuillez consulter le site Internet de la SADC à l'adresse suivante : www.sadc.ca.

Plan d'action Premier mois

• Ouvrez un nouveau compte-chèques qui ne comporte pas de frais mensuels.

• Donnez les références de votre nouveau compte à votre employeur pour qu'il y dépose votre salaire. Faites de même avec les organismes qui font des prélèvements automatiques ou des transferts sur votre compte-chèques.

• Vérifiez que vos dépôts et retraits ainsi que toutes les factures que vous avez payées apparaissent sur votre état de compte chaque mois.

• Ouvrez un nouveau compte d'épargne ou un compte de marché monétaire dans une institution assurée par la SADC ou l'Autorité des marchés financiers.

• Fixez-vous comme objectif de bâtir un compte d'épargne dont le solde dans le temps sera suffisant pour couvrir vos dépenses courantes pendant au moins trois mois.

• Souscrivez au système de dépôts automatiques dans votre compte d'épargne.

• Si vous avez plus de 100 000 $ dans n'importe quelle institution unique, assurez-vous de bien comprendre les règles pour que l'assurance couvre la totalité de vos avoirs.

Deuxième mois :
LES CARTES DE CRÉDIT
ET LE POINTAGE DE CRÉDIT FICO

Je serai fière si vous...

... possédez une carte de crédit à votre nom.

... vérifiez vos relevés de cartes de crédit chaque mois.

... détenez des cartes de crédit qui ne comportent ni frais, ni taux d'intérêt élevé.

... vous fixez comme objectif de rembourser vos cartes de crédit au complet chaque mois.

... connaissez la différence entre bonne dette et mauvaise dette.

... vous engagez à adopter une stratégie pour régler le solde de vos anciennes cartes de crédit.

... comprenez l'importance pour votre vie financière d'avoir un bon pointage de crédit FICO. Au Canada, les institutions financières avec lesquelles vous faites affaire vous octroient une cote de crédit que vous pouvez obtenir auprès des agences de renseignements de crédit connues aussi sous le nom de bureaux de crédit.

... obtenez votre pointage de crédit FICO. Au Canada, il est plus courant d'obtenir sa cote de crédit auprès d'une agence de renseignements de crédit. Toutefois, les institutions financières commencent de plus en plus à se référer au pointage de crédit FICO.

... apprenez comment fonctionne votre dossier de crédit.

... vérifiez votre dossier de crédit chaque année.

Je sais que les cartes de crédit sont une source de stress pour beaucoup d'entre vous. Il est difficile de se restreindre, alors qu'il est si simple de payer avec la carte de crédit. Puis, le relevé mensuel arrive et vous avez des remords. Ouvrir le relevé et regarder le solde peuvent déclencher des crises de culpabilité et de panique. Vous ne pensiez pas avoir dépensé autant et vous n'avez pas assez d'argent sur votre compte-chèques pour payer le solde au complet. Ainsi commence la spirale qui consiste à payer moins que le solde complet et à payer des intérêts sur toute la partie impayée. Vous vous retrouvez bientôt entraînée dans le tourbillon infernal des cartes de crédit, et la société qui vous avait donné votre carte de crédit (je l'appellerai la société émettrice à partir de maintenant) ne pouvait pas être plus satisfaite. C'est exactement ce qu'elle voulait qu'il vous arrive : les sociétés émettrices s'enrichissent quand vous ne pouvez pas payer l'intégralité du solde apparaissant sur votre relevé. Elles vous ont alors mise dans l'embarras – pour être tout à fait honnête, vous vous y êtes mise toute seule – et elles ne feront rien pour vous aider à en sortir.

Le programme de ce mois a pour objectif de vous apprendre comment utiliser les cartes de crédit de façon à ce qu'elles vous aident à augmenter le contrôle sur vos finances plutôt que de l'affaiblir. Nous allons commencer par l'étape la plus importante : vous assurer que vous possédez une carte à votre nom, qui ne peut être utilisée que par vous. Puis, je vous expliquerai comment lire votre relevé mensuel et déchiffrer tous les termes et les codes pour que vous puissiez prendre le contrôle sur votre carte de crédit, et non pas le contraire. Je suis certaine que cette connaissance vous permettra d'éviter d'accumuler des dettes que vous ne pourrez pas rembourser. Mais, j'ai également conscience que beaucoup d'entre vous ont déjà un important solde débiteur, souvent réparti sur plusieurs cartes, et que vous ne savez pas comment vous en sortir. C'est pourquoi le programme de ce mois est un programme facile à suivre et facile à exécuter pour prendre le contrôle du solde débiteur de vos cartes de crédit.

Devenir une experte en matière de cartes de crédit vous aidera également à vous constituer un excellent dossier de crédit. En ce qui me concerne, je pense que votre avenir financier ne vous mènera nulle part si vous n'avez pas un bon dossier de crédit, et je sais que beaucoup d'entre vous ne savent même pas ce qu'est un dossier de crédit, ni le rôle important qu'il joue dans votre vie financière.

Commençons par nous assurer que vous avez un élément financier dans votre portefeuille : une carte de crédit à votre nom.

Donnez-vous – et à vous seule – un peu de crédit

C'est très bien d'avoir une carte de crédit en commun avec votre conjoint, mais je veux aussi que vous ayez et que vous utilisiez une carte de crédit qui n'appartient qu'à vous. Et vous ne laisserez jamais personne d'autre l'utiliser – c'est bien compris ? Pas même un utilisateur autorisé. Je me dois d'être franche sur ce point-ci : je vous souhaite tout le bonheur du monde, mais rien n'est garanti. Vous pourriez un jour vous retrouver seule, et, croyez-le ou non, si vous n'avez jamais eu une carte de crédit à votre nom, il vous sera très difficile d'en obtenir une. Et puisque vous n'en aurez pas à votre nom, il vous sera très difficile de louer un appartement ou d'obtenir un prêt hypothécaire, un crédit pour acheter une voiture ou toute autre sorte de crédit. Cela vous semble fou ? Il s'agit là de se créer un excellent profil financier. En analysant la façon dont vous utilisez vos cartes de crédit et dont vous effectuez les paiements, on peut évaluer jusqu'à quel point vous êtes responsable sur le plan financier. Ce profil est retracé dans votre dossier de crédit. Je vous expliquerai dans le détail, un peu plus loin, comment il fonctionne, mais la première chose à faire est de demander une carte de crédit à votre nom, de façon à construire un profil financier bien à vous. Cette démarche est la première étape vers votre autonomie financière. Dès que vous aurez votre carte, je veux que vous l'utilisiez au moins une fois par mois et que vous payiez tous les mois la totalité du solde à la date d'échéance. C'est la meilleure façon de bâtir un *excellent* profil financier personnel.

Si vous occupez actuellement un emploi rémunéré et si vous avez une carte de crédit en compte joint, vous devriez pouvoir obtenir une carte de crédit à votre nom. Vous trouverez à l'adresse Internet suivante une foule d'informations au sujet des cartes de crédit : www.fcac-acfc.gc.ca.

Conseils pour choisir la carte de crédit qui vous convient

• **Ne payez pas de frais annuels.** Votre plus grand défi est d'obtenir une carte entièrement gratuite. Ne vous laissez pas tenter par les cartes de crédit qui vous offrent un programme de « récompenses », mais sont assorties de frais annuels de 75 $ ou plus.

• **Assurez-vous qu'elle offre un délai de grâce d'au moins trois semaines.** Le délai de grâce est la période qui s'écoule entre la date du relevé et la date d'échéance du paiement. La carte que vous choisissez doit bénéficier d'un délai de grâce – certaines cartes n'offrent pas ce service. Ainsi, si vous payez l'intégralité du solde en respectant la date d'échéance, vous ne paierez pas d'intérêts. Si vous n'avez pas de délai de grâce, la société émettrice peut commencer à calculer les intérêts à partir de la date de votre achat, même si votre solde n'est pas débiteur.

• **Préférez celle qui offre un faible taux d'intérêt… juste au cas où.** Si vous payez la totalité du solde chaque mois, vous évitez d'avoir à payer des intérêts. Mais, juste au cas où vous vous tromperiez – ou auriez une dépense imprévue que vous ne pouvez couvrir avec l'argent déposé dans votre compte d'épargne –, je veux que vous vous assuriez que le taux d'intérêt que vous devrez payer si vous ne payez pas la totalité du solde est le plus bas possible. Aussi, recherchez la carte avec le taux d'intérêt le plus faible, et faites très attention aux termes écrits en petits caractères. Très souvent, les sociétés émettrices offrent un très bon taux d'intérêt, mais qui ne s'applique que pendant quelques mois seulement. Lorsque la période de lancement prend fin, le taux grimpe à 18 %. Idéalement, votre taux d'intérêt permanent devrait se situer à environ 10 % ou moins (le taux qui vous sera accordé dépend pour beaucoup de votre cote de crédit ; si votre cote est excellente, vous devriez pouvoir obtenir une carte de crédit avec un faible taux d'intérêt. Vous allez apprendre le fonctionnement au cours de cette étape du programme). Et ne vous laissez pas tenter par le taux de lancement utilisé pour faire la publicité en croyant que c'est un « taux fixe ». C'est seulement l'un des nombreux moyens utilisés par les sociétés émettrices pour embrouiller les consommateurs. Peu importe ce que vous pouvez entendre, il n'existe pas de carte de crédit avec un taux d'intérêt fixe. La société émettrice peut augmenter votre taux à tout moment, à condition de vous en aviser trente jours à l'avance. Habituellement, les mauvaises nouvelles sont inscrites en petits caractères dans un des encarts du contrat de votre carte de crédit que vous ne lisez jamais.

Une autre ruse employée par les sociétés émettrices concerne la façon dont elles calculent les intérêts sur votre solde. Si votre société émettrice utilise un système de facturation de deux cycles et si vous avez tendance à avoir un solde impayé de temps en temps, vous pourriez finir par payer beaucoup plus que vous ne le pensiez.

▲ Le site Internet de l'Agence de la consommation en matière financière du Canada offre des outils pour trouver la carte de crédit qui vous convient : www.fcac-acfc.gc.ca/fra/consommateur/outils/default.asp.

Carte de crédit avec garantie

Si vous ne pouvez pas obtenir de carte de crédit, je veux que vous commenciez avec ce qui est appelé « une carte de crédit avec garantie ». Une carte avec garantie est l'étape préliminaire à l'obtention d'une carte de crédit standard.

Le fonctionnement d'une carte de crédit avec garantie est légèrement différent de celui d'une carte de crédit standard. Pour ouvrir le compte, vous devez envoyer à la compagnie émettrice un dépôt d'environ 500 $. Ce montant représentera votre limite de crédit, c'est-à-dire que vous ne pourrez pas dépenser plus que le montant que vous avez déposé. Vos dépenses sont garanties par votre dépôt. La société émettrice ne risque pas de perdre de l'argent car, si vous ne payez pas votre facture, elle prélèvera le montant à même votre dépôt.

Conseils pour choisir la carte de crédit avec garantie qui vous convient

Le site Internet de l'Agence de la consommation en matière financière du Canada offre un tableau comparatif des cartes de crédit avec garantie : www.fcac-acfc.gc.ca.

• Si vous faites affaire avec un groupe financier coopératif, demandez s'il offre des cartes de crédit avec garantie.

• Assurez-vous d'obtenir des frais annuels peu élevés. La plupart des cartes de crédit avec garantie sont assorties de frais annuels. Évidemment, plus ils sont bas, mieux c'est.

• **Assurez-vous que vos paiements sont notifiés à une agence d'évaluation de crédit.** Ceci représente le point le plus important pour choisir une carte de crédit avec garantie. En effet, vous optez pour ce genre de carte parce que vous ne vous qualifiez pas pour une carte de crédit régulière, la plupart du temps parce vous n'avez aucun antécédent en matière de crédit. Aussi, il vous faut prendre une carte de crédit avec garantie dans le but de construire votre « profil de crédit », ce qui signifie qu'une agence d'évaluation de crédit notera si vous payez vos factures à temps. Mais, pour cela, la société qui a émis votre carte de crédit doit envoyer un rapport de vos paiements à au moins une des trois agences de renseignements de crédit du Canada : Equifax, TransUnion et les Bureaux de crédit du Nord, et toutes ne le font pas. Donc, en tout premier lieu, vous devez vérifier qu'un rapport de vos paiements sera bien envoyé à l'un de ces bureaux. Pour ce faire, il vous faudra vous adresser au service à la clientèle.

Dès que vous recevez votre carte de crédit avec garantie, utilisez-la – elle fonctionne comme toutes les autres cartes de crédit et est acceptée dans tous les magasins – et assurez-vous de payer la facture à temps. Chaque paiement que vous ferez sera enregistré à l'agence d'évaluation de crédit et vous vous bâtirez ainsi un dossier de crédit. Après six mois d'utilisation, vous devriez vérifier auprès de l'agence d'évaluation que vos informations sont bien enregistrées. Après avoir utilisé votre carte de crédit avec garantie d'une façon responsable pendant environ un an, vous aurez un « dossier de crédit » qui vous permettra de vous qualifier pour obtenir une carte de crédit standard. Je vous rappelle que la raison pour laquelle vous utilisez une carte de crédit avec garantie est de vous bâtir un excellent pointage de crédit. Donc, il est très important de régler en totalité le solde de votre relevé chaque mois et de ne pas dépasser la date d'échéance.

Une carte de débit n'est pas une carte de crédit ou une carte de crédit avec garantie!

Si vous payez au moyen de votre carte de débit, le montant de votre achat est instantanément débité de votre compte. C'est ce qu'on appelle une transaction par carte de débit. Il est important de comprendre que les achats que vous réglez avec votre carte de débit ne sont pas reportés à l'agence d'évaluation de crédit et ne servent pas à construire votre profil financier. Ne vous contentez pas d'une carte de débit; vous devez avoir votre propre carte de crédit standard.

Parlons maintenant de la façon d'utiliser des cartes de crédit régulières.

Déchiffrez votre relevé de carte de crédit

Avant tout, vous devez l'ouvrir... je ne plaisante pas – la première étape est d'ouvrir le relevé, que vous le receviez par la poste ou en ligne. Celles qui ont pratiqué l'évitement et le déni dans le passé connaissent très bien cette angoisse. De grâce, arrêtez de vous fustiger. Je ne veux pas savoir à quoi ressemble votre relevé aujourd'hui. La nouvelle personne que vous êtes est en plein contrôle, et ce à partir d'aujourd'hui. Si vous avez accumulé de sérieuses dettes sur votre carte de crédit que vous devez régler, c'est ce que nous allons faire. Sans honte et sans reproches, vous vous souvenez? Le passé est le passé. Concentrez-vous sur ce que vous pouvez faire pour atteindre la sécurité financière.

Comme vous l'avez fait au cours du premier mois, vous devez prendre connaissance de toutes les factures dès qu'elles arrivent, que ce soit par courrier ou en ligne. Souvenez-vous: Contrôler = prendre ses responsabilités. Et vous devez absolument conserver une bonne organisation pour vos factures de cartes de crédit. Le principe de base le plus important est de vous assurer d'envoyer le paiement à temps, même s'il s'agit d'un petit montant. Un paiement qui arrive un jour en retard peut entraîner des frais de 40 $ et une hausse de votre taux d'intérêt.

Donc, nous sommes bien d'accord: prendre le contrôle de votre carte de crédit commence avec l'ouverture du relevé dès qu'il arrive. Pour les besoins de l'exercice de ce mois, mettez de côté vos plus récents relevés. Et voici la nouvelle routine que vous devrez appliquer tous les mois, pour tous les relevés de vos cartes de crédit :

• **Vérifiez votre relevé.** Vérifiez que vous avez réellement fait les dépenses qui apparaissent sur le relevé. Si vous n'avez pas autorisé certaines de ces dépenses, vous pouvez être victime d'un vol d'identité, ce qui signifie que quelqu'un a eu accès à vos informations et a fait des dépenses sur votre compte. Ne vous inquiétez pas, vous ne serez pas tenue responsable à condition que vous préveniez immédiatement la société émettrice.

Vous pouvez vous rendre sur mon site Internet pour avoir plus d'information sur ce que vous devez faire si vous croyez être victime du vol d'identité. Vous pouvez également aller sur le site Internet du gouvernement du Canada : www.securitecanada.ca/identitytheft_f.asp pour avoir plus d'informations propres au Canada.

• **Vérifiez que tous les crédits qui vous sont dus – pour des marchandises retournées, des abonnements annulés ou des débits portés à votre compte par erreur – ont bien été portés à votre compte.** Ne vous contentez pas de supposer que c'est fait, vérifiez-le ! Il est si facile de gaspiller des centaines de dollars chaque année, simplement en ne prenant pas deux minutes par mois pour vérifier votre relevé de carte de crédit.

• **Portez une attention particulière à la date d'exigibilité du paiement.** Voici un piège dans lequel il est facile de tomber. La date d'exigibilité du paiement est la date à laquelle la société émettrice doit recevoir votre paiement et non la date à laquelle vous devez poster votre paiement ou autoriser le paiement en ligne. Si vous envoyez votre paiement par la poste, vous devez l'envoyer au moins cinq jours ouvrables avant la date d'échéance. Si vous utilisez le service de paiement en ligne, prévoyez un délai d'au moins deux jours ouvrables. Alors, quel est le problème ?

Tout d'abord, il y a le problème des frais de retard qui, comme je l'ai déjà mentionné, peuvent atteindre 40 $, juste pour un retard d'une journée. Mais, le plus gros problème est qu'un retard de paiement pour une carte de crédit peut entraîner une augmentation du taux d'intérêt de cette carte, ainsi que celui de vos autres cartes. Voilà un des pièges que les sociétés émettrices inscrivent en petits caractères. Si votre compte affiche un seul jour de retard, il peut être identifié comme «compte en souffrance», ce qui donne le droit à toutes les sociétés émettrices de cartes de crédit d'augmenter les taux d'intérêt de vos cartes. Ne pas dépasser la date d'échéance du paiement est la seule façon de garder l'argent dans vos mains plutôt que dans celles de la compagnie émettrice.

• **Trouvez le paiement minimum dû sur votre relevé.** Ceci est l'appât dans lequel la société émettrice veut que vous mordiez. N'oubliez pas: les sociétés émettrices gagnent de l'argent si vous ne payez pas l'intégralité du solde. Si vous ne payez que le montant minimum dû, elle commence à calculer des intérêts sur le solde impayé. Il est également important de comprendre que le paiement minimum ne représente qu'environ 3 % du solde total. Vous laissez donc un solde impayé représentant 97 % du solde total. Même si vous vous promettez de ne pas ajouter de nouvelles dépenses et si vous ne payez que le montant minimum chaque mois, il vous faudra plusieurs années, et des milliers de dollars, pour couvrir les intérêts qui vous sont facturés chaque mois sur le montant élevé de ce solde impayé, que vous vous efforcez de rembourser petit à petit.

Avant de vous montrer à quel point vos dettes peuvent augmenter, parlons des taux d'intérêt. La société émettrice de cartes de crédit espère que vous ne remarquerez que le taux annuel affiché sur votre relevé, ce qui représente le taux de base appliqué au solde impayé. La moyenne du taux d'intérêt annuel est d'environ 15 %, mais de nombreuses cartes affichent un taux de 22 % voire plus. Mais le taux réel que vous devrez supporter sera légèrement supérieur au taux annuel (environ 1 ou 2 % de plus) si votre compte accuse un solde impayé de mois en mois, et ce à cause de la méthode de calcul utilisée par la société émettrice pour comptabiliser vos intérêts. Il est évidemment dans l'intérêt des compagnies émettrices de minimiser le taux d'intérêt, c'est la raison pour laquelle elles n'affichent que le taux annuel sur le relevé.

Je ne veux pas insister pour que vous deveniez une experte en la matière, mais j'aimerais que vous compreniez que si vous reportez un solde impayé de mois en mois, le taux réel que vous paierez sera légèrement supérieur au taux annuel qui apparaît sur votre relevé, peut-être de 1 ou 2 %.

▲ Sur mon site Internet, un calculateur est disponible pour savoir qu'elle est le réel taux d'intérêt que vous payez lorsque vous reportez votre solde sur votre carte de crédit ainsi que le temps nécessaire pour payer complètement votre solde avec les montants qui correspondent aux intérêts payés. Vous pouvez également visiter le site Internet du Bureau de la consommation du Canada qui met à votre disposition un calculateur qui vous permet de connaître les coût réels engendrés par les emprunts et les cartes de crédit : www.ic.gc.ca/epic/site/oca-bc.nsf/fr/ca01814f.html.

Évitez le piège du paiement minimum

Nous sommes prêtes à présent à analyser une situation. Supposons que votre relevé de carte de crédit affiche un solde débiteur de 2 500 $ ce mois-ci et que le taux d'intérêt réel soit de 16 %. Supposons également que vous ayez choisi de ne payer que le montant minimum dû, ce qui représente 3 % du solde. Si vous tombez dans le piège tendu par la compagnie émettrice de votre carte de crédit et si vous ne faites que le paiement minimum, vous paierez 1 844 $ en intérêts répartis sur les quatorze prochaines années – oui, vous avez bien lu, quatorze ans ! – qu'il vous faudra pour payer l'intégralité du solde. Ou, si vous préférez, vous avez dépensé 2 500 $, mais le montant que vous paierez à la compagnie émettrice sera de (2 500 $ + 1 844 $), soit environ 74 % de plus que ce que vous aviez dépensé au départ. Et si vous avez un solde débiteur de 10 000 $, ce sera encore plus catastrophique. Il vous faudra plus de vingt ans pour régler ce solde en totalité, et pendant tout ce temps, vous aurez versé 7 843 $ d'intérêts à la compagnie émettrice.

Par pitié, ne tombez pas dans ce piège. Prendre le contrôle de votre avenir financier suppose que vous payiez la totalité du solde de votre carte de crédit chaque mois, et ceci devrait être votre objectif. Si vous avez actuellement un solde impayé, j'aimerais que vous vous engagiez aujourd'hui à ne pas l'augmenter. À partir d'aujourd'hui, votre but sera de régler cette dette.

Dette : bonne versus mauvaise

Même si je n'aime pas les dettes accumulées sur votre carte de crédit, il faut bien comprendre que les dettes ne sont pas toutes mauvaises. À moins que vous ayez hérité d'une somme colossale, que vous soyez très riche ou que vous ayez gagné le gros lot à la loterie, vous devrez, sans aucun doute, emprunter de l'argent de temps en temps. C'est tout à fait normal, à condition que vous sachiez bien pourquoi et à quel moment vous le faites. C'est ce que j'appelle le test de la bonne/mauvaise dette, et c'est très facile à faire.

Une **bonne dette** est un emprunt qui vous sert à financer un bien. Un bien est quelque chose qui a de la valeur aujourd'hui et dont la valeur est supposée augmenter avec le temps. Un prêt hypothécaire représente l'exemple même d'une bonne dette. Vous empruntez de l'argent et vous payez des intérêts pour financer l'achat d'un bien immobilier. Cependant, que vous décidiez d'y vivre pour toujours ou de le vendre, on peut espérer qu'il prendra de la valeur et que vous aurez réalisé un bon investissement. Un prêt étudiant est aussi ce que j'appellerais une bonne dette. Dans ce cas, votre bien est votre avenir (ou celui de votre enfant). Un plus haut niveau de scolarité entraîne un plus haut niveau de revenus.

Une **mauvaise dette** est tout l'argent que vous empruntez et qui ne sert pas à financer un bien. Les dettes sur les cartes de crédit sont de loin les plus mauvaises dettes. (La seule exception est si vous ne l'utilisez que pour couvrir les achats indispensables – les besoins et non les envies – quand vous êtes jeunes et que vous vous efforcez de boucler vos fins de mois). Les dettes engendrées pour payer des soins en institut de beauté, sortir au restaurant, s'offrir les chaussures ou les sacs à main dernier cri, dont vous avez envie mais pas réellement besoin, sont de mauvaises dettes. Financer des vacances par le biais d'une ligne de crédit garantie par un bien immobilier est une dette encore plus mauvaise.

Emprunter pour acheter une voiture est également une mauvaise dette. Je parie que cela vous étonne. Laissez-moi vous expliquer : la valeur de votre voiture n'augmentera jamais, au contraire elle diminuera, c'est ce qu'on appelle la dépréciation. C'est pourquoi emprunter pour financer l'achat d'une voiture n'est pas aussi judicieux qu'emprunter pour financer l'achat d'une maison. Cependant, je comprends que beaucoup d'entre vous soient obligées d'emprunter pour acheter une voiture.

Essayez de réduire ce genre de dette au minimum et faites en sorte de rembourser cet emprunt le plus rapidement possible. À mon avis, vous ne devriez pas mettre plus de trois ans pour rembourser ce genre de prêt.

(Et de grâce, ne louez jamais une voiture ; le principe de la location fait en sorte que vous ne pourrez jamais contrôler vos finances dans ce domaine.)

▲ Pour en savoir plus sur les raisons pour lesquelles je vous déconseille la location d'un véhicule plutôt que l'achat traditionnel, vous pouvez consulter mon site Internet.

Classez vos dettes

J'aimerais que vous analysiez vos dettes actuelles et que vous les rangiez dans le groupe **bonnes dettes** ou dans le groupe **mauvaises dettes**. Évidemment, l'objectif est de réduire vos mauvaises dettes. Nous examinerons plus loin ce qu'il faut faire avec les plus mauvaises dettes : vos soldes impayés sur vos cartes de crédit. Mais, j'aimerais que vous teniez compte de cette stratégie quand vous pensez à vous engager dans une nouvelle dette. Demandez-vous chaque fois : est-ce une bonne ou une mauvaise dette ?

Réglez le problème de vos soldes impayés sur vos cartes de crédit

Si vous n'avez pas de solde impayé sur vos cartes de crédit, soyez bénies – allez directement à la section sur les dossiers de crédit.

Si vous avez des soldes impayés sur vos cartes de crédit, il faut absolument cesser de voir cette situation comme un signe d'échec ou avec une telle culpabilité que vous ressentez trop de crainte et de honte pour en prendre le contrôle. Je veux que vous gardiez présent à l'esprit que ce qui est arrivé dans le passé est hors de votre contrôle, mais que ce que vous choisirez de faire de votre avenir est entièrement sous votre contrôle. Alors, pourquoi ne pas vous concentrer sur une stratégie qui vous garantira un avenir exempt de dettes sur vos cartes de crédit ?

Vous devez dès le départ vous engager à utiliser votre carte de crédit d'une façon responsable, ce qui suppose de ne pas porter plus de frais au débit de votre compte que ce que vous pourrez payer en totalité quand vous recevrez votre relevé.

Les seules dépenses que vous devriez vous permettre, même si vous ne pouvez pas les rembourser, ne concernent que les dépenses imprévues que vous ne pouvez pas régler avec vos épargnes. Vous allez donc devoir apprendre à dire « non » à vous-même, à votre conjoint et probablement à vos enfants, et ce ne sera pas facile. Cependant, vous devez revenir à la raison pour laquelle vous lisez ce livre : vous voulez prendre le contrôle de votre avenir financier. Il faut pour cela vous engager à faire des choix avisés, et je ne peux pas imaginer de meilleur choix que d'éviter les soldes impayés importants sur vos cartes de crédit qui génèrent des intérêts élevés.

En ce qui concerne les dettes que vous avez contractées sur vos anciennes cartes de crédit, je vous propose une série de stratégies. L'ordre dans lequel elles sont présentées est inten-tionnel : si la première stratégie ne correspond pas à votre situation, passez à la deuxième stratégie et ainsi de suite.

Ces stratégies sont basées sur ce qu'il est logique de faire du point de vue financier. Cela dit, je reconnais que les dettes, spécialement celles liées aux cartes de crédit, peuvent avoir un énorme impact émotionnel sur les femmes. Si rien ne peut vous procurer une sensation de soulagement et de pouvoir comme de savoir que vous avez réglé le solde de votre carte de crédit, indépendamment du fait de savoir si c'est le meilleur choix financier, alors, c'est exactement ce que vous devriez faire. Cependant, vous devez vous assurer que vous ne sortez pas d'une mauvaise situation pour entrer dans une autre. Aussi, dans le cadre suivant, vous trouverez, pour commencer, ce qu'il ne faut pas faire pour régler les dettes liées aux cartes de crédit, et ensuite ce que vous devez faire.

Ne donnez jamais votre bien immobilier en garantie pour vous libérer de vos dettes liées aux cartes de crédit

Beaucoup de messages publicitaires vous promettent de résoudre vos problèmes liés aux cartes de crédit en vous proposant un prêt garanti par la valeur de votre bien immobilier. L'offre est alléchante. Le taux d'intérêt sur votre ligne de crédit garantie par un bien immobilier sera généralement plus faible que le taux de votre carte de crédit.

Ne vous laissez pas tenter.

Je ne vous ai jamais demandé d'utiliser la valeur de votre propriété pour régler votre facture de carte de crédit.

Une dette liée à une carte de crédit est ce que l'on appelle une « dette non garantie », ce qui signifie que vous ne donnez ni argent ni bien en garantie. Une ligne de crédit garantie par un bien immobilier est une « dette garantie ». Quand vous avez une ligne de crédit de ce genre, votre propriété est donnée en garantie. Si vous n'effectuez pas les paiements, le prêteur a le droit de faire vendre votre propriété pour récupérer son argent, autrement dit vous pourriez être obligée de vendre votre bien. Il est tout simplement ridicule de transférer une dette non garantie (solde de votre carte de crédit) sur une dette garantie (ligne de crédit garantie par votre bien immobilier). Pourquoi voudriez-vous prendre le risque de devoir vendre votre propriété pour rembourser le solde de vos cartes de crédit?

La stratégie de la ligne de crédit garantie cache un autre piège dangereux : j'ai vu tant de femmes rembourser le solde de leur carte de crédit par une ligne de crédit garantie et s'empresser, sitôt fait, d'inscrire un nouveau solde d'un gros montant sur leur carte de crédit, celle-là même qu'elles venaient de rembourser. Elles se retrouvaient donc avec la ligne de crédit à rembourser et les nouvelles dettes sur leur carte de crédit et leur situation financière était encore pire qu'avant. De grâce, ne remboursez jamais le solde de vos cartes de crédit avec une ligne de crédit garantie ; je dis bien jamais.

STRATÉGIES POUR VOUS LIBÉRER DE VOS DETTES LIÉES AUX CARTES DE CRÉDIT

Transférez le solde sur une nouvelle carte avec un faible taux d'intérêt.

Si le taux d'intérêt annuel de votre carte de crédit est de plus de 10 %, vous devriez transférer le solde vers une nouvelle carte avec un taux d'intérêt plus bas. On appelle cette opération un transfert de solde. De nombreuses sociétés émettrices vous offrent un taux d'intérêt annuel initial sur vos transferts de soldes qui peut être de 0 % pendant la première année. Tout le monde ne se qualifie pas pour profiter de cette offre, aussi vous devrez vous adresser à plusieurs sociétés pour trouver celle qui convient le mieux à votre situation financière actuelle.

▲ Vous pouvez chercher les meilleures offres pour les transferts de solde de carte de crédit en allant sur le site Internet des assocations de consommateur ou ceux des institutions financières canadiennes.

Si vous réussissez à obtenir une carte avec un taux faible voire nul, très bien ! Mais, je vous en prie, soyez prudente quant à l'utilisation de cette nouvelle carte. La société émettrice sera aussi intéressée à vous voir payer le montant minimum pour pouvoir hausser son taux d'intérêt. Votre démarche la plus importante consiste à être très attentive et à payer le solde à temps, et pas seulement sur cette carte, mais sur toutes celles en votre possession. Comme je l'ai déjà expliqué, la compagnie émettrice de carte de crédit utilise une politique appelée « compte en souffrance » : si vous payez en retard, aussi bien le solde de cette carte que celui des cartes des autres compagnies, vous pouvez perdre le bon taux d'intérêt dont vous bénéficiez sur une carte dont vous avez réglé le solde à temps.

En fait, je ne veux même pas que vous transportiez cette carte dans votre portefeuille. Pourquoi ? Parce que souvent le taux d'intérêt bas ou nul dont vous bénéficiez sur les transferts ne s'applique pas aux nouveaux achats. Souvent, la même compagnie émettrice qui vous procure un taux de 0 % sur les transferts vous facturera 18 % et plus sur les nouvelles dépenses. Et ne pensez pas qu'il vous suffira de payer les nouvelles dépenses aussitôt que possible. La compagnie émettrice a toujours un temps d'avance sur vous ; elle fera en sorte que vous soyez obligée de payer son taux d'intérêt élevé. Si vous utilisez la carte sur laquelle vous avez fait le transfert de solde pour régler une nouvelle dépense, quand vous enverrez votre paiement, la compagnie l'utilisera pour réduire votre solde transféré (sur lequel elle gagne 0 % d'intérêt) plutôt que de l'affecter à votre solde de nouvelles dépenses. Ceci signifie que vous avez un nouveau solde impayé sur vos nouvelles dépenses, et donc des intérêts à payer. La société émettrice est encore une fois la grande gagnante ! Vous payez maintenant 18 % ou plus sur le solde de vos nouvelles dépenses et, tant que vous n'aurez pas fini de rembourser le solde transféré, vous ne pourrez pas régler le nouveau solde.

Portez une attention particulière aux frais de transfert

Assurez-vous de lire les termes écrits en petits caractères et soyez au courant de ce qu'il en coûte pour transférer votre argent. C'est rarement gratuit. Certaines sociétés émettrices prélèvent des frais équivalant à 3 % du montant du transfert, mais avec un maximum d'environ 75 $, tandis que d'autres n'ont pas de montant maximum et calculent 3 % sur la totalité du transfert. Donc, si vous transférez 10 000 $, la carte avec un maximum vous facturera environ 75 $, tandis que la carte sans montant maximum vous facturera 300 $, ce qui représente une grosse différence.

Maintenant, je réalise que vous pouvez être tentée de ne régler chaque mois que le montant minimum dû sur votre nouvelle carte, étant donné que vous bénéficiez d'un taux d'intérêt intéressant. Il faut vous enlever cette idée de la tête. Tout d'abord, le taux n'est généralement intéressant que pendant les premiers mois, et ensuite il grimpe à 15 ou 18 % ou plus. Bien sûr, vous pouvez alors faire un transfert de solde vers une nouvelle carte, mais ouvrir continuellement de nouvelles cartes peut avoir un effet négatif sur votre pointage de crédit FICO ; je vous recommande de ne pas ouvrir plus d'une carte par an. De plus, pour persévérer dans votre attitude consistant à prendre le contrôle de vos finances, la meilleure approche est de faire tout votre possible pour régler vos dettes au plus vite en payant chaque mois autant qu'il vous est possible. Il vous appartient de déterminer le montant qui vous convient, mais faites un effort. S'il vous est facile d'envoyer 50 $ de plus que le montant minimum exigé, forcez-vous à envoyer 100 $. Si 100 $ est un maximum, voyez où vous pouvez couper dans vos dépenses pour envoyer 200 $. Plus tôt vous serez débarrassée de cette dette, plus tôt vous vous sentirez en contrôle de votre situation financière.

(Un point très important : j'espère que ceci est bien évident, mais je veux m'assurer que vous ne générez jamais plus d'argent pour payer vos factures de cartes de crédit en ne payant pas d'autres factures. Vous devez payer vos dépenses courantes : logement, téléphone, etc., à temps. Ne négligez pas ces factures en vous efforçant de régler au plus vite le solde de votre carte de crédit.)

S'il vous reste un solde impayé quand le délai de lancement avec un faible taux d'intérêt est terminé, vous devriez faire un nouveau transfert de solde vers une autre carte de crédit.

Rappel : N'excédez pas un transfert par an pour ne pas affecter votre pointage de crédit FICO en adhérant à plus d'une carte par an.

Utilisez vos économies pour réduire (ou éliminer) le solde de votre carte de crédit

Voici un calcul de base dont vous devez vous souvenir quand vous évaluez vos choix financiers : demandez-vous toujours si ce que vous gagnez en intérêts est plus ou moins important que ce que vous payez en intérêts. Supposons que vous gagnez 5 % sur votre compte d'épargne, mais que vous payez 16 % sur le solde de votre carte de crédit. Hum, la différence est de 11 % selon moi. Et pour être très claire, ce que vous gagnez sur vos économies est en réalité une somme imposable, donc ce que vous gagnez réellement, après avoir payé vos impôts, sera inférieur à 5 %, ce qui agrandit l'écart réel entre ce que vous gagnerez sur vos économies après avoir payé les impôts et ce que vous paierez sur le solde de votre carte de crédit.

Méthode empirique : si le taux d'intérêt de votre carte de crédit est au moins de 4 % supérieur au taux d'intérêt de votre compte d'épargne, il est préférable du point de vue financier d'utiliser vos économies pour rembourser, totalement ou partiellement, le solde de votre carte de crédit.

Et ne pensez surtout pas que vous hypothéquez votre avenir financier en utilisant les fonds réservés aux dépenses imprévues ; en réalité, vous n'avez pas vraiment atteint la sécurité financière tant que vous avez une dette sur votre carte de crédit.

**Engagez-vous dans une stratégie de remboursement :
payez plus chaque mois sur la carte de crédit ayant le plus
haut taux d'intérêt**

Sortez tous les relevés de vos cartes de crédit. En premier
lieu, vous devez faire face à la réalité : additionnez le solde de
toutes vos cartes de crédit.

	Solde impayé
Carte 1	_____
Carte 2	_____
Carte 3	_____
Montant total	_____

Regardez bien ce montant. Mon objectif n'est pas de vous
mettre mal à l'aise. Je veux que vous soyez furieuse : furieuse
de vous être mise dans cette position ; assez furieuse pour vous
motiver à vous engager à prendre, dès aujourd'hui, le contrôle
sur vos cartes de crédit. Oui, il faudra du temps pour rembourser le solde impayé, mais le principal est d'avancer dans la
bonne direction.

Classez vos relevés en fonction de leur taux d'intérêt annuel ;
la carte avec le taux le plus élevé en premier et celle avec le taux le
plus bas en dernier. Remplissez le tableau ci-dessous.

	Paiement minimum exigé	Taux d'intérêt annuel
Carte 1	_____	_____
Carte 2	_____	_____
Carte 3	_____	_____
Total mensuel des paiements minimum	_____	

Vous devez payer chaque mois le montant minimum dû sur chacune de vos cartes de crédit, mais l'objectif, une fois de plus, est de payer plus que le montant minimum sur la carte avec le taux d'intérêt le plus élevé. Je ne veux pas savoir si une autre carte comporte un solde plus important, vous devez vous concentrer sur celle qui a le taux le plus élevé.

Je vais de nouveau vous laisser choisir la somme supplémentaire que vous pouvez payer sur la carte avec le taux le plus élevé. Il vous appartient de décider du pouvoir que vous voulez exercer : plus vous paierez chaque mois, plus vous aurez de pouvoir. C'est aussi simple.

Et voici un conseil pour être plus futée que les compagnies émettrices : chaque mois, la compagnie va recalculer votre paiement minimum sur le solde restant dû.

Ce montant minimum représente un pourcentage fixe du solde impayé. Disons qu'il est de 3 %. Chaque mois, alors que votre solde restant dû diminue, votre paiement minimum diminue lui aussi d'autant, puisqu'il représente toujours 3 % du solde. C'est ainsi que la compagnie émettrice étire votre période de remboursement : elle veut que vous payiez des intérêts sur la plus longue période possible. Voici une façon de déjouer ce piège : notez le paiement minimum exigé de ce mois sur votre carte de crédit avec le taux d'intérêt le plus élevé. Décidez alors de combien vous voulez l'augmenter. Vous devrez payer au moins ce montant tous les mois à partir d'aujourd'hui. Ne payez pas moins, même si votre relevé montre un montant inférieur dans les prochains mois. N'en tenez pas compte, tenez-vous en à ce que vous avez payé le premier mois pour respecter votre plan de remboursement. Si vous pouvez vous le permettre le premier mois, vous pourrez vous le permettre les mois suivants. Alors, supposons que votre paiement minimum exigé de ce mois sur la carte de crédit avec le taux le plus élevé est de 75 $ et que vous décidiez d'y ajouter 50 $. Votre paiement total sur cette carte sera donc de 125 $. Vous devrez donc payer au moins cette somme chaque mois jusqu'à ce que vous ayez complètement remboursé le solde de cette carte, peu importe le montant qui apparaît sur votre relevé.

Dès que le solde de la carte avec le taux d'intérêt le plus élevé sera remboursé, concentrez-vous sur la carte avec le prochain taux le plus élevé. Le paiement que vous ferez sur cette carte devrait être égal au montant que vous versiez auparavant sur la carte avec le taux le plus élevé. Donc, pour en revenir à notre exemple, si vous versiez 125 $ sur la carte avec le taux le plus élevé et que vous avez fini d'en rembourser le solde, vous devrez maintenant reporter ces 125 $ sur la prochaine carte de votre liste.

Je sais que vous pouvez vous le permettre puisque vous versiez déjà cette somme sur votre première carte. Les 125 $ doivent être ajoutés au paiement minimum que vous faisiez sur la deuxième carte. Puis, lorsque le solde de la seconde carte est entièrement remboursé, prenez le montant total que vous faisiez sur cette carte et appliquez ce montant à la troisième carte jusqu'à ce que le solde de cette carte soit entièrement remboursé. Peu importe le temps que cela vous prendra, six mois ou six ans, le principal est de savoir que vous êtes sur la bonne voie.

▲ Si vous rencontrez des problèmes à rembourser vos cartes de crédit et que vous ne voyez pas de stratégies possibles pour vous sortir de votre marasme financier, vous pouvez consulter mon site Internet pour avoir de l'information sur les possibilités qui s'offrent à vous. Vous pouvez également consulter le site Internet du réseau des ACEF qui sont des associations sans but lucratif qui offrent des services aux personnes étranglées par le crédit ou qui veulent améliorer leur situation financière : www.consommateur.qc.ca/associ.htm.

Méfiez-vous des avances de fonds

La plus grosse erreur que vous puissiez commettre avec une carte de crédit est de l'utiliser pour obtenir des avances de fonds. Vous devrez payer des frais qui peuvent atteindre environ 3 % sur le montant retiré ainsi que des intérêts à partir du jour du retrait, même si vous n'avez pas de solde débiteur sur la carte. Le calcul de ces frais est légèrement différent de celui des frais réguliers. Dans le cas des frais réguliers, si vous payez l'intégralité du solde pendant la période de grâce et au plus tard à la date d'échéance, vous ne payez pas d'intérêts. En ce qui concerne les frais sur avances de fonds, non seulement il n'existe pas de période de grâce, mais le taux d'intérêt est de 22 % et parfois plus. C'est de la folie! Cependant, si vous vous trouvez dans une situation telle qu'il n'y a pas d'autre solution, je vous recommande de voir si vous pouvez vous qualifier pour un transfert de solde sur une nouvelle carte avec un faible taux de lancement et transférer le solde de votre avance de fonds sur cette nouvelle carte.

Combien de cartes est-il raisonnable de posséder?

Si vous avez plus de quelques cartes de crédit et si vous avez du mal à vous libérer de leur solde, vous devez adopter une meilleure stratégie de gestion.

Vous devriez toujours avoir deux cartes de crédit, une pour votre utilisation courante et une autre en réserve. Une en réserve, pas dix. Et si votre portefeuille regorge de cartes de crédits offertes par les magasins, vous devez les retirer immédiatement car elles ne peuvent vous apporter que des problèmes. Je sais très bien ce qui arrive: vous arrivez à la caisse et la préposée vous offre une remise de 10 % sur vos achats si vous utilisez leur carte, alors vous acceptez. Même pire, vous allez certainement acheter d'autres articles pour profiter au maximum de cette remise. Mais vous pourriez payer très cher le fait d'avoir économisé ces 10 %. En effet, si vous ne payez pas la totalité du solde de votre prochain relevé, vous allez devoir supporter des intérêts à un taux très élevé de l'ordre de 20 % et plus dans le cas de beaucoup de magasins.

La solution la plus simple consiste à cesser d'utiliser ces cartes à taux d'intérêt élevés dès que vous avez fini de rembourser le solde. Mettez-les dans un tiroir ou un coffre, ou mieux, détruisez-les si c'est la seule solution pour que vous cessiez de vous en servir.

Il est préférable cependant de ne pas les annuler, car cela pourrait avoir un impact négatif sur votre pointage de crédit FICO. Cependant, si vous devez payer des frais annuels sur ces cartes, je pense que vous devriez les annuler, mais avec précaution. Voilà la marche à suivre : classez les cartes comportant des frais annuels selon leur limite de crédit, par ordre croissant. Puis, annulez la carte avec la plus petite limite de crédit. Un an plus tard, vous pouvez annuler la carte avec la deuxième plus petite limite de crédit, et ainsi de suite jusqu'à ce que vous ayez annulé toutes les cartes comportant des frais annuels. Je vous expliquerai plus loin pourquoi l'annulation de ces cartes peut vous porter préjudice, étant donné que la limite de crédit est un facteur important pour déterminer votre pointage de crédit FICO.

QU'EST-CE QUE LE POINTAGE DE CRÉDIT FICO ET POURQUOI EST-IL TRÈS IMPORTANT ?

Si vous pouviez choisir, vous aimeriez obtenir les cartes de crédit et les prêts les plus intéressants, n'est-ce pas ? Moins vous avez d'intérêts à payer et plus il vous reste d'argent pour vous et votre famille. Je vais donc vous démontrer que vous avez effectivement le choix. Les intérêts que vous devez payer sur vos cartes de crédit, vos prêts hypothécaires et vos prêts pour financer l'achat d'une voiture dépendent largement de votre pointage de crédit FICO. Je suppose que certaines d'entre vous ont déjà entendu parler du pointage FICO, mais n'ont qu'une vague idée de ce qu'il représente. Au Canada, ce sont les cotes de crédit telles que transmises par les institutions financières, aux agences de renseignements de crédit aussi connues sous le nom de « bureaux de crédit », qui sont le plus souvent utilisées pour évaluer les habitudes des débiteurs en matière de paiement. Toutefois, il semble que les institutions prêteuses canadiennes commencent à s'intéresser au pointage FICO.

Que vous soyez d'accord ou non, la presque totalité des paiements de facture que vous effectuez est enregistré par trois agences d'évaluation de crédit : Équifax, TransUnion et les Bureaux de crédit du Nord pour le Québec. Ils détiennent un imposant dossier sur vous qui comporte des informations sur vos habitudes de paiement et le montant de vos dettes. Ces informations sur votre santé financière sont alors transférées dans une boîte noire qui utilise différentes formules mathématiques pour déterminer votre pointage personnel. Ce pointage, connu sous le nom de pointage de crédit, est établi par *Fair Isaac Corporation* (FICO). Quand vous faites une demande de carte de crédit ou de prêt, votre pointage de crédit FICO sert à déterminer vos antécédents en matière de crédit. L'organisme prêteur peut se rendre compte rapidement si vous représentez un risque. Si vous avez un bon pointage, ce qui signifie que vous réglez consciencieusement vos factures, ils vous offriront leurs meilleurs services, c'est-à-dire un taux d'intérêt peu élevé sur votre prêt hypothécaire, votre crédit automobile ou vos cartes de crédit. Et, un autre point qui vous surprendra : votre pointage de crédit FICO peut être déterminant pour décrocher un emploi. En effet, certains employeurs (avec votre permission) consultent votre pointage de crédit pour évaluer si vous avez un comportement responsable.

Les propriétaires se fient souvent eux aussi aux pointages de crédit des personnes qui désirent louer leur propriété et ils éliminent celles qui ont un mauvais pointage de crédit. Votre pointage de crédit peut également servir à générer un autre pointage utilisé par les sociétés d'assurance-automobile pour déterminer le montant de votre prime.

Autre facteur important : il serait préférable de connaître votre pointage de crédit.

Pourquoi FICO constitue-t-il le meilleur pointage de crédit ?

Vous pouvez obtenir votre pointage de crédit auprès de différentes compagnies, cependant, pour ma part, je vous conseille de vous procurer votre pointage de crédit FICO.

Comme je l'ai expliqué précédemment, ce pointage est établi par la firme américaine *Fair Isaac Corporation*, qui a mis au point cette méthode de pointage.

Pour être totalement honnête, j'ai une entente avec *Fair Isaac Corporation* (*Suze Orman's FICO kit*), mais je ne perçois aucune commission lorsque vous achetez un profil personnel de crédit. J'insiste donc pour dire que vous devriez le faire. La raison pour laquelle je travaille avec *Fair Isaac Corporation* est la même que celle pour laquelle je vous demande de vous adresser à cette société pour obtenir votre profil de crédit : c'est la meilleure compagnie. La majorité des sociétés émettrices de cartes de crédit, les organismes prêteurs ainsi que toutes les autres sociétés qui peuvent être appelées à consulter votre profil de crédit utilisent le pointage de crédit FICO pour évaluer votre solvabilité. Si c'est à FICO qu'ils s'adressent en premier, c'est auprès de FICO que vous devriez vérifier votre pointage. Il n'est pas utile de consulter les autres compagnies si votre prêteur, votre propriétaire ou un employeur potentiel utilise le pointage de crédit FICO.

Comment vous procurer votre pointage de crédit FICO ?

Vous pouvez vous procurer votre pointage de crédit FICO sur le site Internet de la société : www.myfico.com. En fait, vous avez trois dossiers différents, un pour chaque agence d'évaluation de crédit. Il n'est pas utile de vous procurer les trois dossiers, sauf si vous allez souscrire un nouveau prêt hypothécaire. Pour notre propos d'aujourd'hui, un seul dossier de crédit suffira. Les frais sont en général de 23,95 $.

Le pointage de crédit FICO s'échelonne entre 300 et 900 points. Plus la cote est élevée, plus les prêteurs vous feront confiance. En général, si votre cote est d'au moins 760 points, vous êtes en bonne position. En effet, elle se situe actuellement dans le premier tiers du système de pointage, ce qui signifie que vous avez de bonnes chances de vous qualifier pour obtenir un prêt dans les meilleures conditions. La délimitation entre les différents tiers est réellement déterminée par les prêteurs qui utilisent les rapports. Ces fourchettes peuvent changer de temps en temps, mais elles tendent à rester en conformité avec leurs normes historiques.

> ◢ Si votre pointage FICO est inférieur à 760, vous pouvez aller sur mon site Internet pour connaître des stratégie pour vous aider à regagner des points.

Le calcul de votre pointage de crédit FICO est basé sur cinq facteurs. J'aimerais que vous vous concentriez sur les deux plus importants : le paiement de vos factures à temps et le montant de votre endettement. Ces deux éléments combinés entrent pour 65 % dans le calcul de votre cote de crédit FICO. Les trois autres facteurs (la date de votre premier crédit, vos récentes demandes de crédit et la composition de votre dossier de crédit, cartes de crédit, prêt automobile et prêt étudiant) ne comptent que pour 35 %.

Vous comprenez mieux maintenant pourquoi j'insiste tant pour que vous fassiez vos paiements à temps. Cet élément entre pour une grande part dans le calcul FICO et il vous suffit de payer le montant minimum exigé.

Améliorez votre pointage de crédit FICO en réduisant votre niveau d'endettement

Votre niveau d'endettement est un autre facteur important de votre pointage de crédit FICO. Un facteur clé de cette partie de votre pointage est le ratio entre votre débit et vos limites de crédit. Il s'obtient en additionnant tous les soldes de vos cartes de crédit et en divisant le montant obtenu par le total des limites de crédit de toutes vos cartes. Alors, supposons que le montant total des soldes de vos trois cartes de crédit est de 1 500 $ et que la limite de crédit disponible sur vos trois cartes est de 3 000 $, 5 000 $ et 7 000 $, pour un total de 15 000 $. Voici le calcul : le total des soldes impayés divisé par le total des limites de crédit disponibles, soit dans cet exemple 1 500 $ divisé par 15 000 $, ce qui donne un ratio de 10 %. Il n'y a pas de règle fixe pour déterminer ce qui constitue un bon ratio, mais plus il est bas, mieux c'est. Un ratio de 50 % est de loin plus mauvais qu'un ratio de 10 %.

Vous pouvez facilement estimer votre ratio en additionnant vos soldes impayés et en divisant le résultat obtenu par le total de vos limites de crédit. Si votre ratio est élevé, vous ne ferez certainement pas partie du club des 760 points. La meilleure façon de changer cette situation est de réduire le montant de vos soldes. De cette façon, votre ratio diminuera au même rythme que votre niveau d'endettement, et quand votre ratio diminue, votre pointage de crédit FICO augmente.

Le calcul du ratio est la raison pour laquelle je vous conseille de ne pas annuler les cartes de crédit que vous n'utilisez pas si vous avez des soldes impayés. Quand vous annulez une carte, le montant total de votre limite de crédit disponible diminue d'autant, ce qui peut entraîner une augmentation de votre ratio.

Vérifiez votre dossier de crédit

Puisque le pointage de crédit FICO est calculé à partir des données fournies par les trois agences d'évaluation de crédit, vous devez également vous assurer que les renseignements détenus par ces agences ne comportent pas d'erreur, ce qui est, comme je vous l'ai déjà dit, souvent le cas. Des erreurs dans votre historique de paiement, votre adresse, et des mélanges d'identité sont monnaie courante. Vérifier votre dossier de crédit est aussi la meilleure façon de vous prémunir contre des voleurs qui auraient fabriqué de fausses cartes de crédit à votre nom ou auraient souscrit un prêt en utilisant votre identité.

Vous avez déjà dû voir toutes sortes de messages publicitaires vous proposant de consulter votre dossier de crédit «gratuitement». Soyez très prudentes: la gratuité ne s'applique que si vous vous engagez à utiliser des services additionnels qui, eux, ne sont pas gratuits.

Comment obtenir votre dossier de crédit?

Les agences de renseignements de crédit doivent vous fournir les informations sur votre cote de crédit moyennant un coût d'environ 15 $ à 25 $, en vous adressant par Internet à Équifax au www.equifax.ca ou par téléphone au 514-493-2314 ou encore sur le site Internet de TransUnion au www.tuc.ca ou au 1-877-713-3393. Ces renseignements sont habituellement gratuits lorsque la demande est faite par téléphone.

Si vous trouvez des erreurs, vous devez contacter une des trois agences d'évaluation pour le mentionner. Renseignez-vous pour savoir s'il vont informer les autres agences de renseignements de crédit. S'ils ne le font pas, vous devrez appeler chacune d'elle pour faire les changements.

Il n'est pas toujours facile de faire corriger des erreurs sur un rapport d'une agence de renseignements de crédit. Il s'agit d'une procédure qui mettra parfois vos nerfs et votre patience à rude épreuve. Il s'agit toutefois d'une action très importante si par malheur vous êtes victime d'une erreur ou, pire, d'un vol d'identité. Les organismes et les associations de protection des consommateurs déjà mentionnés dans ce texte pourront vous apporter un précieux soutien.

Plan d'action : récapitulation de ce que vous devez faire avec les cartes de crédit et les pointages de crédit FICO

• Assurez-vous d'avoir au moins une carte de crédit à votre nom.

• Si vous ne pouvez pas vous qualifier pour obtenir une carte de crédit bancaire, procurez-vous une carte de crédit avec garantie auprès d'une institution financière qui notifiera vos paiements à une agence de renseignements de crédit.

• Consultez vos relevés mensuels dès que vous les recevez. Vérifiez qu'ils ne comportent pas d'erreur et tenez compte de la date d'échéance pour faire votre paiement.

• Effectuez toujours votre paiement à temps, c'est-à-dire avant la date d'échéance. Il n'existe aucune excuse pour ne pas le faire.

• Libérez-vous consciencieusement des soldes impayés de vos anciennes cartes de crédit.

• Si le taux d'intérêt de votre carte de crédit est plus élevé que le taux de rendement annuel de votre compte d'épargne, utilisez vos économies pour rembourser le solde de vos cartes de crédit à taux d'intérêt élevé.

• Pensez à transférer les soldes impayés sur une nouvelle carte qui offre un faible taux d'intérêt de lancement.

• Effectuez un paiement d'un montant supérieur au montant minimum exigé sur la carte avec le taux d'intérêt le plus élevé.

• Procurez-vous votre pointage de crédit FICO et un rapport de vos cotes de crédit auprès des agences de renseignements de crédit.

Troisième mois :
INVESTISSEZ POUR VOTRE RETRAITE

Je serai fière si vous...

... commencez à épargner, même un petit montant, pour votre retraite.

... comprenez que même peu aujourd'hui peut devenir beaucoup demain.

... participez au régime de retraite de votre employeur.

... choisissez les bons investissements pour votre régime enregistré d'épargne-retraite (REÉR).

... ne convertissez jamais votre régime de retraite en argent avant votre retraite.

... comprenez que même les femmes au foyer ou les épouses qui ne travaillent pas peuvent avoir un REÉR de conjoint.

... vous engagez à investir annuellement dans un REÉR même si vous bénéficiez d'un régime de retraite auprès de votre employeur.

... choisissez de bons investissements pour votre compte de REÉR.

Il est temps de passer à la vitesse supérieure. Au cours des deux premiers mois, nous nous sommes concentrées sur les dépenses et les économies, qui sont les deux principes essentiels pour construire une sécurité financière, et ce dès le départ. Nous allons maintenant regarder vers le futur et nous concentrer sur les stratégies d'investissement que vous devez adopter aujourd'hui pour pouvoir vivre confortablement durant votre retraite.

Les problèmes soulevés à l'idée d'épargner pour la retraite sont au cœur des soucis des femmes. Ce souci est basé sur la crainte de ne pas avoir assez d'argent pour avoir un toit au-dessus de la tête quand vous serez âgée. Invariablement, la panique s'installe dès lors que vous consultez des services en ligne qui vous proposent de planifier votre retraite et vous annoncent les montants faramineux que vous devez maintenant épargner en vue de la retraite ou dès lors que vous lisez un article de magazine qui vous dit que si vous ne consacrez pas 15 % de vos revenus à votre épargne-retraite vous êtes condamnée à avoir de gros problèmes. À mon avis, viser un gros montant est un très mauvais conseil à vous donner, car c'est totalement démotivant. Si on vous dit que vous devez escalader le mont Everest alors que vous n'en êtes encore qu'au stade d'une colline, il n'est pas étonnant que vous soyez découragée et démoralisée.

Donc, voici ce par quoi vous devez commencer pour prévoir votre retraite. Tout d'abord, oubliez les énormes montants dont nous venons de parler pour vous concentrer sur ce qui est réellement en votre pouvoir aujourd'hui : faire de votre mieux pour économiser en vue de votre retraite. Quel que soit le montant, c'est celui que vous pouvez vous permettre de consacrer à vos épargnes.

Ce mois-ci, nous allons nous assurer que vous bénéficiez des meilleurs plans d'épargne-retraite pour lesquels vous pouvez vous qualifier. Vous trouverez plus loin une foule de renseignements que vous devez connaître pour vous prendre en main et comprendre ce que je vous demande de faire. N'oubliez pas que « ne pas savoir » n'est plus une excuse valable pour ne rien entreprendre.

Nous allons commencer par parler des régimes de retraite offerts par votre employeur, puis nous aborderons les produits d'épargne-retraite dans lesquels vous pouvez, et devriez, investir à titre individuel. Une autre raison pouvant expliquer l'inaction des femmes est que, ne sachant pas comment investir leur argent, elles le laissent dormir sur leur compte. Cette indécision ne vous aidera pas à atteindre vos objectifs pour votre retraite. Vous devez vous assurer d'obtenir le meilleur rendement sur l'argent que vous pouvez économiser pour votre retraite.

La seule façon d'éliminer les sentiments d'impuissance, d'indécision et de défaitisme est d'agir. *La meilleure attitude à adopter en ce qui concerne votre futur est de vous faire confiance,* car il vous appartient de préparer votre propre retraite.

De nos jours, peu de compagnies offrent un régime de retraite permettant aux employés, au moment où ils partent en retraite, de toucher une rente basée sur leur salaire et leurs années de service dans l'entreprise. Même si vous travaillez pour une grosse compagnie qui offre encore un tel régime, il est préférable que vous ayez également un compte épargne-retraite sur lequel vous mettrez vos économies personnelles. En effet, beaucoup d'importantes compagnies qui avaient promis des allocations de retraite à leurs employés commencent à hésiter devant le coût engendré par de telles promesses. Plusieurs transforment leur régime à prestations déterminées en un régime à cotisations déterminées auxquels les employés doivent cotiser.

Et de grâce, ne pensez pas que vos contributions actuelles au Régime de pension du Canada (RPC) ou au Régime des rentes du Québec (RRQ) suffiront à couvrir vos besoins. Nous savons tous que, quel que soit le montant total de la pension versée par le Programme fédéral de la sécurité de la vieillesse, quand l'âge de la retraite sera venu, il ne sera pas suffisant pour maintenir votre niveau de vie. Les allocations versées par ces régimes publics n'ont jamais été prévues pour être votre seule source de revenus à la retraite. Au contraire, elles ont été conçues pour servir de base financière aux personnes dans le besoin et non pour être une solution complète pour tous. Chaque année, vous devriez recevoir un relevé de participation présentant votre historique de revenus et une estimation des allocations que vous toucherez. Vous pouvez aussi utiliser les calculateurs en ligne du service SimulRetraite pour connaître toutes les sources de revenus dont vous disposerez à la retraite sur le site Internet : www.rrq.gouv.qc.ca.

Parlons maintenant de votre cas personnel et de la nécessité d'épargner pour vous-même. Je sais que beaucoup d'entre vous n'imaginent même pas faire passer leurs besoins pour la retraite avant de prendre soin des besoins actuels de leurs enfants ou d'économiser pour leurs études postsecondaires. Aussi, commençons par parler de ce dilemme classique.

Économiser pour l'éducation postsecondaire de vos enfants versus économiser pour votre retraite

Je sais que chaque mère qui lira ceci veut faire tout ce qu'elle peut pour ses enfants, y compris payer les frais pour leur éducation postsecondaire. Malgré cela, je veux que vous gardiez l'esprit ouvert lorsque vous lirez ce qui suit: si vous n'avez pas suffisamment d'argent pour économiser en vue d'un fonds d'études postsecondaires pour vos enfants *en plus* d'économiser pour votre retraite, vous devez placer votre retraite en priorité, non pas parce que vous aimez moins vos enfants, mais parce que vous les aimez mieux. En réalité, si vous prenez votre retraite et que vous n'avez pas suffisamment d'argent pour répondre à vos besoins, vous deviendrez alors un fardeau financier pour vos enfants.

Rappelez-vous la définition de la générosité proposée dans «Les huit qualités d'une femme riche». Un geste qui se veut généreux, mais qui érode ou réduit les besoins financiers du donateur, ne représente pas de la véritable générosité. Vous n'avez aucune idée du nombre de courriels que je reçois d'enfants devenus adultes qui s'inquiètent au sujet de la façon dont leurs parents pourront arriver à joindre les deux bouts. Alors, comprenez bien que la décision la plus généreuse que vous puissiez prendre aujourd'hui, pour vos enfants et pour vous-même, est de vous assurer la plus grande sécurité financière possible pour qu'en fin de compte, la seule chose que vous ayez à demander à vos enfants soit de passer plus de temps avec eux et vos petits-enfants, et non une aide financière.

Cela ne signifie pas que vous allez laisser vos enfants livrés à eux-mêmes. Comme j'aime bien le répéter, il existe une multitude de prêts pour financer les études, mais aucun pour financer la retraite. Vous devez adopter une approche stratégique: vous et vos enfants contracterez des prêts pour vous aider à payer leurs études postsecondaires et, pendant ce temps, l'argent dont vous disposez pour des épargnes à long terme sera versé dans votre fonds de retraite.

Rentabiliser le temps

Une des idées fausses les plus répandues au sujet de l'investissement est qu'il faut beaucoup d'argent pour en rapporter beaucoup. Cette idée est tout simplement fausse. Il faut plutôt un peu d'argent et beaucoup de temps. Le temps est un élément essentiel pour les investissements, alors que nous avons tendance à le gaspiller. Regardons ces deux différents scénarios : Mary commence à épargner pour sa retraite lorsqu'elle a vingt-cinq ans. Dee attend pour sa part d'avoir quarante-cinq ans avant de commencer à économiser de façon sérieuse. Les deux s'engagent à économiser 200 $ par mois et recevront un rendement annuel moyen sur le capital investi de 8 %. Cela ne signifie pas qu'elles recevront 8 % chaque année mais que, sur plusieurs années, gains et pertes confondus, le rendement moyen sera de 8 %.

Lorsque Mary sera âgée de quarante-cinq ans, elle aura investi 48 000 $ sur ses fonds propres, qui auront fructifié pour atteindre la somme d'environ 119 000 $. Dee n'aura toujours pas commencé à économiser.

À quarante-cinq ans :

Mary (a commencé à investir à vingt-cinq ans)	Dee (a commencé à investir à quarante-cinq ans)
Montant investi : 48 000 $	Montant investi : 0 $
Valeur totale : 118 589 $	**Valeur totale :** 0 $

À soixante-cinq ans :

Mary	Dee
Montant investi : 96 000 $	Montant investi : 48 000 $
Valeur totale : 702 856 $	**Valeur totale :** 118 589 $

De l'âge de quarante-cinq ans à l'âge de soixante-cinq ans, Mary conserve le même plan d'investissement alors que Dee commence finalement le sien. Lorsqu'elles auront toutes les deux atteint l'âge de soixante-cinq ans, Mary aura investi deux fois plus d'argent (96 000 $) que Dee (48 000 $). Toutefois, il faut regarder le résultat net. Le coussin de retraite de Mary a atteint une somme presque six fois supérieur à celui de Dee, soit 702 856 $ plutôt que 118 589 $. Mary n'a investi que 48 000 $ de plus que Dee, mais obtient en fin de compte presque 585 000 $ de plus. Pour que Dee, à l'âge de soixante-cinq ans, obtienne le même montant que Mary, soit 702 856 $, il faudrait que, dès l'âge de quarante-cinq ans, elle investisse près de 1 200 $ par mois. Alors, quel est le secret de Mary? Rien de plus que le temps. Lorsque vous commencez à économiser plus tôt, votre argent bénéficie de plus de temps pour fructifier. Lorsque votre argent fructifie avec le temps, vous profitez de ce qui est connu sous le nom de capitalisation ou de croissance composée. Voici un exemple pour illustrer la façon la plus simple d'expliquer ce concept. Disons que vous commencez par un investissement de 1 000 $ et que vous gagnez, lors de la première année, 10 %. Cela représente un montant de 100 $. Vous investissez alors 1 100 $ la deuxième année. Disons que vous gagnez encore 10 %, ce qui, cette fois, représente 10 % de 1 100 $ et non 10 % de 1 000 $. La deuxième année, vous gagnez alors 110 $ et non 100 $. Voilà que votre solde est maintenant de 1 210 $, soit 1 100 $ + 110 $. Si vous obtenez encore un rendement de 10 %, vous gagnez, lors de la troisième année, un montant de 121 $ puisque vous obtenez 10 % de 1 210 $.

Ce processus de capitalisation, de gain en intérêts sur vos intérêts, a le même effet qu'une boule de neige qui dévale une pente : elle gagne en volume tout au long de sa course. Plus votre argent bénéficie de temps pour faire son effet de boule de neige, plus vous obtiendrez d'argent à long terme. La capitalisation est ce qui a permis à Mary d'avoir beaucoup plus de succès avec son argent que Dee. Maintenant, si vous êtes déjà dans la quarantaine ou la cinquantaine et que vous n'avez pas un sou d'économisé, ne vous culpabilisez pas et n'abandonnez surtout pas. Rappelez-vous qu'il n'y a pas lieu de vous blâmer ou de vous faire des reproches pour les choses que vous avez faites ou n'avez pas faites dans le passé. Concentrez-vous sur ce que vous pouvez contrôler, c'est-à-dire sur les choix que vous faites aujourd'hui et tous les jours suivants. Commencez donc à économiser, ici et maintenant. Profitez au maximum du temps dont vous bénéficiez avant votre retraite, que vous ayez vingt-cinq ans ou cinquante-cinq ans.

Trouvez de l'argent

L'autre leçon très importante apprise de l'histoire de Mary et de Dee est que même un petit montant d'argent peut faire une grande différence dans notre vie. Mary aura, à l'arrivée, plus de 700 000 $, et ce, sans avoir gagné à la loterie ou avoir reçu une prime importante ou un héritage, mais simplement en économisant consciencieusement 200 $ par mois. Et cela ne représente que 50 $ par semaine. Je parie que si vous êtes réellement motivée, vous pourrez trouver une façon d'économiser 50 $ par semaine en vue d'obtenir une sécurité financière et de vaincre votre peur de finir clocharde.

> ◆ Sur mon site Internet, vous trouverez un calculateur qui vous aidera à savoir combien vous pouvez économiser chaque mois et quel sera le résultat de ces économies lorsque vous aurez 65 ans. Je vous encourage à utiliser le calculateur et à simuler plusieurs scénarios. Commencez avec un montant qui vous semble facile à économiser chaque mois. Faites-le avec 25 $ de plus par mois. Continuez avec 50 $ de plus et finalement avec 100 $ de plus que le montant initial. Le site Internet d'Épargne Placements Québec offre également un calculateur pour connaître vos possibilités d'épargne selon vos revenus et vos dépenses: www.placementsqc.gouv.qc.ca.

Je pense que bon nombre d'entre vous se disent que tous ces chiffres ont beaucoup de sens mais qu'en vérité, il ne vous reste tout simplement pas suffisamment d'argent après avoir payé vos comptes en vue d'économiser pour votre retraite. D'accord, je comprends cela, mais maintenant, vous devez me comprendre. Si vous n'avez pas suffisamment d'argent aujourd'hui pour payer vos comptes alors que vous recevez un chèque de paie, comment croyez-vous pouvoir payer ces mêmes comptes plus tard lorsque vous n'aurez plus de salaire? La réponse est simple: vous n'y arriverez pas. Vous devez donc commencer à économiser et il faut le faire immédiatement. D'après mon expérience, une fois que vous avez placé en priorité les économies en vue de votre retraite et que vous investissez une partie de votre salaire directement dans un compte pour votre retraite, vous dépenserez tout simplement moins d'argent. Je veux que vous songiez à ceci. N'est-il pas vrai que plus vous gagnez d'argent, plus vous en dépensez? C'est ce que je croyais. Alors, pensez-y à l'inverse, moins vous avez d'argent dans votre portefeuille ou sur votre compte-chèques, moins vous en dépensez. Lorsque vous déposez directement de l'argent dans un compte pour votre retraite, vous en rapportez moins à la maison et vous en dépensez moins. Est-ce aussi simple que cela? Eh bien, oui. Donc, à cette fin, nous commencerons par les régimes de retraite offerts par les employeurs à leurs employés.

Les régimes de pension offerts par votre employeur

Vous avez certainement un régime de retraite offert par votre employeur. Un Régime de pension agréé (RPA) est un régime mis sur pied par l'employeur dans le but de garantir des rentes viagères aux salariés à la retraite. Il s'agit d'un contrat par lequel l'employeur et ses employés s'engagent à verser des cotisations dans une caisse de retraite. L'employeur doit obligatoirement participer au financement du régime.

Les régimes de pension offerts par les employeurs sont régis par des lois particulières. Dépendant de certaines considérations si votre employeur exerce des activités régies par le gouvernement fédéral ou le gouvernement provincial, le régime de pension qu'il offre sera gouverné par des lois émanant de l'un ou l'autre de ces paliers de gouvernement. Les limites des cotisations qui peuvent y être faites sont, quant à elles, établies par la *Loi de l'impôt sur le revenu* (LIR) même si le régime est sous la juridiction provinciale. Les grandes lignes des règles applicables aux régimes de pension régis par la *Loi sur les régimes complémentaires de retraite du Québec* (RCR) sont les suivantes:

• L'âge normal de la retraite est fixé à soixante-cinq ans. Les employés âgés de cinquante-cinq ans peuvent prendre leur retraite et réclamer le paiement immédiat de leur rente sujet à une réduction.

• L'employeur doit assumer au moins 50 % du coût de toute prestation acquise par un participant pour les services reconnus après le 1er janvier 1990.

• La part de l'employeur est acquise dès l'adhésion au régime.

• Les droits d'un participant peuvent être transférés à un contrat de rente, un REÉR sous réserve de certaines limites, un autre régime de pension auprès d'un nouvel employeur, un compte de retraite immobilisé (CRI) ou un fonds de revenu viager (FRV).

• Au décès, la prestation égale à la valeur de la rente peut être payable au conjoint ou à défaut, aux personnes à charge sous forme d'une rente ou d'une somme forfaitaire.

• Si le décès survient après la retraite du participant, le conjoint survivant a droit à 60 % de la rente du participant décédé, s'il n'y a pas renoncé par ailleurs.

• En cas de rupture du mariage la valeur des droits acquis dans un régime de pension est partageable entre les époux.

Certains employés de la fonction publique ont des régimes de pension qui sont régis par des lois particulières.

Les études effectuées par le gouvernement établissent que le revenu adéquat à la retraite devrait être 70 % de la moyenne des derniers salaires sur une durée de vie active de trente-cinq ans. La rente devrait prévoir une protection contre l'inflation et être réversible au conjoint survivant. Il est toutefois nécessaire de mentionner que les chiffres sur lesquels se base le gouvernement pour établir ce que devrait être une rente satisfaisante à la retraite n'ont pas été révisés depuis plus d'une douzaine d'années. Il peut donc y avoir un manque à gagner si ce sont là les seuls revenus disponibles, d'où l'importance d'épargner.

À quel type de régime de pension participez-vous ?
Il y a deux grands types de RPA de base, le RPA à cotisations déterminées et le RPA à prestations déterminés.

Les principales caractéristiques du RPA à cotisations déterminées sont les suivantes :
• L'employé cotise un montant prédéterminé, généralement un pourcentage de son salaire.
• L'employeur cotise aussi un montant déterminé le plus souvent équivalent à celui de l'employé.
• Le montant des prestations payables à la retraite est inconnu. Une rente est acquise avec le capital et le rendement accumulés.

Les caractéristiques d'un RPA à prestations déterminées sont les suivantes :
• L'employé cotise un montant connu représentant de 0 à 9 % du salaire.
• L'employeur cotise un montant qui doit être suffisant pour assurer le paiement des prestations promises à la retraite.
• Le montant des prestations à la retraite est connu. Elles sont établies en fonction d'une rente représentant normalement un pourcentage du salaire et sont établies en fonction des années de services créditées.

Au cours des années, certaines variantes sont venues se greffer à ces régimes de base. Certains employeurs offrent des régimes hybrides qui sont un mixte d'un RPA à prestations déterminées et à cotisations déterminées.

Le Régime de retraite simplifié (RRS) vient répondre aux préoccupations des employeurs qui trouvent de plus en plus difficiles et onéreux de participer à un RPA traditionnel. Il s'agit d'un RPA à cotisations déterminées qui a les caractéristiques suivantes :
• La cotisation de l'employeur est limitée à son engagement à l'égard du régime.
• Les tâches administratives de l'employeur sont réduites au maximum car c'est l'institution financière qui veille à son administration.

• Plusieurs employeurs peuvent adhérer à un même régime auprès d'une institution financière ce qui réduit les coûts d'administration.

• Les cotisations patronales appartiennent aux salariés mais elles sont « immobilisées », ce qui signifie qu'il n'est pas possible d'y accéder comme pour un RPA classique.

• Les cotisations salariales, c'est-à-dire celles de l'employé, sont aussi immobilisées sauf si l'employeur consent à ce qu'elles ne le soient pas.

• Au décès du participant, le solde de son compte est payé à son conjoint, à défaut de conjoint survivant, ce qui inclut un conjoint de fait, il sera dévolu à ses bénéficiaires ou à ses héritiers.

Au lieu d'établir un RPA, plusieurs employeurs optent pour offrir à leurs employés un REÉR collectif. Il ne s'agit pas d'un RPA mais d'un REÉR qui répond aux règles que nous verrons après en ce qui concerne les Régimes enregistrés d'épargne-retraite. Le principal avantage offert par le REÉR collectif consiste dans le fait que l'employeur peut y cotiser. Le montant des cotisations de l'employeur est inclus dans le revenu du salarié quoi doit les déclarer dans sa déclaration de revenu. Elles sont toutefois déductibles à titre de cotisations. L'employeur met souvent en place une stratégie de placements composée le plus souvent de fonds communs de placements. L'employé a le loisir d'y sélectionner les investissements de son choix à l'intérieur de la gamme proposée.

Une fois par an, vous devriez recevoir un relevé que vous fait parvenir l'administrateur de votre régime de retraite. Prenez le temps de le lire et de vous le faire expliquer par un représentant des ressources humaines de votre employeur. Gardez-le précieusement. Vous en aurez besoin quand viendra le temps de rencontrer votre planificateur financier.

Les cotisations de l'employeur et de l'employé sont sujettes aux limites établies par la *Loi de l'impôt sur le revenu* (LIR). Les cotisations de l'employeur sont établies lors de l'évaluation actuarielle et doivent être suffisantes pour respecter les engagements du régime ; elles représentent la différence entre la valeur des prestations promises et les cotisations des employés. Les cotisations additionnelles sont permises et sont similaires à celles prévues pour les REÉR devancées d'un an. En 2007, elles sont donc de 20 000 $, en 2008 de 21 000 $, en 2009 de 22 000 $ et elles devraient être indexées à partir de 2010.

La tentation de l'exemption d'impôts

Pour vous encourager à épargner, les contributions versées au régime de retraite de votre employeur sont déductibles de votre revenu imposable. La somme que vous investissez dans le régime de retraite, appelée cotisation, est prélevée sur votre salaire. Chaque dollar investi dans le régime de retraite est déduit chaque année de votre revenu imposable. Par exemple, si votre salaire est de 40 000 $ par année et si vous avez investi 3 000 $ dans le régime de retraite de votre employeur, le revenu imposable pris en compte sera de 37 000 $, ce qui réduira le montant de vos impôts. Les fonds investis seront exempts d'impôts aussi longtemps qu'ils demeureront dans le régime de retraite. Toutefois, vous devrez généralement payer de l'impôt lorsque vous encaisserez ou recevrez des montants du régime. Ce système vous permet de réaliser une croissance de votre actif à l'abri de l'impôt, qui est différé jusqu'à ce que vous ayez pris votre retraite ou jusqu'à ce que vous retiriez l'argent de votre compte.

En contrepartie, vous acceptez de laisser l'argent investi sur votre compte jusqu'à ce que vous ayez atteint l'âge de la retraite. En général, vous devez attendre d'avoir au moins cinquante-cinq ans avant de retirer votre argent, bien que dans certains cas, vous puissiez le faire plus tôt si vous êtes éligible à une retraite progressive ou anticipée. Quel que soit l'âge auquel vous retirerez votre argent de votre compte, vous devrez payer des impôts.

Choisissez le meilleur investissement pour votre régime

S'inscrire au régime ne représente que la première étape. Vous devez ensuite déterminer la façon dont vous voulez investir l'argent déposé dans votre REÉR collectif. Parmi les régimes offerts par votre employeur, seul le REÉR collectif vous permet de faire vous-même votre sélection de placements. Cependant, vous êtes limitée aux options offertes par votre régime ;

en général, les actions de la compagnie pour laquelle vous travaillez et les fonds communs de placement.

De nombreuses sociétés ont passé outre ces limitations et ont construit des régimes de retraite qui proposent un choix d'une douzaine de fonds communs de placement différents. Je sais qu'un vaste choix empêche même nombre d'entre vous d'investir dans le régime, donc, permettez-moi de vous simplifier les choses.

Qu'est-ce qu'une action?

La première chose que j'aimerais que vous compreniez est la différence entre une action et un fonds commun de placement. Lorsqu'une entreprise souhaite amasser des fonds pour se développer et s'agrandir, une façon d'y arriver est de créer un nombre précis d'actions de l'entreprise en vue de les vendre à d'autres pour un montant précis. C'est ce que l'on appelle «faire un appel public à l'épargne». En d'autres termes, le public peut acheter des actions de l'entreprise et, lorsque vous détenez des actions d'une entreprise, vous en devenez actionnaire et en possédez une toute petite partie. Voici pourquoi des actions du capital peuvent aussi être nommées «capitaux propres». Si la société fait des bénéfices, la valeur des actions monte alors que si l'entreprise fonctionne mal, la valeur des actions sera à la baisse. L'action d'une entreprise qui a fait un appel public à l'épargne est échangée sur le marché boursier. Le marché boursier désigne exactement ce que ce terme implique, soit un endroit où les gens qui possèdent des actions ou des parts dans une entreprise en achètent ou en vendent. Il y a quelques différents marchés boursiers où une entreprise peut transiger, mais le plus important est connu sous le nom de *New York Stock Exchange*. Au Canada, c'est la Bourse de Toronto qui est la plus importante. Alors, maintenant que vous savez ce que sont les actions, vous devez connaître quelques règles qui les régissent.

Le principe de diversification

Une règle de base en matière d'investissement consiste à ne jamais investir tout son argent dans une seule ou même deux poignées d'actions. La raison est fort simple : si vous investissez 100 % de votre argent dans les actions d'une seule compagnie et que leur cours baisse, vous aurez alors de gros ennuis.

Ce que vous devriez faire est d'investir dans diverses actions de différents types d'industries ou de services. C'est ce que l'on appelle le « principe de diversification » et la raison pour laquelle la majeure partie de votre argent devrait être investi dans les fonds communs de placement. Même si votre régime vous offre des parts dans les actions de votre entreprise, vous devriez quand même placer les fonds communs de placement au centre de votre régime. En remplissant votre portefeuille d'actions de votre entreprise, vos placements ne seront pas diversifiés.

Qu'est-ce qu'un fonds commun de placement ?

Des actions dans un fonds commun de placement représentent simplement un fonds qui possède des douzaines, sinon des centaines, de titres particuliers. Un fonds commun vous permet d'obtenir instantanément une diversification puisque vous achetez des parts dans un fonds commun et que chaque part vous permet d'acquérir des actions différentes appartenant au fonds. Voici une autre différence : vous décidez du moment où vous achetez ou vendez des actions. Dans un fonds commun de placement, c'est un gestionnaire de portefeuille qui décide des actions à acheter ou à vendre. Bien sûr, vous pouvez décider si vous voulez acheter des parts dans le fonds ou vendre les vôtres, mais c'est le gestionnaire de portefeuille qui contrôle les décisions prises au sujet des investissements effectués à l'intérieur du fonds. Donc, la plus importante décision que vous devez prendre au sujet de votre régime concernera le choix du fonds dans lequel vous voulez investir.

Comment investir dans un REÉR

Vous voulez que votre Régime enregistré d'épargne-retraite soit investi dans des fonds communs de placement. Vous devriez préalablement dresser votre profil d'investisseur et à partir du résultat de ce dernier établir une stratégie de placement. Votre régime vous proposera certainement aussi des fonds mutuels tels que des fonds d'obligations et des fonds appelés «billets à capital protégé». Je vous en prie, n'investissez pas dans ces options à moins que vous ne preniez votre retraite dans quelques années. Laissez-moi vous expliquer pourquoi.

La majorité de celles qui ont encore au moins dix ans de vie active avant la retraite doivent s'orienter vers les actions et les fonds communs de placement individuels. Quand vous investissez à long terme dans un régime d'épargne-retraite, les actions et les fonds communs de placement vous offrent la meilleure possibilité de réaliser des gains qui vous permettront d'atteindre vos objectifs et vous donnent le plus de chance de bénéficier d'un rendement supérieur au taux de l'inflation. Les obligations et les billets à capital protégé ne possèdent pas un potentiel aussi élevé que les actions mais s'en rapprochent tout en constituant moins de risque de volatilité. Maintenant, il est absolument vrai que le cours des actions peut aussi chuter dramatiquement. Toute personne qui a investi dans les actions de 2000 à 2003 sait très bien de quoi je parle. Mais vous devez comprendre cette règle essentielle: avec le temps – des dizaines d'années et non des mois –, les actions offrent un bien meilleur rendement que les fonds et, bien sûr, que les comptes d'épargne. Le taux de rendement annuel moyen est de plus de 10% pour les actions, de juste la moitié pour les obligations et encore moins pour les comptes d'épargne.

Je réalise que beaucoup d'entre vous sont inquiètes à l'idée d'investir dans des actions car elles vous semblent plus risquées ou volatiles. Vous devriez être tout aussi conscientes que si vous gardez votre argent dans des placements très conservateurs, tels que les obligations ou les liquidités (comptes d'épargne), vous courez le risque que votre argent ne fructifie pas assez pour maintenir votre niveau de vie à la retraite. C'est un risque que vous ne pouvez pas vous permettre de prendre. Oui, les actions peuvent être volatiles de mois en mois et d'année en année, mais quand vous investissez à long terme, dix ans et plus, vous pouvez supporter les baisses et profiter des périodes où les actions sont fortes.

Donc, maintenant vous savez que vous devez vous concentrer sur les fonds d'action, mais votre régime vous en offre un vaste choix et vous ne savez pas du tout lequel choisir.

Voici ce que j'aimerais vous voir faire : tout d'abord, vous devez décider si vous voulez déterminer la nature de vos placements une fois pour toutes et ne plus vous occuper de votre portefeuille. Si vous avez répondu par l'affirmative, ce qui signifie que vous voulez voyager sur le pilote automatique d'aujourd'hui jusqu'au jour de votre retraite, voici ce qu'il faut faire : .

Choisissez un fonds « cycle de vie »

Votre régime offre certainement cette solution à fonds unique, ce que j'appelle « l'option une fois pour toutes ». Pour trouver si vous avez un de ces genres de fonds dans votre régime, renseignez-vous auprès de votre département des ressources humaines ou examinez vos différentes options en ligne ou contactez le service à la clientèle.

Si un fonds porte la mention « cycle de vie » ou « lifestyle » dans son nom et que vous pensez que c'est celui qui vous convient, il vous suffit de choisir l'option avec une année d'échéance (qui doit faire partie intégrante du nom du fonds) qui correspond à celle où vous pensez prendre votre retraite. Généralement, vous pouvez choisir un fonds avec des dates d'échéance qui se situent entre cinq et quarante ans. Le fonds détient (et s'ajuste dans le temps) automatiquement les types d'investissements appropriés, en fonction du nombre d'années à courir jusqu'à la retraite. Par exemple, si vous avez choisi un fonds avec une retraite après quarante ans, il sera composé majoritairement d'actions dans un premier temps, puis, plus le moment de la retraite approchera, plus il réduira automatiquement le niveau des investissements en actions pour se tourner vers des investissements moins risqués. Le fonds diversifiera automatiquement vos investissements vers des actions des marchés étrangers, des actions de différentes industries, comme des entreprises à petite capitalisation et à grande capitalisation, et ainsi de suite.

Opter pour ce type de fonds est un bon choix, tout particulièrement si vous ne voulez plus avoir à y penser, mais je dois vous dire que ce n'est pas ma solution préférée. Beaucoup de ces fonds contiennent des obligations et même quelques liquidités. Ce n'est pas vraiment horrible et il y a quelques bonnes raisons pour le faire, mais, idéalement, je pense que lorsqu'il vous reste vingt, trente ou quarante ans avant de prendre votre retraite, vous devriez vraiment vous concentrer sur les fonds d'actions. Si vous ne voulez prêter que peu d'attention à vos placements, il existe une meilleure option qui est pratiquement aussi simple à mettre en place.

Optez pour un fonds indiciel

Regardez une fois de plus vos options d'investissement et cherchez un fonds portant la mention «indiciel» ou «500» ou «marché total» ou «marché étendu» dans son nom. Ces types de fonds sont des fonds indiciels. Plutôt que d'être géré par un gestionnaire ou une équipe de gérants qui ont la responsabilité de décider de la composition du fonds, un fonds indiciel fait abstraction de l'élément humain. Vous n'investissez pas dans la capacité du gestionnaire à être un gourou des finances qui vous indique quoi acheter et quoi vendre; vous investissez dans un fonds dont le but est de suivre la performance d'un marché standard populaire. Un des marchés de référence les plus connus est le *Standard & Poor's 500*. Cet indice est constitué de 500 différentes actions de sociétés très connues, ce qui est désigné sous le nom de «*Blue Chips*».

Si votre Régime enregistrée d'épargne retraite offre un fonds indexé sur le *S & P 500*, c'est un bon choix. Mais, à mon avis, un fonds qui suit un indice élargi est une bien meilleure option. Les fonds qui portent la mention «étendu» ou «total» dans leur nom suivent les indices de 4 500 actions ou plus. Pas 500, mais bien 4 500. Au lieu d'avoir seulement des actions *Blue Chips*, vous possédez un vaste éventail de différents types d'actions – *Blue Chips* et de sociétés plus petites. Un fond indexé sur le *S & P 500* vous procure une bonne diversification, un fonds basé sur un indice étendu ou total vous procure une excellente diversification.

Le point important est que l'indexation à elle seule est une bonne façon de faire. La vérité est que très peu de gestionnaires qui gèrent activement des fonds – ce qui signifie qu'ils repèrent et choisissent les actions qui feront partie de leur fonds – ont réussi à faire mieux que les indices de référence année après année. Faire confiance à un fonds indiciel peut souvent procurer un meilleur rendement que faire confiance à des gestionnaires de portefeuille.

Si vos options d'investissement comprennent un fonds indiciel, c'est parfait. Choisissez-le. Mais vous n'avez pas encore tout à fait terminé. Je veux que vous cherchiez également dans votre régime un fonds qui investit dans des actions internationales. Portez une attention particulière à ce qui suit. Vous pouvez avoir une option « international » et une option « marchés en émergence ». La différence est que les fonds « marchés en émergence » investissent dans des actions de pays considérés comme moins « matures » ou « développés ».

Cela peut représenter une formidable opportunité. La Chine par exemple a été une économie de marché en émergence très réussie, mais elle a représenté également un énorme risque. Même si je pense qu'il est très important de diversifier ses placements, ce qui signifie investir dans des actions internationales, étant donné que nous vivons dans une économie globale, je ne vais pas insister pour que vous vous engagiez dans les marchés en émergence. Un fonds international investit avant tout dans des compagnies étrangères situées dans des pays considérés comme bien établis. Certains régimes offrent un fond indiciel international ; c'est un excellent choix.

Que vous choisissiez un fonds « cycle de vie » ou un fonds indiciel, je serai de toute façon très satisfaite ; vous aurez fait les investissements appropriés en vue de votre retraite. Mais je veux être très claire : ces stratégies sont une excellente approche si vous voulez faire le minimum d'efforts. Comme vous pouvez le voir dans le menu des options d'investissements de votre régime, il existe beaucoup d'autres fonds dans lesquels vous pouvez investir. Chacun de ces fonds a un objectif différent. Certains se concentrent sur de grosses compagnies bien établies depuis des années (fonds grande capitalisation), tandis que d'autres ne visent que les petites et nouvelles compagnies qui ont un grand potentiel de développement (fonds petite capitalisation). Vous trouverez également des fonds qui utilisent une stratégie spécifique. Un fond dont le nom contient la mention « croissance » vise à contenir des actions de compagnies dont on prévoit une forte croissance de revenus. D'autres fonds se concentrent sur les actions qui ont été un peu mornes ou en baisse dernièrement mais qui vont certainement rebondir, connues sous le nom d'«actions de valeur». Bien sûr, toutes ces variétés de fonds comportent des risques. Il est donc important de bien savoir dans quoi vous vous engagez et si vous pouvez vous permettre de prendre de tels risques.

Si votre employeur vous offre un REÉR collectif avec sélection de placements, investissez[6] :
• 60 % dans un fonds américain ou dans un fonds indiciel américain.
• 30 % dans un fonds canadien ou dans un fonds indiciel canadien.
• 10 % dans un fonds international ou dans un fonds indiciel international.

Votre nouvelle contribution doit respecter cette répartition. Vous pouvez téléphoner au service à la clientèle de la société qui détient le régime de retraite de votre compagnie ou vous rendre sur leur site Internet pour modifier la répartition de votre contribution. Si vous investissez depuis un certain temps et que vous avez déjà accumulé de l'argent dans d'autres fonds, vous êtes entièrement libre de transférer cet argent dans un fonds indiciel et dans un fonds international (à condition que votre régime les propose). Cette opération n'entraîne ni frais ni pénalité.

Bientôt l'heure de la retraite ?
Pour celles d'entre vous qui n'ont plus que quelques années à travailler avant l'heure de la retraite, je vous conseille de commencer à transférer votre argent dans un fonds commun de placement à revenu fixe et non dans des fonds d'obligations car ces fonds fluctuent en fonction des taux d'intérêt. Les fonds communs de placement à revenu fixe sont conçus pour générer un revenu. En réalité, un fonds commun de placement à revenu fixe investit dans les obligations, mais, grâce à un composant additionnel, il tend à éliminer les fluctuations dues au changement des taux d'intérêt. C'est un fonds d'obligations de type

---

6. La répartition d'actifs suggérée est faite en fonction du marché américain. Lorsqu'il est temps de choisir la répartition de votre argent dans des fonds, plusieurs éléments doivent être considérés. La force ou la faiblesse du dollar canadien qui influence les taux de change est à considérer. Une analyse des risques et du profil d'investisseur du point de vue canadien pourrait mener à des conclusions différentes.

conservateur qui est structuré de telle façon qu'il ne peut subir de baisse, d'où le nom « à revenu fixe ». Le côté le plus intéressant est le taux d'intérêt que vous gagnez sur vos investissements. En général, il est de 1 à 2 % plus élevé que celui d'un compte d'épargne ou d'un compte de marché monétaire.

La raison pour laquelle je vous suggère de transférer votre argent d'un fonds d'actions à un fonds à revenu fixe est la réduction du risque.

Souvenez-vous que je vous ai recommandé de prendre des actions ou des fonds d'actions quand vous pouvez conserver vos investissements pendant au moins dix ans. Mais si vous prenez bientôt votre retraite, vous aurez besoin de retirer votre argent dans quelques années, alors il vous faut apporter une protection additionnelle à votre compte. Si vous conservez tous vos investissements dans des actions, vous courez le risque que votre compte subisse une forte baisse si le marché des valeurs connaît un ralentissement juste au moment où vous voudrez retirer votre argent. Donc, vous devez commencer à transférer petit à petit l'argent que vous avez investi dans des fonds d'actions vers des fonds à revenu fixe, ce qui réduira la volatilité d'ensemble de votre compte.

Mais, ne transférez pas automatiquement tous vos investissements dans un fonds à revenu fixe si vous avez cinquante-cinq ou soixante ans. Il est important d'en conserver certains dans des actions, car en réalité, vous n'avez que cinquante-cinq ou soixante ans ! Il est probable que bon nombre d'entre vous vivront encore pendant vingt ans et plus. Donc, vous ne devez transférer qu'une partie de vos avoirs d'un fonds d'actions vers un fonds à revenu fixe. Vous avez besoin à la fois de la stabilité que peut vous procurer un fonds à revenu fixe et des potentiels de gains que vous procurent les actions. Mes conseils sont les suivants :

• À soixante ans, vous devriez avoir transféré 35 % ou plus de vos investissements dans des fonds à revenu fixe.

• Entre soixante et soixante-dix ans, vous devriez augmenter cette portion à 50 %.

• Après soixante-dix ans, vous pouvez transférer encore 5 % de vos investissements dans des fonds à revenu fixe chaque année, de façon à ce que...

• ... à quatre-vingts ans, vous n'ayez plus aucun placement dans des actions ou des fonds d'actions.

Ceci représente une stratégie générale, qui doit être adaptée à votre situation personnelle. Par exemple, si vous désirez léguer votre REÉR (ou après que vous avez atteint l'âge de soixante et onze ans, votre Fonds enregistré de revenu de retraite (FERR) à vos héritiers, ce qui suppose que vous n'aurez pas besoin de cet argent pour maintenir votre niveau de vie pendant votre retraite, il n'est alors pas utile de diminuer agressivement votre niveau de risque. Vous pouvez conserver vos placements dans des actions ou des fonds d'actions pour que vos investissements continuent à croître pour les générations futures.

La seule raison pour laquelle vous devez opter pour des fonds plus conservateurs au fur et à mesure que vous avancez en âge est de réduire le risque que votre portefeuille ne subisse une chute drastique juste au moment où vous aurez besoin de cet argent pour maintenir votre niveau de vie pendant votre retraite.

En ce qui concerne les actions de votre entreprise...

Comme je l'ai dit plus tôt, certains régimes de pension vous permettent d'investir dans des actions de l'entreprise pour laquelle vous travaillez. En fait, certains régimes exigent que la contribution de l'employeur soit investie dans des actions de la société.

Si votre régime offre des actions de votre entreprise, vous devez être très prudente. Vous souvenez-vous de ce que nous avons dit au sujet de la diversification un peu plus tôt? Eh bien, si 50 % des avoirs sont investis dans des actions de votre société, votre portefeuille n'est pas diversifié.

Je recommande de ne pas investir plus de 10 % dans les actions de votre entreprise. Il ne s'agit pas seulement des investissements contenus sur votre compte de retraite, mais de la totalité de vos investissements. Vous serez ainsi mieux protégée contre toutes les mauvaises surprises. Pensez à l'affaire Enron. De nombreux employés de la compagnie avaient investi la totalité de leur épargne-retraite dans des actions de la société Enron. Ces personnes n'ont pas seulement perdu leur emploi quand la compagnie a fait faillite, elles ont également perdu tout l'argent contenu dans leurs comptes de retraite parce qu'il était intégralement investi dans des actions Enron.

Dieu merci, il est rare de voir une entreprise de la taille d'Enron faire faillite, mais vous devez être consciente de toutes les sortes de risques : les actions de votre entreprise pourraient subir une baisse si un concurrent gagne des parts de marché, l'industrie entière pourrait ne plus susciter d'intérêt ou l'effervescence de l'économie mondiale pourrait entraver les perspectives de croissance de votre entreprise. En réalité, il n'existe aucune entreprise qui soit à coup sûr un bon investissement.

Assurez-vous que les actions de votre entreprise ne représentent pas plus de 10 % de la totalité de vos avoirs

Si votre entreprise vous a forcé la main en vous donnant ses propres actions en guise de contribution, renseignez-vous auprès du département des ressources humaines de votre entreprise. Suite au scandale Enron et à d'autres problèmes, de nouvelles règles ont été mises en place, qui encouragent les employeurs à faciliter les opérations pour les employés qui souhaitent transférer leur argent vers d'autres fonds offerts par le régime.

Laissez votre argent tranquille !

Je ne peux pas dire les choses plus clairement : ne touchez pas à votre argent avant d'avoir atteint l'âge de la retraite. Certaines personnes font régulièrement les deux erreurs invalidantes suivantes, ce qui leur fait vivre une situation précaire pendant leur retraite.

Ne contractez pas de prêts

Au Canada, il n'est pas possible d'emprunter pour obtenir de l'argent de son régime de pension RPA. Il n'est pas permis de donner un REÉR en garantie d'un emprunt sans encourir une conséquence fiscale importante. En fait, le REÉR est présumé être encaissé et le montant complet de l'emprunt devient pleinement imposable. Les impôts payés ne pourront être recouvrés qu'après le remboursement intégral du prêt et que l'institution prêteuse ait rempli un formulaire fiscal en conséquence. Méfiez-vous de toute publicité ou stratégie vous promettant d'accéder à l'argent de votre REÉR libre d'impôts, il s'agit certainement d'un traquenard.

> ◢ Quand vous quittez une entreprise, volontairement ou non, vous ne pouvez plus continuer à contribuer au régime de pension RPA ni au REÉR collectif de cette entreprise. Plusieurs options sont à votre disposition.

Vous avez le choix de maintenir votre régime de retraite en place tel quel, sauf que ni vous ni votre employeur n'y ferez plus de cotisation. Ceci a pour effet de limiter la rente de retraite à celle que vous avez acquise au moment où vous avez quitté votre emploi. Selon que vous ayez un régime fédéral ou provincial, vous pouvez transférer votre argent dans un REÉR immobilisé ou un compte de retraite immobilisé (CRI). Vous devrez alors effectuer vos placements vous-même car votre employeur sera dégagé de sa promesse à votre égard. Votre argent sera immobilisé, c'est-à-dire que vous ne pourrez pas y accéder avant l'âge normal de la retraite, sauf exception. Enfin, si votre nouvel employeur le permet, vous pouvez transférer le régime de votre ancien employeur dans celui du nouveau.

Vos épargnes personnelles en vue de la retraite

Un Régime de pension agréé (RPA) ou un REÉR collectif avec une contribution de l'employeur est un investissement très intéressant pour construire une sécurité financière pour la retraite, mais toutes les compagnies n'offrent pas ce choix et, en vérité, même si vous bénéficiez d'un tel plan, vous devez également épargner à titre personnel en vue de votre retraite. Il est important de faire tout votre possible, dès aujourd'hui – *épargner le plus possible* – pour construire le plus gros matelas possible pour votre retraite. Donc, que vous ayez un Régime de pension agréé ou un REÉR collectif dans lequel vous investissez à hauteur de la contribution de votre employeur ou que n'ayez pas de Régime offert par votre employeur, vous devriez avoir un Régime enregistré d'épargne-retraite (REÉR) à titre personnel, que vous configurez, dans lequel vous investissez et que vous gérez vous-même.

Profitez des avantages d'un REÉR

Il existe un type spécial de compte retraite, appelé Régime enregistré d'épargne-retraite (REÉR) que je voudrais que toutes celles qui peuvent en bénéficier se qualifient pour le faire. Le REÉR est un régime d'épargne avantageux fiscalement et qui permet d'investir en vue de la retraite. Il est possible d'y détenir différents types de placements. Le montant des cotisations au REÉR est déductible de votre revenu imposable et les revenus générés par les investissements que vous y faites croissent à l'abri de l'impôt tant qu'ils sont maintenus dans le régime enregistré.

Tout d'abord, vous devez savoir que vous pouvez posséder à la fois un RPA et un REÉR. Le fait de participer à un régime de retraite avec votre employeur réduira toutefois le montant que vous pourrez investir annuellement dans votre REÉR. Cela dit, tout le monde ne peut pas avoir un REÉR. Pour pouvoir y cotiser, vous devez avoir un revenu qui se qualifie à titre de « revenu gagné » comme par exemple un salaire mais pas un revenu provenant d'investissement comme des intérêts et des dividendes. Comme je l'expliquerai plus loin, il y a certaines limites au montant des cotisations disponibles. Mais, cela ne signifie pas que vous ne puissiez pas épargner pour votre retraite à titre personnel.

Si vous effectuez des retraits de votre REÉR

Il n'est pas possible de retirer de l'argent de votre compte de REÉR sans encourir une pénalité à payer sous forme d'impôt. Il existe toutefois certains programmes spécifiques vous permettant d'accéder à votre argent sans payer d'impôt immédiatement.

• **Investir dans le démarrage de sa propre entreprise.** Il est possible d'utiliser son REÉR pour se créer un capital de départ dans sa propre entreprise. Le montant maximal qui peut être utilisé à cette fin est limité à 25 000 $. Il convient d'y penser à deux fois toutefois, car ceci revient à acheter des actions de sa propre société avec son épargne-retraite. C'est un investissement, mais il n'y a pas de garantie si l'entreprise ne fonctionne pas comme prévu. Ce sera une perte pour le REÉR et les droits de cotisation rattachés seront perdus à jamais.

• **Régime d'accession à la propriété (RAP).** Ce régime, introduit en 1992, permet de retirer une somme allant jusqu'à 20 000 $ afin de faire une mise de fonds lors de l'acquisition d'une première maison. Cette stratégie permet donc de financer une première maison avec de l'argent avant impôt. Le montant retiré doit être remboursé sur une période de quinze ans au moyen de versements annuels égaux sans intérêt. Le montant doit être remboursé annuellement et il doit en être fait état dans la déclaration d'impôts. Le défaut d'effectuer le remboursement annuel oblige à inclure un montant équivalent dans le revenu imposable de l'année et à payer les impôts en conséquence.

• **Régime d'encouragement à l'éducation permanente (REP).** Le REP permet à une personne ou à son conjoint qui poursuit des études postsecondaires de retirer un maximum de 20 000 $ d'un REÉR par tranche de 10 000 $ par année civile. Le montant retiré doit être remboursé sur une période de dix ans au moyen de versements égaux annuels et sans intérêt. Il n'y aura pas d'impôt payable tant que les restrictions quant au montant retiré seront respectées et que les remboursements seront faits dans les délais prescrits. Ceux-ci doivent commencer au plus tard cinq ans après la date du premier retrait.

Ces régimes sont intéressants mais ils comportent un risque important. Pendant que vous investissez dans votre résidence ou dans vos études ou celles de votre conjoint, vos épargnes pour la retraite ne profitent pas de la croissance à l'abri de l'impôt normalement réalisée par votre portefeuille d'investissements. Ceci peut avoir des conséquences importantes sur votre niveau de vie à la retraite si vous gardez en tête la comparaison de la croissance des avoirs de Mary par rapport à ceux de Dee.

Pas si vite ! Vous devez ouvrir un compte d'épargne séparé pour les urgences

Je sais ce que vous pourriez penser : *parfait, je n'ai pas besoin d'investir dans un compte d'épargne. Je peux juste approvisionner mon Régime enregistré d'épargne-retraite et l'utiliser pour les urgences.* Non, non, non. Ce n'est pas une bonne idée. Vous devez avoir un compte d'épargne pour les urgences, comme nous l'avons vu au cours du premier mois. Je voulais simplement que vous compreniez qu'utiliser votre REÉR comme un compte d'urgence a des conséquences importantes sur vos impôts et sur votre planification de la retraite. Ceci devrait être une option de dernier recours quand aucune autre solution n'est disponible.

Se qualifier pour un REÉR

Toute personne âgée de moins de 71 ans qui gagne un revenu qui se qualifie peut cotiser à un REÉR.

La cotisation annuelle maximale

La limite des cotisations est fixée à 18 % du revenu gagné pendant l'année précédente moins le facteur d'équivalence. Le maximum des cotisations admissibles en 2007 est fixé à 19 000 $. Il sera de 20 000 $ en 2008, de 21 000 $ en 2009, de 22 000 $ en 2010 et indexé au coût de la vie par la suite. L'avis de cotisation qui vous est expédié annuellement par l'Agence de revenu du Canada (ARC), suite à la production de votre déclaration d'impôt établit le montant maximum de la cotisation qui est disponible pour l'année d'imposition en cours. Par exemple, le montant disponible pour votre cotisation de 2007 se retrouve à la fin de l'avis de cotisation émis suite à la production de votre déclaration de revenu de l'année 2006.

Une note spéciale à l'intention des mères au foyer et des épouses qui ne travaillent pas

Le simple fait de ne pas avoir de salaire ne signifie pas que vous ne puissiez pas avoir un compte REÉR. Vous pouvez avoir un REÉR de conjoint.

Le REÉR de conjoint est établi à même les droits de cotisation de votre conjoint et réduit ces derniers d'autant. Vous serez dès lors « la rentière » en vertu de ce contrat et vous pourrez disposer de ces sommes comme bon vous semble. Par contre, si vous veniez à encaisser des montants dans l'année de la cotisation et dans les deux années suivantes (la règle des trois 31 décembre), c'est votre conjoint qui devra inclure ces sommes dans son revenu de l'année du retrait et payer les impôts en conséquence. En réalité, si jamais il vous arrive de divorcer, l'argent gagné et investi pendant le mariage devra être réparti équitablement. Si vous êtes mariée sous le régime de la communauté de biens ou de la société d'acquêts, chaque époux recevra la moitié des avoirs. Votre conjoint aura aussi droit à la moitié de la valeur de votre REÉR de conjoint si vous devez partager le patrimoine familial. Il est aussi possible au conjoint de fait de souscrire à un REÉR de conjoint. Les règles de partage du régime matrimonial et du patrimoine familial ne s'appliqueront toutefois pas et vous pourrez conserver la totalité du REÉR en cas de rupture de votre couple. Mais, détenir un compte à votre nom vous oblige à exercer un certain contrôle et vous place – vous et vous seule – en position de responsabilité. Comme je l'ai déjà dit, votre objectif est d'avoir un compte d'épargne ainsi que votre REÉR de conjoint et je vous recommande de vous efforcer de les approvisionner tous les deux en même temps. Alors, prenez le montant d'argent que vous pouvez investir chaque mois et divisez-le en deux; une moitié sera versée sur votre compte d'épargne et l'autre moitié dans votre REÉR de conjoint. Attention toutefois, si vous utilisez votre argent pour cotiser à un REÉR souscrit par votre conjoint, même si vous en êtes la rentière comme je l'ai mentionné plus haut, c'est votre conjoint qui aura le remboursement d'impôt et vous serez un jour imposée sur les sommes investies. Si ce n'est pas votre conjoint qui fait la cotisation en votre nom et que vous utilisez votre argent, il serait préférable de vous créer un portefeuille d'investissements personnels non enregistré pour accumuler de l'épargne en vue de votre retraite.

Investissez à votre propre rythme

Il existe deux méthodes pour investir dans un REÉR.

Vous pouvez verser un gros montant une fois par an ou vous pouvez choisir d'investir un petit montant chaque mois ou chaque trimestre. Donc, si vous disposez d'un montant forfaitaire, vous pouvez le déposer immédiatement dans votre REÉR en faisant un versement unique. Très basique.

Mais, si vous n'avez pas 4 000 $ ou 5 000 $ sous la main, vous pouvez utiliser l'approche «périodique» pour investir dans votre compte.

Par exemple, pour investir 4 000 $ en une année, vous pourriez investir 333 $ par mois. Même si je souhaiterais vous voir épargner une telle somme, j'aimerais que vous compreniez que vous pouvez aussi investir moins, si vous ne pouvez vous permettre d'investir 333 $.

Si votre budget vous permet seulement 50 $ par mois, c'est parfait. De grâce, ne vous privez pas d'épargner pour votre retraite parce que vous ne pensez pas que 50 $ par mois pourront faire une différence. Je sais que nous avons déjà couvert ce sujet au cours du premier mois, mais je veux mettre à nouveau l'accent sur ce point: peu aujourd'hui peut signifier beaucoup avec le temps.

Investissez 50 $ par mois à un taux de rendement annuel de 8 % et vous aurez :

- 9 208 $ dans dix ans.
- 29 647 $ dans vingt ans.
- 75 015 $ dans trente ans.
- 175 714 $ dans quarante ans.

Comment choisir le bon investissement pour votre REÉR ?

Il est à noter que la répartition idéale des placements pour un compte de REÉR consiste à prendre le plus grand avantage de l'abri fiscal qui permet de différer les impôts payables sur le revenu généré par le capital investi. Il est donc conseillé à la base d'inclure dans le compte REÉR les placements qui génèrent des revenus d'intérêts et de dividendes qui doivent être imposés annuellement et de réserver ceux qui génèrent du gain en capital aux placements non enregistrés pour différer au maximum la main-mise du percepteur d'impôts sur vos revenus de placements et ainsi pouvoir prendre avantage d'un capital plus important à faire fructifier.

Si vous vous contentez d'envoyer un chèque à une firme de courtage ou à une compagnie de fonds communs de placement pour ouvrir un compte de REÉR sans préciser de quelle façon vous voulez investir votre argent, il y a de fortes chances pour que votre argent dorme dans un compte d'épargne ou dans un compte de marché monétaire et c'est la pire chose que vous puissiez faire. Souvenez-vous, s'il vous reste au moins dix ans avant votre retraite, vous devez investir dans des actions pour obtenir le meilleur rendement à long terme.

Des investissements intéressants pour les investisseurs

Si vous avez l'intention d'investir dans votre compte REÉR une fois par an, la première chose que vous devez savoir est que la meilleure période pour le faire est en janvier. De cette façon, votre argent travaille à votre avantage tout au long de l'année, ce qui peut représenter un bon montant dans le temps.

Quand il s'agit d'investir, il m'arrive de penser que les fonds négociés en Bourse (FNB) représentent un excellent choix. Un

FNB est similaire à un fonds indiciel. Il poursuit, lui aussi, le but de suivre la performance d'un indice de référence.

En fait, vous pouvez souvent trouver un FNB et un fonds commun indiciel qui suivent le même indice de référence. Ils sont cependant légèrement différents; considérez-les comme de faux jumeaux plutôt que comme de vrais jumeaux.

Un FNB permet de négocier ses actions sur le marché boursier. Cela signifie que, durant le jour, vous pouvez acheter et vendre des actions de votre FNB au prix du marché au moment où vous donnez votre ordre. Un fonds commun de placement fonctionne d'une façon un peu différente. Les fonds communs de placement ne font aucune transaction pendant la journée; leur prix est déterminé une fois par jour après la clôture des marchés, c'est-à-dire à quatre heures de l'après-midi, heure de l'Est, du lundi au vendredi. Donc, supposons que vous décidiez d'acheter ou de vendre votre fonds d'actions à onze heures du matin. Vous utilisez le service en ligne ou vous téléphonez au service à la clientèle et placez votre ordre à onze heures du matin. Le prix réel que vous obtiendrez sera basé sur la valeur de clôture de toutes les actions de votre portefeuille. Donc, il vous faudra attendre que le prix du fonds commun de placement ait été déterminé, après seize heures de l'après-midi, avant de savoir le prix que vous avez obtenu.

Sur le marché boursier, un FNB est connu pour offrir plus de fluidité qu'un fonds commun de placement. Le prix d'un FNB varie au cours de la journée en fonction de la variation des actions qu'il contient. Cette fluidité est une bonne opportunité pour les personnes qui suivent de près les fluctuations du marché et font des transactions pendant la journée.

Mais ce n'est pas ce dont vous avez besoin pour vos investissements en vue de la retraite, car vous investissez à long terme et vous ne pouvez pas passer votre temps à faire des transactions sur votre compte.

Alors, quelle est la raison pour laquelle je recommande de posséder des FNB? La réponse nous amène à examiner la deuxième différence entre un fonds indiciel et un FNB.

Les frais annuels d'un FNB peuvent être moins élevés. Un bon FNB aura souvent un ratio de frais de gestion plus bas qu'un fonds commun de placement. Prenons un moment pour parler du ratio des frais de gestion.

Ratio des frais de gestion (RFG): le RFG vous indique les frais que vous payez pour la gestion et l'administration professionnelles de votre FNB et de votre fonds commun de placement. En réalité, ils sont déduits de la performance du fonds chaque année, sans toutefois apparaître sur une ligne séparée de votre état de compte. Bien évidemment, plus votre ratio des frais de gestion est bas et mieux c'est.

Même si le RFG d'un fonds commun de placement est généralement bas, il peut être encore plus bas pour une FNB. C'est pourquoi je préconise les FNB pour votre compte. Moins vous payez de frais et plus il vous reste d'argent à investir pour votre avenir.

Cependant, le FNB ne se justifie pas si vous prévoyez de faire des versements périodiques, mensuellement ou trimestriellement. En effet, un FNB doit être acheté de la même manière qu'une action, c'est-à-dire que vous devez payer une commission chaque fois que vous achetez ou vendez des actions contenues dans votre FNB. Les frais de chaque transaction effectuée par l'intermédiaire des services de courtage à escompte de la TD Ameritrade sont de 9,99 $, ce qui représente une belle opportunité. Mais si vous investissez tous les mois et que vous devez payer chaque fois 9,99 $, vous finirez par payer des commissions d'environ 120 $ par an.

Si vous investissez 333 $ par mois, soit 4 000 $ pour l'année, dans votre compte d'épargne-retraite, ces commissions de 120 $ représentent 3 % du montant investi, ce qui signifie que votre argent est mal utilisé. C'est la raison pour laquelle je ne recommande un FNB que pour les personnes qui investissent de gros montant à la fois. Pour quelqu'un qui peut se permettre de verser 4 000 $ en une seule fois, les frais pour investir ce montant dans un FNB seraient de 9,99 $.

Quand vous investissez, suivez la même stratégie que celle utilisée pour les REÉR collectifs[7] :

- 60 % dans un fonds américain.
- 30 % dans un fonds canadien.
- 10 % dans un fonds international diversifié.

Un bon FNB, avec de faibles frais de gestion, qui suit un important indice américain est le *Vanguard Extended Market* (symbole du titre VTI). J'aime beaucoup le FNB indiciel, avec de faibles frais de gestion, qui investit dans les actions internationales, *iShares MSCI EAFE* (symbole du titre EFA).

Où et comment ouvrir un FNB ?

Si vous prévoyez d'investir de gros montants chaque fois, je vous encourage à ouvrir un compte dans une firme de courtage à escompte. Le mot « à escompte » signifie que vous paierez des frais de gestion plus bas lorsque vous effectuerez des transactions qu'avec une firme de courtage de plein exercice qui fournit des services additionnels, recherche et transmission d'informations par exemple, dont vous n'avez probablement pas besoin. Tout ce que vous devez savoir pour investir d'une façon efficace se trouve dans ce livre.

Sur Internet, recherchez les liens vers les investissements dans un compte retraite. Pour ouvrir un compte, vous devrez télécharger un formulaire, le remplir et le renvoyer. En plus des renseignements personnels habituels, vous devrez indiquer les placements que doit contenir votre compte et de quelle façon vous comptez envoyer votre argent.

Vous pouvez faire un paiement direct par transfert électronique à partir de votre compte d'épargne ou de votre compte de marché monétaire – vous trouverez les renseignements à fournir sur le formulaire à remplir – ou vous pouvez tout simplement utiliser la bonne vieille méthode qui consiste à envoyer un chèque. C'est un processus très simple, mais je sais que vous pourrez ressentir une certaine crainte la première

---

7. La répartition d'actifs suggérée est faite en fonction du marché américain. Lorsqu'il est temps de choisir la répartition de votre argent dans des fonds, plusieurs éléments doivent être considérés. La force ou la faiblesse du dollar canadien qui influence les taux de change est à considérer. Une analyse des risques et du profil d'investisseur du point de vue canadien pourrait mener à des conclusions différentes.

fois que vous l'utiliserez. Gardez à l'esprit que les compagnies financières sont très intéressées à vous avoir comme client. Donc, si vous vous sentez perdue, n'hésitez pas à contacter le service à la clientèle. Ils ont tout intérêt à vous aider à utiliser leurs services.

Investissements intéressants pour celles qui investissent de petites sommes tout au long de l'année

Si vous prévoyez verser de l'argent sur votre compte tous les mois ou presque, vous devriez investir dans un fonds commun de placement sans frais d'acquisition, c'est-à-dire sans commission ni frais de transactions. Je veux que vous achetiez des parts de fonds exemptes de commission à l'achat comme à la vente. Il n'y a pas de raison que vous ayez à payer quoi que ce soit pour faire l'acquisition d'un fonds commun de placement. Ceci dit, je veux que vous compreniez bien que les frais dont il est question n'ont rien à voir avec le ratio des frais de gestion dont j'ai parlé précédemment. Les frais de gestion sont des frais totalement différents qui accompagnent aussi bien les fonds communs de placement que les FNB et que tout le monde doit payer. L'objectif est de choisir des fonds communs de placement sans frais d'acquisition et avec le ratio de frais de gestion le plus bas possible.

Comment sont facturés les frais d'acquisition ?

Les frais d'acquisition peuvent être facturés de deux façons : au moment de votre premier investissement (frais d'entrée) ou au moment où vous vendez vos actions (frais de sortie).

• Fonds d'actions A (avec frais d'entrée) : les fonds pour lesquels vous devez payer des frais quand vous investissez comportent un A à la suite de leur nom. On les appelle en général des fonds d'actions avec frais d'acquisition. Les frais sont souvent de 5 %. Donc, si vous investissez 4 000 $, 3 800 $ seulement seront investis dans votre compte. Les 200 $ restants, représentant la commission, serviront à payer le courtier ou le conseiller financier qui vous a vendu le fonds. Réfléchissez-y : dès le départ, vous perdez 200 $ et il faudra attendre que le fonds vous ait rapporté 200 $ pour commencer à gagner de l'argent.

Et ce n'est pas comme si ces types de fonds vous garantissaient d'excellentes performances. Les frais que vous payez n'ont rien à voir avec le talent du gestionnaire (et si vous investissez dans un fonds indiciel, aucun talent n'est requis). Ils ne servent qu'à payer la personne qui vous a vendu le fonds.

• **Fonds d'actions B (avec frais de sortie)** : les fonds pour lesquels vous devez payer des frais quand vous vendez comportent un B à la suite de leur nom. On les appelle en général des fonds d'actions avec frais de rachat. Ils paraissent intéressants parce que vous ne payez pas de commission au moment où vous investissez. Cependant, vous devrez payer des frais si vous les vendez quelques années plus tard. Généralement, ces frais de sortie sont de 5 % si vous vendez au cours de la première année, 4 % si vous vendez dans les deux ans et ainsi de suite. De plus, le ratio des frais de gestion sur un fonds avec des frais de rachat reportés est beaucoup plus élevé que celui d'un véritable fonds sans frais et plus particulièrement que celui d'un fonds indiciel à faible frais. Je pense que tous les fonds avec frais de sortie devraient être évités comme la peste. Si vous voyez la lettre B après le nom du fonds, ne l'achetez pas !

Comment repérer un fonds avec frais d'acquisition ?

Comme je l'ai mentionné précédemment, la meilleure façon de repérer les frais d'acquisition est de regarder si le nom du fonds comporte un A ou un B. Mais, il existe une autre façon : avant d'investir dans un fonds, vous pouvez visiter le site Internet de la compagnie qui vend le fonds ou téléphoner au service à la clientèle pour vous informer.

Voici ce que vous pouvez demander :

• Dois-je payer des frais lorsque j'achète des actions de ce fonds ?

• Devrai-je payer des frais si je vends mes actions d'ici cinq ans, par exemple ? (dans le cas d'un fonds avec frais de sortie).

Si la réponse à l'une ou l'autre de ces questions est affirmative, il s'agit d'un fonds avec frais d'acquisition.

Pour en savoir plus sur les fonds mutuels, allez sur le site Internet : www.morningstar.com. En haut de la page, vous pouvez entrer le nom ou le symbole du titre d'un fonds et vous serez dirigée vers une page de données sur ce fonds. (Le symbole du titre est l'abréviation d'un investissement. Le symbole du titre d'un fonds est toujours composé de cinq lettres et finit par un X). Sur le côté droit de la page, vous trouverez des informations au sujet du ratio des frais de gestion ainsi que des frais d'acquisition, s'il y a lieu.

La même stratégie de placement que celle utilisée pour les comptes enregistrés s'applique pour les fonds sans frais d'acquisition :

• 90 % dans un fonds sans frais qui suit un important indice.

• 10 % dans un fonds sans frais qui investit dans des actions internationales de pays développés.

Où et comment ouvrir un REÉR avec un fonds sans frais ?

Le groupe de fonds mutuels *T.Rowe Price* est un excellent endroit pour ouvrir un compte. Vous pouvez ouvrir un compte dans lequel vous verserez 50 $ tous les mois. Le fonds *Extended Equity Market Index* est un excellent choix pour votre fonds indiciel. Ils proposent également un fonds d'actions internationales pour investir les 10 % restant de votre stratégie.

▲ Tous ces fonds sont américains mais il y a des équivalents canadiens. En ce moment, l'économie canadienne se porte bien et il serait plus approprié d'investir dans des fonds canadiens. Vous pouvez vous référer au site Internet suivant pour connaître les grandes maisons de fonds canadiens : www.ci.com/web/products/products_index.jsp?lang=FR.

**Faites affaire avec la même société
pour tous vos comptes REÉR**

Que vous choisissiez d'investir dans des FNB ou dans des fonds communs de placement, je vous recommande fortement de faire affaire avec la même société pour tous vos investissements REÉR, et ce parce que beaucoup de société de courtage à escompte et de société de courtage de plein exercice facturent des frais annuels de maintenance pour chaque compte. Ces frais de maintenance peuvent être de 10 $ à 50 $ et même plus. Souvent, lorsque votre compte a atteint un certain niveau, disons 10 000 $ et plus, les frais peuvent être supprimés. Si vous avez déjà deux ou trois comptes dans différentes sociétés de courtage, regardez vos états de compte pour connaître le montant des frais de maintenance de chaque compte. Transférez tous vos comptes dans la société de courtage qui vous offre les meilleures options de placements et les frais les plus bas. En consolidant vos différents comptes, vous pourrez peut-être atteindre le niveau nécessaire pour que vos frais soient supprimés.

Comment transférer les comptes REÉR

Il vous faudra remplir quelques formulaires des firmes de courtage qui détiennent vos comptes REÉR et de celle où vous voulez les transférer. Si vous possédez déjà un compte dans cette dernière, il vous suffira de remplir le formulaire pour ajouter vos autres comptes à celui existant. Si vous ne possédez pas encore de compte dans cette firme, vous devrez alors ouvrir un nouveau compte REÉR. Dans les deux cas, vous trouverez dans le formulaire une option « transfert des avoirs » pour transférer le contenu d'un compte existant dans votre nouveau compte. C'est cette option que vous devrez choisir. Soyez très prudente car ce transfert doit se faire sans que vous ayez besoin de toucher à votre argent.

Vous ne devez donc pas recevoir un chèque de la valeur de votre compte dans votre ancienne firme de courtage pour ensuite être chargé d'investir vous-même cet argent dans votre nouveau compte REÉR, car cette façon de procéder entraînerait tout un lot de problèmes fiscaux. Choisissez plutôt l'option « transfert d'avoirs ».

La firme qui détient le fonds ou la firme de courtage vous demandera de lui fournir des renseignements au sujet des comptes que vous voulez transférer, tels que son nom, son numéro, etc. Ces renseignements lui permettront de contacter la firme qui détient votre compte REÉR pour lui demander de transférer l'argent qu'il contient. Mais auparavant, il pourrait vous être demandé par la firme que vous quittez de remplir un autre formulaire l'autorisant à transférer l'argent. Il vous suffit essentiellement de signer les formulaires fiscaux pour que les deux firmes puissent travailler ensemble sans votre intervention.

◆ Si vous avez fini de construire votre compte d'épargne : mettez l'accent sur votre REÉR et augmenter votre niveau de cotisation pendant le reste de l'année.

Plan d'action :
résumé pour les investissements en vue de la retraite

Si votre employeur offre un régime de pension dans lequel il verse une contribution, assurez-vous de participer à ce régime et investissez un montant suffisant pour obtenir la contribution maximale de votre employeur.

• Ne laissez pas plus de 10 % d'actions de votre compagnie dans vos avoirs.

• S'il vous reste au moins dix ans avant de prendre votre retraite, préférez les fonds d'actions dans votre REÉR collectif.

• Investissez dans un compte REÉR si vous remplissez les conditions d'éligibilité.

• Si vous êtes mère au foyer, faites en sorte que des sommes soient investies en votre nom dans un REÉR de conjoint.

• Faites en sorte que la répartition de votre portefeuille de placements prenne en compte l'avantage fourni par l'abri fiscal que constitue le REÉR.

• Optez pour des fonds sans frais d'acquisition si vous prévoyez de faire des plus petits versements tous les mois ou tous les trimestres.

Quatrième mois :
LES DOCUMENTS ESSENTIELS

Je serai fière si vous...

... comprenez qu'un testament n'est pas une protection suffisante pour vous et vos proches.

... avez une fiducie entre vifs « en faveur de soi-même », si nécessaire[8].

... transférez la propriété de vos biens dans la fiducie entre vifs « en faveur de soi-même » ou « mixte en faveur du conjoint » si vous avez plus de soixante-cinq ans.

... faites un testament notarié comportant une « fiducie testamentaire » pour vos enfants mineurs et jeunes adultes et vos petits-enfants que vous désirez avantager.

... révisez régulièrement les bénéficiaires de vos biens y compris ceux indiqués sur vos régimes de retraite et vos produits d'assurance.

... comprenez la façon la plus sûre de conserver des titres à votre domicile.

... établissez un testament biologique et un mandat donné en prévision de l'inaptitude.

... révisez vos documents importants une fois par an.

---

8. Il faut faire attention avec la fiducie entre vifs car elle comporte peu d'avantages suivant le droit et la fiscalité applicable au Canada et au Québec où il n'y a pas de *probate fees* et où les droits successoraux ont été abolis en 1978. Elle est toutefois recommandée aux gens d'affaires mais elle comporte des désavantages fiscaux importants pour ceux qui n'ont pas 65 ans. (N.D.T.)

Au cours des deux prochains mois, vous allez vous assurer que vous êtes prête, ainsi que votre famille, à faire face aux imprévus majeurs de la vie. Les objectifs de ce livre, à savoir vous permettre de prendre le contrôle de votre avenir, ne peuvent évidemment pas avoir d'incidence sur les événements hors de votre contrôle, tels que la maladie, la mort et les catastrophes naturelles.

Cependant, vous pouvez vous préparer à affronter certaines situations qui pourraient se produire, aussi difficiles soient-elles. Pour cela, il faut les envisager posément et avoir le courage d'aborder des sujets un peu difficiles avec vos proches, et vous-même. Comme toujours, je vais faire mon possible pour rendre le processus le moins douloureux possible.

Tout d'abord, je vais vous demander de répondre par l'affirmative ou par la négative à quelques questions très importantes, en vous priant de répondre honnêtement.

• Si vous tombiez gravement malade et ne pouviez plus prendre des décisions vous-même, avez-vous établi le document qui permettrait à la personne de votre choix de prendre des décisions urgentes en ce qui concerne votre santé et vos soins médicaux?

• Si vous deveniez inapte, avez-vous établi le document qui permettrait à la personne de votre choix de signer des chèques et de prendre en main vos affaires financières?

• Si vous étiez à l'hôpital où l'on vous maintient en vie, avez-vous établi le document qui permettrait à la personne de votre choix d'exprimer vos souhaits à votre médecin?

• Que se passerait-il si vous deviez mourir demain? Vos enfants d'âge mineur seraient-ils bien protégés? Avez-vous mis toutes vos affaires en ordre de façon à ce que l'adulte de votre choix puisse gérer vos affaires financières comme vous le souhaitez?

• Avez-vous créé une fiducie entre vifs pour faciliter l'administration de vos biens en cas d'incapacité?

• Avez-vous créé une fiducie testamentaire en faveur de vos enfants ou petits-enfants mineurs afin de faciliter l'administration des biens que vous leur transmettrez à votre décès?

Si vous avez répondu à toutes ces questions par l'affirmative, je vous félicite. Je suis vraiment contente. Cependant, je vous demande de lire ce chapitre au complet, car il est important de vous assurer que ces documents contiennent tous les éléments nécessaires pour les rendre efficaces. Avoir un document qui n'est pas vraiment correct peut être plus préjudiciable que de ne pas en avoir du tout.

Si vous avez répondu à certaines questions par la négative – et je suis persuadée que c'est le cas –, le programme de ce mois réclame toute votre attention. Si vous avez répondu par la négative à toutes ces questions, répétons-le encore une fois : pas de honte, pas de culpabilité.

L'objectif du programme de ce mois est de s'assurer que tous les documents essentiels à votre protection ainsi qu'à celle de votre famille sont bien en place et que vos affaires seront gérées selon vos souhaits si un drame survenait. Nous allons voir les documents légaux spécifiques que vous devez mettre en place pour établir votre patrimoine pour que vos biens soient répartis selon vos souhaits si vous veniez à décéder, et avec le moins de complications possibles pour vos héritiers. Ces documents sont indispensables pour les célibataires, les femmes en couple, celles qui ont des enfants et celles qui n'en ont pas, celles qui ont beaucoup d'argent et celles qui ont du mal à boucler leur budget. **Toutes les femmes doivent porter une attention particulière à ce chapitre.**

Entamons notre discussion sur les documents essentiels en abordant un fait très important.

Les femmes vivent plus longtemps que les hommes

Nous connaissons toutes les statistiques qui démontrent qu'en moyenne, les femmes vivent plus longtemps que les hommes. Ainsi, celles d'entre vous qui sont mariées ont de bonnes chances de passer leurs dernières années sur cette terre sans leur compagnon. Mon père est mort en 1981 alors que ma mère n'avait que soixante-six ans. Elle est maintenant âgée de quatre-vingt-onze ans et vit seule depuis plus d'un quart de siècle. Cela signifie donc, si nous poursuivons avec l'exemple de ma famille, qu'à l'âge de cinquante-cinq ans, et depuis quelque temps déjà, je m'occupe des affaires de ma mère et je veille à ses besoins financiers en plus des miens. Sans aucun doute, j'ai beaucoup de chance d'avoir encore ma mère et d'avoir pu lui offrir le soutien nécessaire pour qu'elle mène une vie confortable. Cependant, la réalité statistique et factuelle indique qu'il vous faut envisager de devoir subvenir aux besoins de vos enfants, de vous-même et de ceux de vos parents tout à la fois.

Ajoutez à cela la possibilité de vous retrouver seule un jour pour prendre soin des autres, si votre conjoint décède avant vous, et vous comprendrez alors pourquoi je crois qu'il est plus important que jamais que vous, *ainsi que vos parents*, ayez tous vos documents en ordre.

De nos jours, le fait que les femmes vivent généralement plus longtemps signifie que vous devez gérer votre argent non seulement à l'âge de soixante ou soixante-dix ans, mais aussi lorsque vous aurez atteint l'âge de quatre-vingts, de quatre-vingt-dix et même de cent ans. Au fur et à mesure que vous vieillissez, plusieurs d'entre vous peuvent trouver de plus en plus difficile d'effectuer les tâches de tous les jours, telles que payer les comptes et gérer votre argent. Vous espérez tous que vous, ainsi que ceux que vous aimez, pourrons être préservés de la maladie d'Alzheimer ou de la démence. Cependant, rappelez-vous que le but ce mois-ci est d'anticiper les pires scénarios qui échappent à notre contrôle et de tenter de les gérer au mieux de vos capacités grâce à la planification et à la prévoyance effectuées alors que vous étiez toujours forte et en bonne santé.

Les documents essentiels

Qui que vous soyez et quoi que vous possédiez dans cette vie, chacune d'entre vous doit absolument détenir les documents suivants :

• Un testament notarié, comportant une fiducie testamentaire en faveur de vos enfants et petits-enfants mineurs et jeunes adultes.

• Une fiducie révocable entre vifs (fiducie en faveur de soi-même) comprenant une clause d'incapacité, si nécessaire.

• Un mandat en prévision de l'inaptitude comprenant des directives médicales et un testament biologique.

Pourquoi un testament ne suffit-il pas ?

Si vous possédez déjà un de ces documents, quel qu'il soit, je parie que c'est un testament. Si tel est le cas, je veux que vous sachiez une chose : un testament ne suffit pas ! Cela ne veut pas dire qu'un testament est inutile ; en fait, il est d'une grande valeur.

Il donne des instructions sur la façon dont vos affaires devront être traitées après votre décès et indique la manière dont vos biens seront partagés parmi les personnes que vous aurez nommées, et ceci est particulièrement important si vous avez plus d'un enfant. Un testament pourra empêcher toute dispute entre vos héritiers.

Un testament peut aussi stipuler qui deviendra le tuteur légal de vos enfants si vous et leur père veniez à décéder en même temps.

Un testament a sans doute sa place dans votre dossier de documents essentiels. Si vous mourez sans avoir fait de testament, ce sera la « succession *ab intestat* » qui prévaudra, ce qui signifie que vos biens seront divisés selon les lois provinciales en vigueur.

Je doute que vous désiriez vraiment que vos biens soient répartis d'une façon aussi impersonnelle.

Voilà ce qu'un testament fait pour vous. Maintenant, permettez-moi de vous expliquer ce qu'un testament ne fait pas pour vous.

• Un testament entre en vigueur seulement après votre décès. Si vous êtes simplement déclarée inapte, un testament ne vous servira à rien.

• Si vous décédez en ayant seulement fait un testament sous la forme olographe ou devant témoins, la transmission de vos biens à vos héritiers ne se fera pas facilement. Exception faite s'il a été rédigé par un notaire qui l'a authentifié, un testament doit être vérifié par un juge avant d'être considéré comme valide au cours d'une procédure judiciaire appelée « vérification ». Le processus de vérification nécessite du temps et de l'argent.

• D'autres documents peuvent outrepasser le testament dans lequel vous avez décrit vos volontés. Par exemple, si vous déclarez que votre nièce héritera de votre maison, mais que vous n'avez jamais retiré le nom de votre ex-mari en tant que propriétaire conjoint sur le titre de propriété de la maison, votre nièce héritera de la moitié de la maison en copropriété avec votre ex-mari. Si elle n'arrive pas à s'entendre avec votre ex-mari sur la valeur de sa part, votre nièce devra s'engager dans une coûteuse procédure en partage pour obtenir son dû.

Donc, si un testament n'est pas suffisant, que vous faut-il ? Vous devez avoir un testament, un mandat en prévision de l'inaptitude et une fiducie révocable entre vifs si vous avez besoin de protéger vos biens contre les créanciers de votre vivant. Sauf s'il s'agit d'une fiducie en faveur de soi-même ou d'une fiducie mixte pour une personne de soixante-cinq ans ou plus, il ne peut y avoir de bénéficiaire au décès du constituant. La fiducie en faveur de soi-même comporte des avantages certains pour les gens d'affaires et ceux qui ont des fonctions qui exposent à des poursuites judiciaires comme les professionnels et les administrateurs des biens d'autrui. Toutefois, au Canada, elles sont coûteuses à mettre en place et à administrer et elles n'ont aucune valeur fiscale ou légale dans la planification successorale, sauf bien entendu si vous risquez de voir les biens que vous voulez laisser à votre famille saisis par des créanciers ou encore si vous risquez de souffrir d'une maladie dégénérative qui pourrait vous empêcher de vous occuper de vos biens.

Il en est autrement toutefois des fiducies en faveur de soi-même (dites « alter ego ») et des fiducies « mixtes en faveur du conjoint » qui sont accessibles aux personnes qui ont plus de soixante-cinq ans. Elles ne comportent pas d'avantages fiscaux mais peuvent faciliter l'administration de certains de vos biens en cas d'incapacité temporaire ou permanente car le fiduciaire exerce la pleine administration des biens d'autrui avec un devoir de prudence et de diligence. Si la protection contre les créanciers de la succession n'est pas un facteur important, ces fiducies comportent normalement une clause de dévolution du capital au constituant au moment de son décès ou de celui de son conjoint afin de permettre de transférer les biens suivant les termes du testament.

Dans le premier chapitre de ce livre, j'identifiais les objectifs à atteindre afin d'établir une relation saine avec votre argent. En ce sens, vous devez comprendre les raisons pour lesquelles il vous faut prendre vos propres décisions financières. Je vous détaillerai donc mon cas et vous aiderai à comprendre pourquoi je soutiens tant cette idée. Ensuite, vous pourrez décider si vous êtes d'accord avec moi, avec confiance et certitude, j'espère.

Fiducie révocable entre vifs[9]

De tous les documents essentiels, une fiducie révocable entre vifs est un de ceux qui a le plus de pouvoir puisque, s'il est fait correctement, la personne désignée peut s'occuper de tout pour vous alors que vous êtes toujours vivante ou même après votre décès. Si vous avez une fiducie révocable entre vifs, allez chercher ce document immédiatement et assurez-vous qu'il comprend tout ce dont je vais vous parler ici. Si vous n'avez pas de fiducie révocable entre vifs, veuillez poursuivre la lecture.

Les bases de la fiducie

Commençons par quelques définitions pour que vous partiez toutes du même pied.

• **Révocable en faveur de soi-même** signifie qu'une fois que vous avez établi la fiducie, il vous est toujours possible de la changer comme bon vous semble. Vous demeurez maître de vos choix et rien n'est définitif.

• **Entre vifs** signifie que cela fonctionne de votre vivant, contrairement à un testament, qui entre en vigueur uniquement au moment de votre mort. Les conditions et souhaits exprimés dans votre fiducie peuvent aussi s'appliquer après votre décès.

• La **fiducie** est simplement le nom du document.

• Le **constituant** est la personne qui établit sa fiducie.

• Le **fiduciaire** est la personne ou les personnes qui ont le pouvoir de signature sur les biens décrits dans la fiducie. Le fiduciaire décide de tout ce qui se produit avec l'argent de la fiducie. Si vous êtes célibataire, vous pouvez être l'unique fiduciaire ou bien vous pouvez être fiduciaires conjoints avec votre conjoint. Par contre, si vous êtes à la fois le constituant et

---

9. Ce concept est très difficile à adapter aux lois québécoises surtout en ce qui concerne les personnes de moins de soixante-cinq ans. Ce n'est pas une recommandation que nous pouvons faire à tous, mais des outils similaires peuvent être offerts aux gens d'affaires ou à ceux qui ont des biens importants comme un portefeuille de placements non enregistrés.

le fiduciaire de votre fiducie vous ne pouvez pas agir seul. Le Code civil du Québec exige alors que vous nommiez au moins une autre personne pour agir à titre de cofiduciaire pour agir conjointement avec vous.

• Le **bénéficiaire** est la personne qui bénéficie des biens décrits dans la fiducie. Généralement, vous demeurez le bénéficiaire tant que vous êtes en vie.

• Le **bénéficiaire résiduel** est la personne qui « hérite » de vos biens selon la fiducie lorsque vous mourez. En d'autres mots, tout ce qui restera dans la fiducie sera ce à quoi cette personne aura droit. Dans votre fiducie, il est possible d'avoir plusieurs bénéficiaires résiduels et de transmettre des biens précis à certaines personnes.

Fiducie entre vifs ou mandat donné en prévision de l'inaptitude

Le mandat est un acte juridique, ordinairement fait devant un notaire, par lequel une personne, le mandataire, donne des instructions à une autre personne, son mandant, qui doit prendre soin de sa personne et de ses biens dans le cas où elle deviendrait incapable de prendre soin d'elle-même et de ses biens. Le mandat doit être homologué par un juge au moment où la personne devient inapte. Un juge doit constater que la personne est inapte. À cette fin, il doit lui être fourni une évaluation médicale et psychosociale, ce qui peut prendre un certain temps, surtout si votre médecin de famille est débordé. Heureusement, la loi prévoit que le mandant peut commencer à remplir son rôle et à prendre soin de la personne inapte avant l'homologation. Il ne peut toutefois pas faire n'importe quoi ni engager des actes importants comme vendre la maison avant que le mandat n'ait été homologué. S'il le fait, le juge pourra révoquer la vente s'il a des motifs sérieux de le faire. Le mandataire a les mêmes pouvoirs que le fiduciaire pour administrer les biens. Il ne peut toutefois pas faire des actes comme changer le testament de la personne inapte ou ses désignations de bénéficiaires. Au décès du mandant, sa succession est réglée selon son testament ou, à défaut de testament, selon la loi. C'est le liquidateur de la succession qui prend la relève du mandataire.

Il faut être prudent quand nous parlons de fiducie en faveur de soi-même car il s'agit d'un régime très complexe en droit. En fait, la fiducie du Code civil du Québec est très différente de celle constituée dans les juridictions de la *Common Law*. La mise sur pied d'une fiducie en Ontario ou aux États-Unis peut se faire de façon assez informelle. Au Québec, elle exige un formalisme important comme un acte écrit et l'acceptation formelle de la charge par le fiduciaire. Juridiquement, les biens ne sont plus la propriété du constituant, ce qui implique un transfert des titres de propriété qui peut s'avérer assez onéreux. S'il s'agit de biens immobiliers, un acte de transfert doit être reçu devant notaire et enregistré. Pour les biens tels que les comptes de banque, il y a moins de formalisme mais l'acte de fiducie doit être enregistré au registre des droits personnels, réels et mobiliers pour que la protection puisse être effective.

Financer la fiducie

Après avoir créé la fiducie, vous devez entreprendre des démarches pour transférer la propriété de tous les biens que vous désirez placer dans la fiducie de votre nom (ou de tous les noms s'il s'agit d'une fiducie conjointe) au nom de la fiducie. Cette procédure est appelée « financer la fiducie ». Si vous ne financez pas votre fiducie, vous n'avez que des mots sur du papier, ce qu'on appelle une fiducie vide, c'est-à-dire qu'elle est complètement inutile. Par conséquent, vous devez effectuer le transfert de propriété de vos biens – comptes bancaires, comptes d'actions, biens immobiliers et tous vos principaux actifs – au nom de la fiducie. Vous pouvez suivre cette procédure vous-même pour les biens tels que vos comptes de banque et vos comptes d'actions. Vous devez toutefois en confier le soin à un notaire pour vos biens immobiliers. Cela vous fait mal d'y penser? D'accord, ce n'est pas drôle, mais souvenez-vous que l'idée est d'empêcher bien des tracas plus tard. Lorsque vos biens sont transférés dans la fiducie, vous avez la garantie que tous les actifs seront gérés exactement comme vous l'avez stipulé dans votre document.

Quels biens peuvent être transférés dans une fiducie :
• Les biens immobiliers.
• Les investissements autres que ceux faits en prévision de la retraite.
• Les épargnes (comptes ouverts dans une banque ou dans un groupe coopératif).
• Les prêts que vous avez contractés et qui sont en cours de remboursement.

Quels biens ne peuvent pas être transférés dans une fiducie :
• Les Régimes enregistrés d'épargne-retraite comme les REÉR, les FERR et les FRV ainsi que les RPA. Selon les circonstances propres à votre situation, il peut toutefois être recommandé de désigner un ou des bénéficiaires de ces régimes directement auprès de l'émetteur si le contrat auquel vous avez souscrit le permet.
• Les automobiles.

Pourquoi votre fiducie doit-elle comporter une clause d'incapacité ?

Si elle est convenablement constituée, une fiducie vous assure que tous vos biens et vos affaires financières seront bien gérés dans l'éventualité où vous deviendriez incapable de le faire vous-même de votre vivant. À mon avis, il est absolument indispensable d'ajouter une clause d'incapacité, ce qui donnera à votre cofiduciaire – la personne de votre choix – l'autorité légale pour gérer vos affaires si vous étiez frappée d'incapacité. Une bonne fiducie devrait aussi comporter un fiduciaire de remplacement dans le cas où le fiduciaire ne pourrait remplir ses responsabilités. Par exemple, supposons que votre conjoint et vous ayez une fiducie et que vous vous soyez désignés tous les deux comme fiduciaire. C'est bien, mais pour rester dans notre optique de « espérez le meilleur, mais prévoyez le pire », il faut envisager la possibilité que vous soyez tous les deux gravement blessés dans le même accident. Dans ce cas, votre cofiduciaire devrait pouvoir prendre le contrôle seul ou avec un autre cofiduciaire que vous avez nommé.

Une fiducie comportant une clause d'incapacité versus une directive préalable (un mandat en prévision de l'inaptitude).

Je suis sûre que certaine d'entre vous ont entendu dire que si vous avez une directive préalable et un mandat en prévision de l'inaptitude pour vos finances, vous n'avez pas besoin d'une fiducie.

Il est absolument vrai que l'autre façon de désigner une personne pour prendre soin de vos finances est d'établir ce que l'on appelle un mandat en prévision de l'inaptitude. Tout comme un testament, un mandat en prévision de l'inaptitude semble une solution attirante parce qu'il n'en coûte que quelques centaines de dollars pour le faire établir par un juriste tandis qu'une fiducie peut coûter de 1 500 $ à 2 500 $ ou plus.

La fiducie en faveur de soi-même, même si elle peut représenter des avantages certains du vivant du constituant quant à la protection contre les créanciers et à l'administration de ses biens s'il devenait inapte à les gérer, ne procure toutefois aucun avantage au décès du constituant. Cela ne vous soustrait certainement pas de la nécessité de faire un testament notarié en bonne et due forme. De plus, il est nécessaire d'établir un mandat en ce qui concerne les soins relatifs à la personne comme les soins médicaux ou l'hébergement car le fiduciaire n'a aucun pouvoir sur ces questions. Même si la fiducie survivait au décès du constituant, la fiscalité applicable après le décès serait désavantageuse par rapport à celle applicable à une fiducie testamentaire.

Mais il vous faut également faire un testament

Comme il a été mentionné plus haut, la fiducie en faveur de soi-même disparaît normalement au décès du constituant. De ce fait, un testament doit être établi pour que vos biens soient dévolus aux personnes que vous désirez, soit à votre décès soit à celui de votre conjoint, si vous avez créé une fiducie mixte. N'oubliez pas toutefois que votre succession établit une nouvelle fiducie dite «testamentaire» qui a le privilège de bénéficier d'un traitement fiscal plus intéressant que la fiducie entre vifs. Il peut être très avantageux pour votre famille et vos descendants d'établir une fiducie testamentaire exclusive pour le bénéfice de votre conjoint et une autre pour celui de vos enfants et petits-enfants.

Les mères monoparentales doivent créer une fiducie pour que la personne désignée pour être le tuteur puisse disposer immédiatement des fonds nécessaires pour prendre soin des enfants. Une fiducie est également d'une grande importance pour le décaissement immédiat de la prestation d'une assurance-vie devant servir à l'éducation des enfants si quelque chose arrivait à la mère. Nous parlerons plus longuement de ce point plus loin.

Ne perdez pas de vue votre objectif : amour et protection

Que vous travailliez avec un notaire ou que vous utilisiez un logiciel pour créer un testament ou une fiducie révocable entre vifs, l'établissement de ces documents d'une grande importance suscite des émotions profondes, en vous confrontant à votre propre mort et en vous forçant, quand de jeunes enfants sont impliqués, à décider quelle personne vous désirez voir prendre soin d'eux si, Dieu me pardonne, vous ne le pouvez plus. Je sais que cela représente une lourde tâche, mais le bien-être et l'éducation des enfants est au cœur de votre rôle de parents. Vous pouvez penser que si quelque chose vous arrivait, vos enfants pourraient compter sur leur autre parent pour prendre soin d'eux, mais ce n'est pas une protection suffisante. Vous devez trouver le courage d'envisager l'impensable : qu'arriverait-il si vos enfants perdaient leurs deux parents en même temps ? Votre testament et fiducie doivent mentionner le nom de la personne que vous aimeriez voir prendre soin de vos enfants mineurs et de quelle façon vous comptez subvenir à leurs besoins dans l'éventualité où vous et votre conjoint décéderiez en même temps.

Choisir la personne la plus adéquate demande évidemment une réflexion sérieuse et exige d'aborder des sujets potentiellement difficiles et périlleux. Qu'en serait-il si vous vouliez désigner votre frère pour élever vos enfants alors que votre conjoint veut désigner sa sœur pour assumer ce rôle ? Il n'existe pas de règles empiriques à suivre, et je ne peux pas vous donner de conseils en la matière. Cela nécessite de nombreuses discussions, beaucoup d'introspection et les conversations seront plus faciles si vous ne perdez pas de vue votre objectif : ce qui est le mieux pour les enfants. Posez-vous ces questions :

Si vous décédiez en même temps, quel serait le meilleur environnement pour vos enfants? Qui est le mieux préparé pour leur apporter toute l'aide affective dont ils auront besoin? (comme vous le verrez au cours du programme du cinquième mois, votre police d'assurance-vie couvrira leurs besoins financiers. Il n'est donc nul besoin de choisir un tuteur en fonction des finances dont il dispose, ce qui vous permet d'y réfléchir en vous basant sur l'amour et le soutien affectif dont ils seront entourés et non pas sur leurs besoins.)

Après avoir pris votre décision, vous devez en parler longuement et très librement avec la personne concernée pour savoir si elle le désire réellement et si elle est apte à assumer cette énorme responsabilité. Il existe une grande différence entre agir sans obligation et agir sans désir.

Au-delà du problème de la tutelle des enfants, je pense que le meilleur moyen de réfléchir à ce que doivent contenir votre testament et fiducie est de dresser la liste de vos proches sur une feuille de papier et d'écrire ce que vous voudriez qu'ils sachent, fassent et possèdent si vous décédiez aujourd'hui. Voulez-vous leur léguer de l'argent ou un bijou que vous aimez particulièrement? Cette façon de faire vous aide à organiser vos pensées et vos biens.

Vous devrez également décider qui sera le liquidateur de votre succession et le fiduciaire de la fiducie de votre conjoint et de celle de vos enfants. Cette personne peut être distincte de celle du tuteur, ce peut même être une société de fiducie spécialisée dans ce genre de fonction qui le plus souvent agit de concert avec le tuteur ou l'un de vos proches à titre de cofiduciaire. Ces personnes seront chargées de s'assurer que tous les points de votre testament et de votre fiducie seront bien respectés après votre mort. Cette décision est très importante, car vous désirez que le liquidateur et le fiduciaire soit quelqu'un que vous aimez et en qui vous avez confiance, et quelqu'un que vous croyez capable de remplir ce rôle.

▲ Sur mon site Internet, vous pouvez consulter des informations sur le type de tâches qu'un liquidateur (autrefois appelé exécuteur testamentaire) doit accomplir. Il est important de voir avec la ou les personnes désignées les responsabilités et les devoirs qui découlent de cette désignation. Il faut s'assurer que les personnes sont prêtes assumer leur rôle. Vous pouvez également consulter le site Internet de Justice Québec pour avoir de plus amples informations : www.justice.gouv.qc.ca/ francais/publications/generale/testamen.htm

Je vous recommande aussi fortement de vous assurer que les membres de votre famille connaissent le nom de la personne que vous avez désignée comme liquidateur de votre succession, de façon à ne pas froisser les susceptibilités. Même s'il ne prend aucune décision – il exécute les décisions que vous avez prises – le liquidateur contrôle le processus. Cette situation peut créer des tensions, plus spécialement quand un enfant ou un proche est préféré aux autres et vous devez expliquer votre décision à ceux que vous n'avez pas choisis. Il n'est pas question de défendre votre position, mais de l'expliquer.

Ce que vous devez savoir au sujet des titres de propriété de vos biens

Lisez bien attentivement ce qui suit : si vous n'avez qu'un testament, les titres de propriétés de vos biens auront préséance sur les clauses de votre testament. Comprenez-vous bien cela ? Voici un exemple pour vous expliquer clairement ce que je veux dire : supposons que vous ayez stipulé dans votre testament que votre fille issue d'un premier mariage devait hériter de votre maison. Cependant, si, au moment de votre mort, le nom de votre ex-mari apparaît toujours sur le titre de propriété en tant que propriétaire conjoint, il y aura de gros problèmes. Après votre mort, votre maison deviendra la propriété conjointe des deux, à parts égales, *même si votre testament stipule un autre bénéficiaire*. Si votre ex-mari veut garder la maison, il aura le droit légal de le faire. Pourquoi cela ?

À cause de votre titre de propriété… Votre fille devra s'engager dans de coûteuses procédures judiciaires pour faire valoir ses droits au partage et faire vendre la maison pour obtenir sa part.

Les pièges à éviter

Les problèmes les plus fréquents rencontrés dans la liquidation d'une succession sont les questions de rupture de vie commune, soit la séparation de corps et le divorce non consommé légalement. Les couples mariés au Québec peuvent être obligés de se partager la valeur de certains biens qu'ils ont acquis pendant le mariage selon leur régime matrimonial ou la valeur de ceux qui sont soumis au partage du patrimoine familial. Les problèmes peuvent surgir quand les anciens époux sont séparés de fait mais qu'ils n'ont jamais officialisé leur rupture par un jugement de séparation de corps ou de divorce. Dans ces circonstances, ils sont toujours mariés au sens de la loi quel que soit le nombre d'années où ils ont cessé de faire vie commune. Lors du décès de l'un d'eux, le survivant ou les héritiers de celui qui est décédé ont le droit de réclamer le partage du régime matrimonial et du patrimoine familial. Assurez-vous donc d'avoir mis un point final à votre ancienne relation au moment d'établir votre testament ou de commencer une nouvelle relation. Ceci aura comme avantage de sécuriser vos transactions futures.

À l'intention de celles qui envisagent de se remarier

Je réalise qu'un problème majeur qui se pose est de s'assurer, en cas de décès d'un des deux époux, que le survivant puisse rester dans la maison et qu'éventuellement, la maison soit léguée aux enfants d'une première union.

La solution à ce problème réside dans la mise sur pied d'une fiducie exclusive en faveur du conjoint de votre vivant ou, si vous avez atteint l'âge de soixante-cinq ans, d'une fiducie mixte en faveur du conjoint. Il est aussi possible d'obtenir le même résultat en mettant sur pied une fiducie testamentaire exclusive au conjoint dans laquelle votre maison sera transférée à votre décès. Vos enfants nés d'un premier mariage devront être désignés comme bénéficiaire du capital de la fiducie. Votre conjoint pourra alors habiter la maison jusqu'à son décès laquelle sera dévolue à vos enfants en dernier ressort. Il sera nécessaire de consulter un juriste, notaire ou avocat, pour établir les actes nécessaires. Vous aurez ainsi atteint vos objectifs. Vos enfants hériteront de la maison – il leur faudra simplement attendre un peu – sans que l'époux survivant ne soit obligé de quitter le domicile.

Directive préalable et mandat en prévision de l'inaptitude

Il est difficile pour la plupart d'entre vous d'imaginer que vous pourriez un jour vous retrouver dans l'incapacité physique de prendre vos propres décisions. Mais, si quelque chose de bon est ressorti de l'affaire Terri Schiavo qui a défrayé les manchettes il y a quelque temps, c'est peut-être le fait qu'elle a illustré cette situation impensable d'une façon frappante, terrifiante et tragique.

À vingt-six ans, Terri Schiavo a été terrassée par un accident cérébro-vasculaire, qui l'a laissée dans un état neurovégétatif permanent. Son mari disait que Terri avait demandé à ne pas être maintenue artificiellement en vie alors que ses parents affirmaient le contraire. Son mari et ses parents se sont alors engagés dams une longue et dévastatrice bataille judiciaire qui a ébranlé le pays, les avocats et la famille de cette pauvre jeune femme.

Je vais maintenant vous demander de vous pencher sur un des sujets les plus déplaisants qui soient, mais j'espère pouvoir vous convaincre de le considérer en toute objectivité et d'établir un document qui stipulera vos souhaits et vous donnera la sécurité de savoir que vous vous êtes protégée, de manière définitive, si une des pires situations survenait.

Dans la première partie de ce document, la directive préalable, vous allez exprimer clairement vos volontés concernant votre santé dans l'avenir, au cas où des décisions devraient être prises concernant les soins de santé alors que vous ne serez plus mentalement capable de les prendre (ou de les communiquer) personnellement.

Différentes situations sont envisagées concernant l'acceptation ou le refus des soins ou des traitements, le choix d'un établissement de santé, l'acceptation des procédures, les décisions à prendre en fin de vie, telles que le maintien en vie par des moyens artificiels, notamment par alimentation et hydratation artificielles, la réanimation et les dons d'organes. En fait, vous donnez toutes vos directives préalables aux médecins et aux équipes médicales pendant que vous êtes capable de prendre des décisions. Une directive préalable est aussi appelée testament de vie.

Maintenant, il est vrai qu'une directive préalable/testament de vie ne vous garantit pas que les médecins respecteront systématiquement vos souhaits. Dans un sondage publié dans *Archives of Internal Medecine*, 65 % des médecins précisaient qu'ils ne respecteraient pas automatiquement une directive préalable si elle entrait en contradiction avec ce qui, selon eux, constituerait une approche alternative préférable. C'est une situation atrocement difficile à affronter pour tous, vous, vos proches, vos médecins. Dans ce cas, votre procuration durable pour la santé devient votre voix.

Dans un mandat en prévision de l'inaptitude, vous désignez quelqu'un de confiance pour devenir votre mandataire dans l'éventualité où vous ne pourriez pas exprimer vos souhaits personnellement. Cette personne parlera en votre nom et exprimera les souhaits contenus dans votre mandat donné en prévision de l'inaptitude, au cours de vos discussions avec les médecins et les membres de votre famille. Vous pouvez désigner qui vous voulez pour être votre mandataire – votre époux, une amie ou un enfant majeur. Je vous demande seulement de bien réfléchir avant de prendre votre décision. En effet, non seulement votre mandataire doit être quelqu'un en qui vous avez confiance, mais il doit aussi être capable de respecter scrupuleusement vos souhaits, même s'il doit faire face aux objections des membres de votre famille et des conseillers médicaux. Il faut également que cette personne accepte de remplir ce rôle. Plusieurs de mes proches m'ont déjà demandé d'être leur mandataire, mais j'ai refusé car je savais que je ne pourrais pas prendre les décisions difficiles qui pourraient devoir être prises un jour.

Après avoir choisi votre mandataire et vous être assurée qu'il accepte, je vous recommande vivement d'en parler avec tous les membres de votre famille. Informez-les du fait que vous avez établi un mandat en prévision de l'inaptitude et dites-leur le nom de la personne que vous avez désignée pour être votre mandataire ; vous réduirez ainsi la douleur et la colère qui surgissent souvent lorsque les familles sont confrontées à une tragédie et découvrent l'existence d'un mandat en prévision de l'inaptitude et d'un mandataire. Le fait d'en parler au préalable aidera aussi vos amis et les membres de votre famille à faire front pour faire respecter vos volontés par les médecins.

Où se rendre pour l'établir ?

Un notaire spécialisé en planification successorale peut vous aider à établir les trois documents essentiels dont nous avons parlé : une fiducie en faveur de soi-même, un testament et un mandat en prévision de l'inaptitude. Ce même notaire peut également approvisionner votre fiducie. La meilleure façon de trouver un notaire est d'en parler avec vos amies et vos collègues ou, si vous avez déjà utilisé les services d'un notaire par le passé, de lui demander ou de demander à votre planificateur financier de vous en recommander un.

Il est possible d'obtenir des références pour des professionnels compétents dans toutes les régions en s'adressant au Barreau du Québec au www.barreau.qc.ca, ou à la Chambre des notaires au www.cdnq.org.

Réviser vos documents essentiels une fois par an

Que vous ayez établi ces documents vous-même ou avec l'assistance d'un notaire, je vous demande de rester impliquée et de les réviser une fois par an. Vous devez y porter beaucoup d'attention car ils ne peuvent vous protéger que si vous vous assurez qu'ils sont toujours adaptés à votre situation.

N'oubliez pas : quand vous achetez un bien, vous devez en transférer la propriété à votre fiducie. Vous devez y penser chaque fois que vous achetez un bien où que vous ouvrez un compte d'épargne ou d'investissement. Il existe cependant une exception. Ce n'est pas une bonne idée de placer une voiture dans la fiducie. En voici la raison : si vous causez un accident, le fait que le titre de propriété soit au nom d'une fiducie peut laisser penser à l'autre partie que vous êtes riche et peut les inciter à vous poursuivre en justice pour obtenir plus de dédommagement que ce que l'assurance lui verserait. Et en ce qui concerne l'assurance, si c'est une fiducie qui est propriétaire du véhicule, vous pourriez avoir du mal à trouver une assurance (les personnes sont assurables, mais pas les fiducies).

Révisez régulièrement la liste de vos bénéficiaires

Tous les biens de valeur que vous possédez devraient avoir un bénéficiaire, c'est-à-dire la personne que vous souhaitez en voir prendre le contrôle après votre mort. Devant les changements pouvant intervenir dans votre vie, mariage, divorce, naissances et décès, vous pouvez oublier de mettre à jour les informations sur vos bénéficiaires. Aussi, une fois par an, je vous demande de réviser les documents suivants, qui contiennent des bénéficiaires :

- Polices d'assurance-vie.
- Comptes réguliers d'investissements.
- Comptes d'épargne/comptes bancaires.
- Régime de pension agrée.
- REÉR, FERR et FRV.

Assurez-vous de ne pas déshériter quelqu'un en désignant des mauvais bénéficiaires.

• Les enfants mineurs peuvent être vos bénéficiaires. Les enfants mineurs ne sont toutefois pas autorisés à devenir propriétaire de vos biens directement. C'est leur tuteur qui en détiendra les titres jusqu'à ce qu'ils aient atteint l'âge de dix-huit ans. À ce moment, ceux-ci leur seront remis en pleine propriété. À vous de juger si c'est un âge adéquat pour recevoir leur héritage ou si vous considérez plus sage de différer cette date. Si oui, établissez une fiducie testamentaire en leur faveur et indiquez le moment où vous jugez raisonnable de leur remettre leur héritage.

• Vous ne pouvez pas désigner une fiducie comme bénéficiaire de vos régimes de pension enregistrés. Le Régime de pension agréé de votre employeur doit être dévolu en premier lieu à votre époux ou à votre conjoint de fait, soit la personne avec qui vous avec fait vie commune pendant une période de trois ans. Cette règle est incluse dans la loi et ne peut pas être contournée et ce même si vous avez des enfants nés d'un premier mariage que vous voudriez avantager. Vous pouvez toutefois mettre vos enfants comme bénéficiaires subsidiaires. Ils recevront cet argent si vous veniez à décéder après votre conjoint. Vos REÉR, FERR et FRV, s'ils ont une période de garantie, peuvent toutefois être dévolus aux bénéficiaires de votre choix. Il est toutefois nécessaire de prévoir qui paiera les impôts exigibles au décès sur ces biens particuliers si le bénéficiaire n'est pas votre conjoint, vos enfants mineurs ou un enfant handicapé à votre charge.

Si vous désirez changer le nom du bénéficiaire, prenez contact avec la compagnie ou l'institution financière qui détient votre compte, la société d'assurance, la compagnie de fonds mutuel, etc., et demandez le formulaire pour changer le bénéficiaire.

En respectant les étapes ci-dessous et en créant ces trois documents essentiels, vous êtes sur la bonne voie pour prendre votre avenir en main.

Plan d'action : quatrième mois

• Créez une fiducie en faveur de vous-même ou une fiducie mixte en faveur de votre conjoint.

• Transférez vos biens dans cette fiducie et désignez-vous comme fiduciaire, de façon à exercer le contrôle de la fiducie.

• Établissez un testament notarié sous la forme authentique.

• Choisissez pour vos enfants un tuteur qui est bien préparé et prêt à prendre cette responsabilité.

• Établissez un mandat donné en prévision de l'inaptitude.

• Donnez des directives pour vos soins médicaux.

• Désignez un bénéficiaire pour chaque bien contenu dans votre testament ou dans votre fiducie.

• Établissez une fiducie testamentaire pour vos enfants et petits-enfants mineurs ou jeunes adultes.

• Révisez votre testament, votre fiducie et vos bénéficiaires une fois par an.

Cinquième mois :
PROTÉGER VOTRE FAMILLE ET VOTRE MAISON

Je serai fière si vous…

… choisissez la police d'assurance-vie qui convient le mieux à vos besoins.

… avez une assurance habitation qui vous protège réellement en cas de destruction partielle ou totale de votre résidence.

… savez ce qui n'est pas couvert par une police d'assurance standard (inondations, tremblements de terre, ouragans, tempêtes, par exemple) et que faire à ce sujet.

… avez une police de responsabilité civile « *umbrella* » séparée comportant une couverture d'au moins un million de dollars.

… souscrivez une assurance habitation locataire si vous êtes locataire de votre logement.

… souscrivez une assurance habitation en copropriété si vous possédez un condominium, un logement en copropriété ou une maison de ville.

Les trois premiers mois de ce programme concernaient les aspects de votre situation financière qui pouvaient être sous votre contrôle – épargner, améliorer votre cote de crédit, investir, planifier pour l'avenir. Le quatrième mois était consacré à affronter quelques aspects moins plaisants de la vie et à vous assurer que votre voix et vos souhaits étaient clairement exprimés. Ce mois-ci, vous allez vous préparer à affronter des «catastrophes naturelles» qui sont entièrement hors de votre contrôle en faisant quelques changements pour vous protéger ainsi que votre maison et votre famille si elle devait être foudroyée.

Vous me dites toutes que vous feriez n'importe quoi pour protéger votre famille et votre maison, et pourtant vous êtes très nombreuses à accepter difficilement l'idée de souscrire une assurance-vie. Pourtant, je vais aborder ce sujet, tout comme je l'ai fait avec les fiducies et les testaments. Je ne peux certes pas me réjouir et essayer de vous convaincre qu'il est plaisant d'être confrontée à sa propre mort ; aussi, je ne perdrai pas mon temps à essayer de vous réconcilier avec cette idée. Écoutez-moi quand je vous dis que détenir une assurance-vie est tellement important que je ne vais pas y aller par quatre chemins : si vous avez dans votre entourage une personne qui dépend de vous – un enfant, des parents, un frère, une sœur ou n'importe qui – vous devez la protéger en souscrivant une police d'assurance-vie. Ne pas le faire est une preuve à la fois de négligence et d'égoïsme. Je ne veux pas savoir si vous êtes gênée par l'idée de la mort ; pensez combien les personnes qui dépendent de vous seront dans l'embarras si quelque chose devait vous arriver demain à vous ou à votre partenaire et s'ils ne recevaient pas une prestation d'assurance-vie pour les aider. Ne me dites pas que vous feriez n'importe quoi pour protéger votre famille si vous ne faites rien sur un point aussi crucial.

Je vais vous accompagner et vous aider à choisir la police d'assurance-vie qui convient le mieux à vos besoins et vous montrer comment calculer le montant de la couverture qui protégera le mieux les personnes qui dépendent de vous. Nul besoin de vous adresser à des agents d'assurance agressifs, toutes les informations que vous devez connaître pour souscrire une police d'assurance-vie se trouvent ici. Et voici une bonne nouvelle : une assurance-vie est financièrement très abordable. Vous serez surprise de voir qu'il ne vous en coûte presque rien pour acheter votre tranquillité d'esprit.

Je mettrai également l'accent sur l'assurance habitation. Si vous possédez une maison, vous avez certainement une assurance habitation. Selon mon expérience, cependant, la police que vous avez souscrite ne vous garantit certainement pas une prestation suffisante pour couvrir une perte majeure. Depuis quelques années, les sociétés d'assurance ont élaboré de nouvelles règles et de nouvelles politiques qui peuvent limiter votre couverture. À moins de lire les paragraphes en petits caractères, vous pouvez ne pas être au courant de ces modifications. En même temps, beaucoup trop de personnes qui se croient bien protégées contre les pertes dues à des catastrophes naturelles, comme l'ouragan Katrina, découvrent alors qu'il est trop tard que leur police ne leur fournit pas la couverture qu'ils pensaient avoir. La vérité est qu'une assurance habitation ne suffit pas. Vous devez vous assurer que le niveau spécifique de couverture stipulé dans votre police vous donne droit au montant dont vous avez besoin. Supposer ne protège pas, savoir protège.

> ▲ Selon moi, il est très important d'avoir une assurance-vie ainsi qu'une assurance habitation. J'aimerais, ce mois-ci, que vous preniez le temps de magasiner des polices d'assurance pour y souscrire.

Qui a besoin d'une assurance-vie?

Si quelqu'un dans votre vie, par exemple votre conjoint ou vos enfants, dépend de vos revenus, vous devez avoir une assurance-vie. Cela comprend évidemment vos enfants ainsi que vos parents si vous leur venez en aide afin qu'ils paient leurs comptes ou tout soin à domicile, et inclut aussi un frère, une sœur ou une amie à qui vous offrez un soutien financier. La question à laquelle vous devez répondre est la suivante : *Si je mourais aujourd'hui, ou si mon conjoint mourait, est-ce que ceux à qui j'offre ou nous offrons un soutien pourraient alors prendre soin d'eux-mêmes?* Si la réponse est non, vous avez donc besoin d'une assurance-vie.

Est-ce que le fait de répéter cette question, même si ce n'était qu'à vous-même, vous a mis mal à l'aise? Je sais qu'il est difficile d'être confrontée au fait que chacune d'entre nous pourrait disparaître à tout moment. Une fois de plus, je vous demande de prendre le temps de veiller aux choses sur lesquelles vous avez le contrôle avant que des situations hors de contrôle ne surviennent dans votre vie. Vous pouvez vous assurer que, au cas où vous mourriez prématurément, ceux qui font partie de votre vie et qui dépendent de vous n'auront pas de difficultés financières.

Note spéciale pour les femmes au foyer

Une des erreurs les plus dangereuses qu'une famille peut commettre est d'assurer uniquement celui qui soutient financièrement la famille. En fait, il est aussi important que la femme au foyer soit couverte par une police d'assurance-vie. Pensez-y un instant : il est logique de penser que si vous mourez, votre conjoint devra assurément engager quelqu'un pour prendre soin des enfants. D'où proviendra cet argent ? Même si vos enfants ont atteint l'adolescence, il faudra peut-être l'aide d'un tuteur pour leurs devoirs ou quelqu'un pour les conduire à leurs pratiques sportives, à leur cours de musique, à la gymnastique, etc. Rappelez-vous que votre conjoint ne pourra pas travailler à temps plein et être présent tout le temps afin de répondre aux besoins des enfants. Si quelque chose vous arrive, la somme assurée par la police d'assurance-vie permettra à votre conjoint d'embaucher quelqu'un qui assurera les soins, sans craindre de dépenser de « l'argent supplémentaire ».

▲ L'industrie de la distribution des produits financiers dont fait partie l'assurance-vie est très réglementée et doit répondre à des critères importants de protection du consommateur sous peine de sanctions sévères à l'égard des agents et courtiers. Ainsi l'agent ou le courtier qui désire vous faire souscrire à une assurance sur la vie doit procéder à une analyse de besoin minutieuse afin de déterminer le montant de l'assurance dont vous avez besoin et le type de produit qui vous convient. Il doit aussi remplir un formulaire explicatif s'il désire remplacer un produit que vous avez déjà souscrit. Celui qui outrepasse ces obligations légales ou qui ne les remplit pas correctement peut se voir poursuivi par le syndic de la Chambre de la sécurité financière. Les sanctions disciplinaires peuvent être aussi graves que la perte de sa licence pour une période temporaire ou définitive.

Pendant combien de temps devons-nous être couverts ?

L'assurance-vie doit offrir une protection financière à ceux qui dépendent de vous, à un moment de votre vie où il ne vous a pas encore été possible d'amasser suffisamment de biens. Une fois que vous en aurez accumulé une quantité suffisante pour soutenir ceux qui dépendent de vous, par exemple un fonds de retraite important ou tout autre investissement significatif, votre besoin en assurance-vie pourra être différent.

De plus, les gens qui dépendent de vous aujourd'hui ne dépendront peut-être plus de vous dans dix ou vingt ans. Un enfant qui, aujourd'hui, a cinq ans, dépend entièrement de vous mais, dans vingt ans – espérons-le du moins –, votre enfant de vingt-cinq ans ne comptera plus sur vous pour lui offrir un soutien financier.

(Veuillez prendre note que si certaines personnes qui dépendent de vous ont des besoins particuliers et si vous croyez qu'elles auront toujours besoin de votre soutien, il serait peut-être préférable d'envisager une assurance-vie «permanente». Vous devriez aussi discuter avec un notaire ou un avocat qui se spécialise en planification successorale au sujet d'une fiducie pour les besoins spéciaux. Votre planificateur financier peut aussi vous renseigner sur ces questions et vous diriger vers des professionnels compétents en la matière.)

Donc, pour la plupart d'entre vous, si la raison première de souscrire une assurance-vie est de protéger vos jeunes enfants qui grandiront et deviendront des adultes indépendants, vous n'aurez probablement pas besoin d'une police d'une durée de plus de vingt ou vingt-cinq ans. Il en va de même pour l'assurance-vie de votre conjoint puisque vous ne devrez probablement offrir un soutien que jusqu'à ce que les biens que vous accumulez conjointement aient crû suffisamment pour que vous ou votre conjoint receviez le soutien nécessaire si l'un de vous devait mourir prématurément.

Quelle somme doit être couverte par votre assurance?

La couverture de police qu'il vous faut est une autre question à laquelle vous devez répondre. Tout d'abord, vous devez être armée de quelques définitions.

• La **prestation de décès** ou **capital-décès**: la somme d'argent que recevront les bénéficiaires lors du décès de la personne assurée. Par exemple, une police d'assurance-vie d'un montant de 500 000 $ comporte une prestation de décès de 500 000 $. Si la personne meurt alors que la police est toujours active (ou «en vigueur» dans certains cas), les bénéficiaires de la police recevront un montant de 500 000 $. La somme versée en prestation de décès n'est généralement pas imposable.

• Un **revenu**: les intérêts touchés en investissant la prestation de décès.

Donc de quelle envergure doit être la somme de la prestation de décès? Cette somme doit être suffisante pour permettre à vos bénéficiaires de vivre du *revenu* uniquement sans avoir à toucher à la prestation de décès. Disons que vous avez une prestation de décès de 500 000 $. Vos bénéficiaires pourraient donc investir une somme de 500 000 $. S'ils l'investissent dans des obligations sécuritaires et exemptes d'impôts qui leur permettront d'accumuler 5 % d'intérêts annuellement, cela générerait un revenu annuel de 25 000 $, soit 5 % de 500 000 $. Si ces 25 000 $ sont suffisants pour couvrir leurs frais de subsistance, ils pourraient «vivre sur les intérêts» sans avoir à toucher au capital-décès. Cela signifie que la prochaine année, s'ils touchent encore 5 %, ils obtiendront une autre somme de 25 000 $ afin de payer leurs frais de subsistance. Cependant, disons qu'ils ont besoin de 50 000 $ par année pour payer ces frais et qu'ils touchent uniquement 25 000 $ en intérêts. Ils devront alors retirer 25 000 $ de la masse successorale afin de couvrir leurs dépenses. Donc, la prochaine année, il ne leur restera que 475 000 $ en masse successorale, soit 500 000 $ - 25 000 $. S'ils touchent 5 % d'intérêts sur la somme de 475 000 $, le revenu auquel ils auront droit ne sera que de 23 750 $. Puisque la somme successorale est moindre, les intérêts le sont aussi. Si une somme de 50 000 $ leur est nécessaire pour vivre, ils devront alors retirer 26 250 $ de la masse successorale et les ajouter aux 23 750 $ obtenus en revenu afin d'en arriver au montant de 50 000 $ nécessaire.

Cela réduira davantage le capital disponible, soit 475 000 $ - 26 250 $ = 448 750 $. Vous voyez donc que si la somme pour la prestation de décès n'est pas suffisante, vos bénéficiaires devront entamer le capital afin de répondre à leurs besoins. Il arrivera un moment où ils auront utilisé toute la masse successorale. Voilà pourquoi je vous suggère de souscrire une police dans laquelle la prestation de décès est suffisante pour répondre aux besoins de ceux qui dépendent de vous afin qu'ils n'aient pas à toucher à la masse successorale.

▲ Sur mon site Internet, j'ai mis à votre disposition une feuille qui permet d'établir les besoins réels des personnes qui dépendent de vos revenus afin de mieux déterminer le montant de votre assurance-vie. L'Association canadienne des compagnies d'assurances de personne Inc. peut également vous aider à définir vos besoins : www.clhia.ca/fr/index_fr.htm.

Visez une prestation de décès qui représente vingt fois le montant du revenu nécessaire pour répondre aux besoins de vos bénéficiaires[10].

La façon la plus sage de le faire est d'additionner les frais de subsistance annuels de ceux qui dépendent de vous et de souscrire une police qui représente vingt fois cette somme. Par exemple, si ceux qui dépendent de vous ont besoin de 50 000 $ par an pour couvrir leurs frais de subsistance, je vous demande d'obtenir une police d'assurance-vie de 1 000 000 $, soit une police qui vous offre une prestation de décès de 1 000 000 $. Je sais que cela vous paraît beaucoup mais, comme je vous le montrerai dans un instant, il y a un type d'assurance-vie qui est si économique que même une police d'un montant de 1 000 000 $ est abordable. Maintenant, la plupart des agents d'assurance-vie vous diront que votre prestation de décès ne devrait représenter que cinq ou six fois le montant du revenu

---

10. La plupart des grandes institutions financières canadiennes ainsi que l'Autorité des marchés financiers mettent à la disposition du public sur leur site Internet des calculateurs permettant d'établir le besoin en assurance-vie.

nécessaire pour répondre aux besoins de ceux qui dépendent de vous. Ils supposent donc que ceux qui vous survivront n'auront besoin d'aide que pour quelques années et que, tôt ou tard, ils se « relèveront ». J'espère que ce sera le cas. Cependant, l'assurances-vie ne fait pas référence à ce que vous espérez, mais plutôt aux préparatifs faits en vue du pire. Qu'arrivera-t-il s'ils sont gravement blessés dans un accident qui vous enlève la vie ? Qu'arrivera-t-il si ceux qui vous survivent sont dans un tel état de détresse qu'ils ne peuvent supporter la pression d'une carrière dans les ligues majeures ?

Ou, si quelque chose devait arriver à l'un de vous, peut-être voudriez-vous que votre conjoint survivant ait une flexibilité financière qui lui permette de ne pas travailler. C'est pour répondre à ces « si » et à bien d'autres que je vous recommande de souscrire une police offrant une prestation de décès qui représente vingt fois le montant annuel nécessaire pour répondre aux besoins de vos bénéficiaires.

Maintenant, comme je l'ai dit plus haut, l'objectif est que vos bénéficiaires effectuent des investissements « sécuritaires » avec la prestation de décès. Par sécuritaire, je fais référence à un investissement qui présente un très faible risque que la valeur subisse une forte baisse. Je sais qu'un taux de 5 % semble peu, mais il est important de comprendre qu'une obligation ne subira pas de fortes baisses (le risque qu'elle perde de la valeur), ce que peuvent subir les actions[11]. La contrepartie à accepter pour ne pas prendre de risque est de ne pas réaliser de gains importants. C'est un bon compromis à faire lorsque l'objectif est d'offrir un revenu stable à ceux qui nous survivront. L'idée générale est qu'ils puissent utiliser la prestation de décès et l'investir de façon prudente dans des obligations, puis obtenir un revenu suffisant à partir des intérêts produits par les obligations pour payer leurs comptes. Cette stratégie est de loin préférable à celle de leur laisser une prestation de décès d'un montant si faible qu'ils seront dans l'obligation de l'investir d'une manière plus agressive afin de générer l'argent dont ils ont besoin. Le problème avec cette approche est qu'il n'y a aucune garantie que les investissements agressifs dans les actions ou fonds d'actions

---

11. De tels produits dont le revenu est exonéré d'impôt ne sont pas disponibles au Canada. Il est toutefois possible de se procurer des obligations d'épargne garanties par les gouvernements fédéral, provinciaux ou municipaux très sécuritaires et qui peuvent procurer un retour sur votre investissement non négligeable.

produiront des revenus de façon constante. Qu'arrivera-t-il alors à votre famille si elle investit l'argent dans des actions et que le marché connaît une mauvaise année ou même deux ? Laissez-moi vous illustrer une stratégie des obligations municipales, à l'aide de vrais chiffres. Disons que vous déterminez que le revenu annuel nécessaire afin de couvrir les besoins de votre famille est de 50 000 $. Multipliez ce montant par vingt et vous obtiendrez la prestation de décès ciblée, soit 1 000 000 $.

Si vos bénéficiaires investissent le montant de 1 000 000 $ dans des obligations municipales à un taux d'intérêt de 5 %, ils obtiendront un revenu annuel de 50 000 $ par année, soit 1 000 000 $ x 5 % (0,05) = 50 000 $. C'est exactement le montant auquel vous voulez qu'ils aient droit avant impôt. Et le meilleur dans tout cela est qu'ils n'ont pas eu à toucher au capital-décès. Le montant annuel reçu, qui est de 50 000 $, est simplement constitué des intérêts sur la somme de 1 000 000 $. Ils ont toujours cette somme de 1 000 000 $ qu'ils peuvent alors investir. Plus ils attendront avant de puiser dans le capital, plus votre prestation de décès pourra les aider à vivre une vie confortable sans avoir d'inquiétudes financières. Bien sûr, si vous êtes dans une situation financière moins aisée et que vous avez d'autres objectifs financiers auxquels il faut répondre, vous pouvez réduire votre prestation de décès par rapport à mon idéal, qui est de fournir vingt fois le revenu annuel nécessaire pour répondre aux besoins de vos bénéficiaires. Cependant, tâchez d'offrir à vos bénéficiaires une police qui représente au moins dix fois la somme annuelle nécessaire pour répondre à leurs besoins.

Assurance-vie offerte par votre employeur

Beaucoup d'employeurs offrent une assurance-vie dans leur plan d'avantages sociaux.

Cependant les prestations sont souvent limitées à une ou deux fois votre salaire. Toute police avec une couverture supérieure doit être contractée par vous-même.

Je ne vous conseille pas de vous fier à l'assurance offerte par votre employeur. Le montant de la prestation est loin d'être suffisante par rapport à ma règle des vingt fois, et souscrire une assurance complémentaire dans le cadre du plan de votre employeur peut vous coûter plus que ce que vous paieriez avec une police d'assurance individuelle. En outre, le facteur le plus important est que l'assurance-vie de votre employeur n'est valable que si vous êtes toujours employé. Quand vous quittez votre emploi, volontairement ou involontairement, vous perdez cet avantage et vous devrez payer une prime élevée pour continuer d'être assurée. Et que se passe-t-il si votre nouvel employeur n'offre pas cet avantage? Si vous avancez en âge et avez quelques problèmes de santé, il peut être très difficile ou très cher de souscrire une police d'assurance individuelle.

Vous fier à une assurance-vie par l'intermédiaire de votre employeur ne peut que vous faire courir le risque d'avoir à en sortir et à souscrire votre propre police plus tard, ce qui signifie que les primes seront plus élevées que si vous en souscrivez une dès aujourd'hui.

Souscrire une assurance-vie par l'intermédiaire de votre employeur peut sembler plus pratique, mais ce n'est pas nécessairement une bonne solution sur le plan financier. Les primes (coût annuel) pour les polices de groupe sont en général plus élevées que celles qu'un individu en bonne santé devrait payer s'il souscrivait une police d'assurance individuelle. De plus, les primes d'une police de groupe ne sont en général pas fixes et le taux pourrait augmenter au fur et à mesure que vous avancez en âge.

Très important: la meilleure solution est de souscrire une police d'assurance individuelle dès aujourd'hui. Si celle offerte par votre employeur vous intéresse, comparez au moins le coût de cette police de groupe avec celui que vous pourriez obtenir en souscrivant une police individuelle.

Optez pour une assurance-vie temporaire

Beaucoup d'agents d'assurances-vie gagnent leur vie en semant la confusion dans l'esprit des personnes qui souhaitent souscrire une police. Ils vous matraquent de calculs et de termes qui vous sont totalement étrangers et vous vous sentez complètement perdue. Puis, ils terminent leur argumentaire en vous faisant miroiter que la police d'assurance-vie qu'il vous propose vous permettra de faire des économies.

Si vous tombez dans ce piège, vous pourriez finir par dépenser des milliers de dollars pour votre assurance-vie. C'est l'analyse des besoins qui compte et de façon corollaire, le type de produit que vous avez les moyens de payer pour couvrir ces besoins.

Une police N'EST PAS un investissement!

Voici une leçon primordiale à connaître : **vous voulez une police appelée «Assurance-vie temporaire».** Vous ne voulez absolument pas d'une police d'assurance avec «valeurs de rachat» pour couvrir des besoins temporaires de remplacement de revenu, quels que soient les avantages que l'agent vous fait miroiter. Il existe plusieurs types de polices d'assurance-vie avec valeur de rachat. Une police d'assurance avec valeur de rachat peut être une police traditionnelle comportant un compte exonéré d'impôt ou une assurance-vie universelle comportant des options de placements. Le choix d'un contrat d'assurance dépend toutefois de votre âge, de votre état de santé ainsi que de la nature de vos besoins et de ceux de vos dépendants. Il faut garder en tête que la plupart des compagnies d'assurances terminent les contrats d'assurance temporaire à soixante-cinq, soixante-dix ou soixante-quinze ans. Les options de renouvellement ou de conversion peuvent s'avérer très onéreuses et le «magasinage» impossible si votre état de santé s'est détérioré. Ces considérations prennent de l'importance si vous avez atteint l'âge de quarante-cinq ans. Soyez donc vigilante, renseignez-vous, analysez soigneusement les termes du contrat qui vous est offert et révisez régulièrement votre couverture d'assurance pour éviter les mauvaises surprises au fur et à mesure que s'accroissent la valeur de vos placements et celles de vos biens imposables au décès. N'oubliez pas que la loi vous donne un délai de dix jours après sa livraison pour annuler un contrat qui ne correspond pas à vos besoins.

Fidèle à ma promesse de simplifier les choses, je vais m'imposer certaines restrictions et ne pas vous expliquer les raisons pour lesquelles je pense qu'il est extrêmement difficile de choisir une assurance-vie si votre objectif est tout simplement de protéger vos proches (pour être très claire :

c'est ce que la vaste majorité d'entre nous recherchons dans une assurance-vie).

Je vous en prie, faites quelque chose pour moi : optez toujours pour une assurance temporaire pour couvrir les besoins de remplacement de revenu et rien d'autre.

Récapitulons encore une fois :
• Assurance-vie temporaire : OUI !.
• Assurance-vie permanente : cela dépend si vous avez un besoin d'assurance pour couvrir des impôts au décès entre autres.
• Assurance-vie universelle : cela dépend si vous avez un besoin d'assurance pour couvrir des impôts au décès entre autres.

▲ Si vous souscrivez déjà à une police d'assurance-vie, vous pouvez vous rendre sur mon site Internet pour connaître des astuces pour mieux gérer vos polices et leur renouvellement. N'annulez jamais une police d'assurance-vie, ne la laissez pas non plus tomber en déchéance sans vous assurer auparavant que vous n'en avez plus besoin ou sans l'avoir remplacée au préalable.

Les bases de l'assurance-vie temporaire

Bon, nous sommes bien d'accord pour choisir une assurance-vie temporaire. Alors, examinons ensemble les éléments importants d'une assurance-vie temporaire.

• **La période de couverture peut être adaptée à vos besoins.** Une assurance-vie temporaire porte bien son nom : elle comporte une période prédéterminée (temporaire), qui peut être de cinq ans, dix ans, vingt ans ou même trente ans. Le capital-décès n'est versé que si le décès survient durant la période d'effet de la police, généralement en franchise d'impôts. Si vous êtes toujours vivante à la fin de la période, vous ne serez plus assurée, donc aucune prestation ne sera versée au moment de votre décès. Et c'est très bien ainsi puisque vous allez choisir la période durant laquelle vous voulez que la police reste active, c'est-à-dire quand des personnes dépendent de vous et qu'il vous reste à bâtir votre patrimoine.

• **Avec une prime peu élevée.** L'assurance-vie temporaire est offerte à un prix très abordable. Dans le cas d'une assurance-vie temporaire, le calcul des primes prend en considération quelques facteurs, dont votre âge, votre état de santé et le montant du capital-décès. Plus vous êtes jeune et en bonne santé et moins la prime annuelle sera élevée.

• **Choisissez une prime fixe.** Vous devez souscrire une police appelée «prime annuelle fixe», ce qui signifie qu'aussi longtemps que vous payez votre prime annuelle à temps, votre prime n'augmente pas pendant toute la période de couverture et la société d'assurances ne peut pas résilier votre police. Si vous choisissez un terme fixe renouvelable, la prime augmentera au moment du renouvellement et parfois de façon assez importante. Vérifiez les coûts avant de procéder de la sorte.

Vous trouverez ci-dessous des exemples de coûts d'une assurance-vie temporaire pour une femme. Ces montants sont des estimations s'adressant à une femme non-fumeuse et en bonne santé.

Police d'assurance-vie temporaire vingt ans avec prime fixe garantie : prime annuelle estimée

Âge de l'assurée	Prestation de décès de 1 000 000 $
35 ans	60 $ par mois
45 ans	125 $ par mois
55 ans	333 $ par mois

Si vous avez besoin d'une couverture de 500 000 $, la prime sera approximativement de la moitié.

Conseils pour magasiner son assurance-vie

Si vous travaillez déjà avec un agent que vous appréciez ou avec un agent qui vous a été recommandé par une amie, vous pouvez continuer à faire affaire avec cet agent, mais assurez-vous qu'il soit vraiment « indépendant ». Cela signifie que cet agent choisira la police qui vous convient parmi les polices proposées par toutes les sociétés d'assurances. Un agent indépendant est préférable à un agent « exclusif » qui ne vend que les polices offertes par un assureur.

Une des façons les plus simples pour souscrire une police d'assurance-vie est de le faire avec une compagnie qui propose des services en ligne.

Le processus consiste à répondre à des questions concernant votre âge, votre état de santé, vos loisirs (par exemple, faire de la plongée sous-marine ou de l'escalade peut affecter le montant de vos primes), votre situation professionnelle, vos antécédents familiaux en matière de santé, etc. Un agent vous aidera à remplir le formulaire. Il pourra vous être demandé de passer un examen médical.

**Faites affaire avec une société d'assurances
solide financièrement**

Dans votre processus d'achat, j'insiste pour que vous demandiez à votre argent de vous procurer la « cote de sécurité » de la société d'assurances. Ce point est très important car vous désirez faire affaire avec un assureur qui sera encore en activité dans dix, vingt ou trente ans. Des agences de notation telles que A.M. Best, Moody's et Standard & Poor établissent régulièrement une « cote de solvabilité » pour les compagnies d'assurances. La cote de votre compagnie devrait être un « A » au minimum. Afin de réduire les risques de faillite, le Bureau du surintendant des institutions financières (BSIF), l'organisme fédéral de réglementation de l'assurance, fait passer le test du capital minimal, le TCM. Ce test exige que les sociétés d'assurances disposent d'un certain montant d'argent (c'est-à-dire, une réserve) pour chaque police d'assurance qu'elles émettent.

Bénéficiaire et propriétaire

Lorsque vous souscrivez une police d'assurance-vie, vous devez désigner la personne qui doit recevoir votre capital-décès. Vous pouvez désigner un seul ou plusieurs bénéficiaires ; vous décidez exactement qui recevra quoi.

Soyez consciente toutefois que ceci peut être trompeur. Alors qu'il paraît logique de nommer votre conjoint comme bénéficiaire, je dois vous demander : que se passera-t-il si vous décédez tous les deux en même temps dans un accident ? Typiquement, la solution la plus simple est de nommer votre fiducie comme bénéficiaire. Ainsi, le capital-décès sera automatiquement versé dans la fiducie sans avoir à passer par la Cour. Et, comme nous l'avons vu le mois précédent, vous aurez décrit dans la fiducie la façon exacte dont vous voulez voir vos biens distribués.

À l'attention des mères monoparentales

Si vous êtes une mère monoparentale et que cette assurance doit servir à protéger vos enfants mineurs, vous devez vous assurer que les bénéficiaires de cette police ne sont pas – j'insiste bien, *ne sont pas* – vos enfants ou votre succession. Si, au moment de votre décès, vos enfants mineurs sont identifiés comme bénéficiaires de votre police d'assurance, ou même si vous avez désigné votre succession ou votre testament comme bénéficiaires, vos enfants et leur tuteur seront confrontés à un lot de problèmes. Voici pourquoi.

Les sociétés d'assurances ne versent pas le capital-décès à des enfants mineurs mais bien à leur tuteur.

Sauf situation exceptionnelle où un parent a été déchu de son autorité parentale, le tuteur légal de votre enfant mineur n'est pas celui que vous avez choisi dans votre testament tant que l'autre parent est toujours vivant, mais bien ce parent. Imaginez la situation dans laquelle votre ex-conjoint, le père biologique ou adoptif de votre enfant, devient d'office le tuteur (tant pour la personne que pour les biens) au moment de votre décès, et que vous n'ayez aucune confiance dans ses talents d'administrateur pour gérer les biens de votre enfant. Il ne vous reste qu'une solution, créer une fiducie. Il peut s'agir d'une fiducie personnelle de votre vivant qui détiendra votre contrat d'assurance-vie. Une solution plus pratique toutefois est d'établir une fiducie testamentaire qui sera désignée bénéficiaire du contrat d'assurance-vie. Il est toutefois nécessaire de s'assurer que les termes du testament, ceux de la fiducie et de la désignation de bénéficiaire sont bien coordonnés pour rencontrer vos objectifs. Dans un cas comme dans l'autre, c'est le fiduciaire que vous aurez choisi qui agira comme administrateur des biens de votre fiducie et non votre ex-conjoint. Le fiduciaire devra fournir au tuteur les sommes nécessaires pour assurer le support matériel de votre enfant, mais le tuteur devra justifier ses dépenses. Il vous sera aussi possible d'étendre l'administration du fiduciaire au-delà de l'âge de dix-huit ans, ce qui peut s'avérer fort sage si un capital important doit être remis à l'enfant à sa majorité.

Attention aux impôts payables au décès!

Il n'existe pas de taxe sur les successions au Québec. Les droits successoraux ont été abolis en 1978. La loi fédérale et celle du Québec prévoient plutôt un impôt payable au décès. En fait, au moment de votre décès vous serez présumé avoir disposé de tous vos biens incluant les régimes de retraite enregistrés et votre succession devra payer les impôts qui ont été différés de votre vivant. Si vous êtes mariée, vous pouvez léguer ces biens à votre conjoint en franchise d'impôts lesquels deviendront dus à son décès. Par contre, si vos héritiers et légataires ne sont pas votre conjoint, ou si vous léguez des régimes enregistrés à vos enfants mineurs ou à vos enfants handicapés à charge, la facture d'impôt pourrait être importante. Si vous vous êtes remariée et que vous désirez avantager vos enfants nés d'un précédent mariage, la situation pourrait devenir très compliquée et onéreuse pour tous, en impôt et en frais légaux. Aucune fiducie ne peut vous aider à ce stade car la fiducie est censée disposer des biens du constituant dans la journée même du décès du constituant ou de son conjoint. Votre conseiller fiscal spécialisé en succession et votre planificateur financier pourront vous être de précieux alliés pour éviter que ce ne soit l'État qui soit votre principal héritier.

L'assurance habitation

Si vous possédez une maison, vous avez certainement une assurance habitation. C'est le cas de toutes les personnes qui ont un prêt hypothécaire – votre prêteur vous y oblige. Mais mon expérience m'a prouvé que les propriétaires n'ont souvent aucune idée du niveau de couverture dont ils bénéficient, et qu'en fait cette couverture est souvent pleine de trous. En général, vous vous en rendez compte quand une catastrophe s'est produite et que vous apprenez que votre police vous couvre moins bien que vous ne le pensiez. Vous vous dites alors *si j'avais su…*, mais il est trop tard.

Étant donné que votre maison est certainement votre investissement le plus important, sans parler de la place importante qu'elle occupe pour votre vie de famille, je pense qu'elle mérite que vous preniez quelques heures de votre temps pour vous assurer que vous serez bien indemnisée si votre maison est endommagée ou détruite. Ce que peu de personnes réalisent, c'est que même si votre maison est totalement détruite, votre prêt hypothécaire continue à courir. Si votre police d'assurance ne vous couvre pas à hauteur de ce que vous pensiez, vous pourriez vous retrouver dans un beau pétrin. C'est exactement ce qu'ont vécu beaucoup de victimes de Katrina.

Je ne souhaite pas que cela vous arrive.

Pour finir, vous pouvez soit vérifier sur la copie de votre police existante ou téléphoner à un agent pour lui demander de confirmer que votre couverture inclut bien tous les points ci-dessous.

Voici les éléments sur lesquels vous devez vous concentrer :
• Quel est le montant de l'indemnité qui vous sera versée si votre maison est détruite ?
• Votre couverture augmente-t-elle chaque année pour suivre l'augmentation des coûts de la construction ?
• Serez-vous indemnisée si vous ne pouvez pas vivre dans votre maison si elle est endommagée ou détruite ?
• Serez-vous entièrement indemnisée pour la perte de votre bien ?
• Votre police comprend-elle une protection personnelle dans le cas où vous feriez l'objet de poursuites judiciaires ?

Savoir ce qui n'est pas couvert

La partie la plus importante de votre police d'assurance habitation est le montant que l'assureur accepte de vous payer dans le cas où votre maison serait endommagée ou détruite dans ce qui est considéré comme une « perte couverte ».

C'est là que beaucoup de propriétaires rencontrent des problèmes. Les polices d'assurance standard ne couvrent pas les dommages causés par les inondations, les tremblements de terre ou les tempêtes de vent. Si vous vivez dans une région susceptible de connaître ces catastrophes naturelles, vous devez, et je dis bien vous devez, téléphoner immédiatement à votre agent et examiner avec lui quelle couverture additionnelle est disponible.

▲ Sur mon site Internet, je dénombre différents types de protections contre les désastres naturels. Vous pouvez également consulter les sites des différentes compagnies d'assurances pour connaître quelle couverture ils offrent.

L'autre problème majeur auquel sont confrontés les propriétaires concerne l'indemnité, quand celle-ci est moins élevée qu'ils l'avaient espéré parce qu'ils n'avaient pas bien compris la partie la plus importante de toute police d'assurance : la limite de couverture.

Vérifier la limite de votre couverture

Quand vous vous demandez la valeur actuelle de votre maison, vous vous concentrez sur le prix que vous pourriez en tirer si vous la mettiez en vente aujourd'hui. Mais, dans le domaine de l'assurance habitation, vous devez voir les choses sous un autre angle : combien coûterait la reconstruction dans le cas où votre maison subirait de gros dommages ou serait détruite. Le problème n'est pas combien un acheteur serait prêt à payer, mais plutôt de quel montant vous auriez besoin pour financer les réparations ou la reconstruction, et, étant donné les prix pratiqués actuellement, cela pourrait vous coûter beaucoup plus que vous ne le pensiez.

Par exemple, une maison que vous pourriez vendre 300 000 $ aujourd'hui (le prix du marché) pourrait nécessiter 200 000 $ pour sa reconstruction (la valeur à neuf). La différence entre ces deux valeurs représente en général le prix du terrain sur lequel est bâtie la maison. Un terrain situé dans un beau quartier, avec vue sur l'océan, la montagne ou les lumières de la ville a plus de valeur qu'un terrain de même dimension qui ne possède pas toutes ces caractéristiques. Il est important que vous sachiez combien vaut votre terrain et combien demanderait un entrepreneur pour reconstruire votre maison sur ce terrain. Retournons à notre exemple d'une maison avec une valeur marchande de 300 000 $ et une valeur intrinsèque de 200 000 $. Si vous découvrez que la police d'assurance ne vous couvre que pour 150 000 $, il vous manquerait 50 000 $ si votre maison devait être entièrement reconstruite.

Vous trouverez le montant de votre couverture sur la première ou la deuxième page de votre police, sous la référence « montant de garantie ». Après avoir localisé le montant de la couverture, j'aimerais que vous regardiez dans la même section quel type de couverture vous avez. Les quatre possibilités sont :

- Valeur à neuf garantie.
- Valeur de remplacement étendue.
- Valeur de remplacement.
- Valeur au jour du sinistre.

Assurez-vous que votre police comporte la valeur a neuf garantie ou la couverture des frais de remplacement étendue

La valeur à neuf garantie signifie que l'assurance couvrira le montant nécessaire à la reconstruction ou à la réparation de votre bien pour le remettre dans l'état où il était avant la perte, sans tenir compte de la limite de couverture indiquée sur votre police. Une autre option intéressante – et celle que je veux vous voir souscrire au minimum – est la valeur de remplacement étendue. Avec cette couverture, le montant maximum de votre indemnisation peut atteindre 120 à 150 % de la limite de couverture mentionnée dans votre police. Donc, par exemple, supposons que vous ayez assuré votre maison pour un montant de 300 000 $, mais que vous appreniez, après sa destruction, qu'il en coûtera 360 000 $ pour la reconstruire. Si votre police prévoit la valeur de remplacement étendue, vous recevrez une bonne nouvelle. En effet, si la valeur de remplacement étendue prévoit 120 % de 300 000 $, le montant maximum de votre indemnité sera de 360 000 $ (20 % de 300 000 $, soit 60 000 $, plus la couverture de base de 300 000 $).

Si votre police stipule que votre couverture se limite aux frais de remplacement, le montant maximum de votre indemnisation est limité à la valeur figurant sur votre police. Dans notre exemple, cela signifie que le montant maximum de votre indemnisation serait de 300 000 $. Je pense que ce n'est pas suffisant. Alors, je vous en prie, téléphonez dès que possible à votre agent pour augmenter votre couverture à valeur de remplacement étendue.

Et si votre police stipule que vous n'êtes assurée que pour la valeur au jour du sinistre, vous n'êtes définitivement pas assez assurée. Ce niveau de couverture n'est en aucun cas suffisant. Dans ce cas, votre indemnisation sera basée sur la valeur tenant compte de la dépréciation de la propriété à réparer ou à reconstruire. Supposons que votre toit ait quinze ans et qu'il soit sérieusement endommagé parce qu'un arbre est tombé dessus au cours d'une tempête. Si vous avez une assurance avec valeur au jour du sinistre, votre assureur basera son indemnisation sur le prix d'un toit vieux de quinze ans. Le montant de votre indemnisation sera égal au prix qu'il vous faudrait pour restaurer un toit de quinze ans d'âge. À quoi cela vous servira-t-il alors que vous devrez faire poser un nouveau toit ? Vous devrez payer la différence entre la valeur comprenant la dépréciation couverte par votre assurance et la valeur d'un toit neuf. Si votre assurance garantit la valeur au jour du sinistre, vous devez – je dis bien, vous devez – téléphoner à votre agent pour augmenter votre couverture et avoir au moins la garantie valeur de remplacement étendue. Faites-le sans tarder.

Protéger vos biens personnels avec la valeur de remplacement

Le même concept s'applique à la couverture de vos biens personnels. Les deux types d'indemnisation disponibles sont la valeur de remplacement ou la valeur au jour du sinistre.

Vérifiez votre police pour vous assurer que vos biens sont assurés à la valeur de remplacement. Si votre police stipule la valeur au jour du sinistre, vous courez le risque d'être mal indemnisée si un bien est endommagé ou détruit. Un exemple ? Supposons que vous ayez acheté une télévision à plasma au prix de 4 000 $ il y a deux ans et que celle-ci vous soit volée. Si votre assurance garantit la valeur au jour du sinistre, l'assureur vous remboursera la valeur d'une télévision à plasma de deux ans, disons environ 2 000 $. Ce ne sera certainement pas suffisant pour acheter une nouvelle télévision à plasma. Je ne veux pas que vous souscriviez une assurance dont les indemnités sont basées sur la valeur dépréciée de vos biens personnels. Assurez-vous d'être protégée pour la valeur de remplacement pour que vos indemnisations soient basées sur le prix actuel de l'objet que vous devez remplacer.

Faites l'inventaire détaillé de vos biens personnels

Avoir en main l'inventaire de vos biens personnels accompagné des factures est un atout considérable lors d'une réclamation à votre assureur ou pour accéder rapidement à la description de votre actif matériel.

Sur mon site Internet, vous pouvez consulter mon exemple de feuille de suivi d'inventaire de mes biens. C'est très simple à réaliser soi-même. Vous devez compiler chaque biens en suivant l'ordre de vos pièces dans la maison pour ne rien oublier, Ensuite, prenez vos biens en photo et faites parvenir ce dossier à vos assurances. En cas de besoin, il sera beaucoup plus facile de réclamer par la suite.

◆ Certains biens tels que les bijoux, les œuvres d'art et les objets de collection peuvent nécessiter une assurance supplémentaire. Il faut vous informer à votre agent d'assurances pour connaître les clauses de vos contrats. Je vous explique sur mon site Internet à quel moment vous devez penser à prendre une assurance supplémentaire pour vos biens. Les sites Internet des companies d'assurances peuvent également vous renseigner sur leurs couvertures.

Songez à l'inflation

Vous voulez aussi que votre police d'assurance comporte une disposition qui prévoit un ajustement par rapport au taux d'inflation. Avec cette clause, le montant de votre couverture sera réévalué automatiquement chaque année pour suivre l'augmentation des coûts de construction. Celle-ci devrait être de 4 à 5 %.

Frais de subsistance supplémentaires

Voyons ce qui se passerait si votre maison était détruite ou tellement endommagée qu'elle ne soit plus habitable. Non seulement vous devrez continuer à payer votre prêt hypothécaire, mais vous devrez aussi engager des frais (il peut s'agir de frais de location, de stationnement et de blanchissage ainsi que des frais de garde de votre animal domestique, des frais d'essence dus à l'éloignement, des frais d'entreposage, etc.) pour vous loger en attendant que votre maison soit remise en état ou reconstruite. C'est là que la couverture additionnelle «frais de subsistance supplémentaires» peut intervenir. Elle vous aidera à payer les frais que vous devez engager en plus de vos frais ordinaires pour maintenir votre niveau de vie habituel et celui des personnes qui vivent sous votre toit. Mais là encore, combien votre assureur vous versera-t-il et pendant combien de temps?

La couverture idéale est «sans limite d'argent et de temps». Si votre police vous offre seulement un montant limité (en général un montant affiché sur votre police qui représente un pourcentage du montant de garantie) ou stipule que les paiements seront faits seulement pendant douze mois, je vous recommande d'étudier avec votre agent la possibilité de changer votre couverture. Ceci sera particulièrement important si vous vivez dans une région où le coût de la vie est élevé. Le prix de la location d'une maison dans votre voisinage, plus tous les extras dont vous aurez besoin, peut facilement entraîner des coûts supplémentaires pour faire vivre votre famille en attendant que votre maison soit remise en état ou reconstruite. De plus, si vous vivez dans une ville où le processus pour obtenir un permis de construire est long et si les paiements de votre assureur ne sont faits que pendant douze mois à partir de la date à laquelle votre maison a été endommagée, vous pourriez être appelée à couvrir vous-même les dépenses courantes pendant plusieurs mois.

Examinez votre couverture responsabilité civile

Dans le cas où vous seriez poursuivi en justice pour avoir blessé une (ou des) personne(s) accidentellement ou pour avoir endommagé leur propriété, la couverture responsabilité civile vous aidera à payer les frais juridiques et le montant des dommages adjugés. Elle peut aussi couvrir les dommages corporels occasionnés par vous ou par un membre de votre famille ou même un animal de compagnie, à l'intérieur ou à l'extérieur de votre propriété. Une police d'assurance standard pour propriétaire occupant devrait comporter une couverture responsabilité civile d'un montant de 500 000 $.

Il est important de comprendre que, si quelqu'un a engagé une poursuite contre vous et a gagné lors du jugement, il peut vous faire vendre vos biens ou obtenir un jugement autorisant des saisies sur votre salaire pour se faire payer. La couverture responsabilité civile vous éviterait de voir vos biens ou votre salaire saisis. Mais, portez une attention particulière au montant standard. Si le montant total de vos biens, incluant votre maison, est supérieur à 500 000 $, vous devez envisager, avec votre agent, d'acheter de l'assurance supplémentaire sous forme de police *umbrella*. Vous pouvez obtenir une police de 1 000 000 $ pour seulement quelques centaines de dollars par an.

À l'attention des locataires

Vous devez souscrire une assurance habitation, vous aussi. Ne faites pas l'erreur de penser que votre propriétaire est assuré contre les pertes et dommages qui pourraient survenir à vos biens. Votre propriétaire n'est responsable que pour la structure physique, comme par exemple un toit qui fuit ou de mauvaises connexions électriques. Vous et vous seule êtes responsable de tout ce qui se trouve à l'intérieur des murs. Par exemple, si une tempête fait battre une fenêtre qui heurte votre poste de télévision, le propriétaire est responsable de la réparation de la fenêtre, mais pas de l'achat d'un nouveau poste de télévision.

Une police d'assurance locataire ne vous coûtera guère plus de 200 à 300 $ par an. Assurez-vous que vos biens sont assurés à leur valeur de remplacement et non pas à leur valeur réelle.

Vous devez aussi vous assurer que vous possédez une bonne assurance responsabilité civile pour les mêmes raisons que celles énumérées ci-dessus, mais aussi parce que vous pourriez être responsable des dommages causés à votre logement. Par exemple, si l'immeuble de votre propriétaire prend feu ou subit des dommages parce que vous avez oublié une chandelle allumée, il vous sera demandé de payer pour les dommages (et peut-être même pour les blessés) occasionnés par votre négligence.

Si vous possédez des biens d'une valeur supérieure à la limite de responsabilité civile de votre assurance locataire, envisagez d'acheter de l'assurance supplémentaire sous forme de police *umbrella*.

À l'attention de propriétaires d'habitations en copropriété, de maisons de ville et de coopératives d'habitation

Ne vous fiez pas seulement sur l'assurance de la collectivité des copropriétaires! Cette «police de base» ne couvre que les parties communes, tels que le pavillon, la piscine, les cages d'escaliers et les ascenseurs. Elle ne couvre pas l'intérieur de votre unité. Vos plans de travail, vos armoires, vos appareils électroménagers, la magnifique salle de bains que vous avez fait aménager ne sont pas couverts par la «police de base». Et, bien sûr, vous devez assurer vos biens personnels. Vous avez besoin d'une police d'assurance individuelle pour protéger tout ce qui se trouve à l'intérieur de votre unité.

Vous devez aussi vous assurer que vous possédez une bonne assurance responsabilité civile. Si quelqu'un est blessé à cause d'une négligence de votre part ou si vous causez des dommages aux autres unités, vous serez amenée à payer pour les dommages. Si vous possédez des biens d'un montant supérieur à la limite de responsabilité civile de votre assurance locataire, envisagez d'acheter de l'assurance supplémentaire sous forme de police *umbrella*.

Conseils pour magasiner une assurance habitation

Si vous devez acheter une nouvelle police d'assurance ou si vous n'êtes pas satisfaite de votre police actuelle, commencez par vous adresser à l'agent qui assure votre voiture pour voir s'il offre une assurance habitation ou une assurance locataire. Très souvent, si vous souscrivez toutes vos assurances chez le même assureur, vous pouvez obtenir une réduction d'environ 20 % sur vos primes. Cependant, il est toujours bon de comparer. Demandez donc des soumissions à au moins trois assureurs différents pour voir qui vous fait la meilleure proposition.

Plan d'action :
l'assurance-vie et l'assurance habitation

Assurance-vie :
- Souscrivez une assurance-vie pour protéger les personnes qui dépendent de votre revenu.
- Procédez ou faites procéder à une analyse de vos besoins en bonne et due forme.
- Achetez une assurance temporaire selon vos besoins.
- Choisissez une police temporaire garantie et vérifiez les coûts et les termes du renouvellement.
- Pour une protection maximale, optez pour un capital-décès égal à vingt fois le montant annuel dont vos dépendants ont besoin pour couvrir les dépenses courantes.
- Désignez une fiducie personnelle entre vifs ou une fiducie testamentaire comme bénéficiaire de votre police d'assurance-vie.

Assurance habitation :

Propriétaires
- Assurez-vous que le montant assuré est indexé au coût de la vie pour refléter le coût actuel de la reconstruction de votre maison si elle était détruite.
- Vérifiez si votre limite de couverture s'entend valeur à neuf garantie ou valeur de remplacement étendue.
- Assurez-vous que vos biens sont assurés à leur valeur de remplacement. Si vous êtes assurée pour la valeur au jour du sinistre, vous devez augmenter le niveau de votre couverture.
- Vérifiez que votre police comporte une protection contre l'inflation.
- Examinez votre couverture pour frais de subsistance supplémentaires. Idéalement, vous devriez avoir une police qui vous couvre pendant le temps nécessaire à la remise en état ou à la reconstruction de votre propriété.

• Achetez une assurance additionnelle sous forme d'une police *umbrella* si la valeur de vos biens dépasse la valeur prévue par votre contrat.

Locataires

• Assurez-vous que le montant de la couverture de vos assurances responsabilité est suffisant pour couvrir les réclamations potentielles si vous deviez causer un sinistre.

• Achetez votre propre assurance. Si la valeur de vos biens personnels est supérieure au montant de garantie de votre police, achetez une assurance additionnelle sous forme d'une police *umbrella*.

Au-delà du plan :
connaissance = pouvoir = contrôle

Je tiens à vous féliciter pour tout ce que vous avez accompli au cours des cinq derniers mois. Mon objectif était de passer en revue avec vous les actions destinées à vous apporter la sécurité financière, c'est-à-dire de vous procurer une connaissance fonctionnelle des tâches quotidiennes à accomplir dans le domaine financier ainsi que des méthodes de planification vous permettant d'affronter les situations imprévues, ce qui peut soulager les sentiments d'anxiété et d'impuissance. J'espère que vous ressentez les effets de tout ce que vous avez entrepris. Vous devriez être fière, soulagée et, oui, en pleine possession de vos moyens. Pour ma part, je ressens la même chose ; je suis vraiment très enthousiaste.

Vous allez maintenant devoir affronter la vie après le programme. Je suis bien consciente que certaines d'entre vous paieront pour de bon les soldes impayés de leurs cartes de crédit, tandis que d'autres mettront plus de temps pour constituer un fonds d'épargne pour les urgences. Les investissements en vue de votre retraite vont devoir être au cœur de vos préoccupations pendant toute la durée de votre vie professionnelle. Autrement dit, je sais que le travail du programme

« Prenez le contrôle de vos finances » est loin d'être terminé, que c'est un engagement à long terme, mais j'espère que vous reconnaissez qu'à chaque étape, vous contribuez à construire une relation saine avec l'argent. Vous souvenez-vous du dysfonctionnement que j'avais mentionné dans le premier chapitre ?

Comme tout bon thérapeute pourrait vous le dire, vous ne pouvez pas modifier votre comportement en une nuit ; il faut pour cela beaucoup travailler, être déterminée et s'engager totalement à affronter les moments difficiles. J'espère que vous n'avez pas trouvé tout cela trop fastidieux et que vous avez commencé à réaliser les avantages de suivre ces directives.

Cependant, pour être honnête, je suis gênée de vous quitter sans plan d'action pour les mois à venir.

Voici donc ce que je vous suggère. Il est important que votre plan d'action des prochains mois soit construit en fonction de votre situation personnelle, à savoir, si vous êtes en couple ou célibataire, si vous possédez ou non une ou plusieurs cartes de crédit, si vous avez des enfants, etc. Si vous êtes mariée, certaines décisions, comme l'achat d'une résidence ou le montant des cotisations à votre Régime enregistré d'épargne-retraite doivent faire l'objet d'une discussion de couple car ces biens sont soumis au partage du patrimoine familial en cas de divorce, de séparation légale ou de décès. Au contraire, si vous êtes conjointe de fait, seul le conjoint qui détient les titres de propriété aura un droit sur le bien. À défaut de la bonne foi de ce dernier, vous devrez éventuellement vous engager dans des poursuites judiciaires longues et coûteuses pour faire reconnaître vos droits si vous participez au financement de ce bien. En ce qui concerne les cartes de crédit chacun des époux mariés en séparation de biens avec contrat de mariage et les conjoints de fait sont seuls responsables des dettes qu'ils ont contractées. Celles qui sont mariées en communauté de biens ou en société d'acquêts sans contrat de mariage, pourraient être tenues responsables des dettes de leur conjoint. Ce sont des éléments dont votre plan d'action doit tenir compte.

Pour vous donner une idée de ce que vous pouvez espérer, voici un ordre de priorités, en supposant que vous ayez alimenté suffisamment vos régimes de retraite lorsque néces-saire. Si votre employeur vous permet de cotiser à un REÉR collectif, les retenues à la source sur le salaire qu'il vous verse sont habituellement ajustées en conséquence. Vos cotisations au REÉR sont déductibles de votre revenu et de ce fait diminuent vos impôts payables. Utilisez le montant retenu en moins sur vos impôts pour alimenter votre compte d'urgence ou pour réduire vos dettes si votre compte d'urgence contient suffisamment d'argent pour couvrir trois mois de dépenses courantes. Si vous ne pouvez pas faire ajuster les retenues à la source effectuées par votre employeur, soyez disciplinée et utilisez le montant du remboursement d'impôt pour bâtir votre compte d'urgence ou encore pour accélérer le paiement de vos dettes.

• **Payez le solde de la carte de crédit avec le taux d'intérêt le plus élevé.** Tout argent disponible sur votre compte bancaire doit servir à régler vos factures de cartes de crédit.

• **Versez le maximum sur votre compte d'épargne pour les urgences.** Si vous travaillez encore à construire votre compte d'épargne, versez plus d'argent sur ce compte. Si vous investissez moins que la limite annuelle dans votre REÉR, augmentez votre contribution. En 2007, vous pouvez investir 18 % de votre revenu gagné jusqu'à un maximum 19 000 $ dans votre REÉR. Vous pouvez aussi augmenter vos contributions si vous avez des droits inutilisés provenant des années antérieures. Si vous voulez verser le maximum sur vos deux comptes, adoptez la technique moitié-moitié. Quel que soit le montant que vous pouvez investir chaque mois, répartissez-le par moitié sur chacun de vos comptes. Si vous investissez dans vos REÉR, faites l'exercice de calculer le montant le plus adéquat pour aller chercher le maximum d'économie d'impôts annuellement. Investissez vos économies d'impôt dans votre compte d'épargne. Ainsi vous ferez d'une pierre deux coups.

• **Épargnez pour devenir propriétaire de votre domicile.** Si vous êtes locataire et que votre objectif est de devenir propriétaire de votre domicile, créez un nouveau compte d'épargne séparé qui servira à payer l'acompte et déposez chaque mois l'argent qui vous reste dans ce compte.

Les coûts afférents au logement devraient normalement se situer à environ 30 % du revenu familial brut. Ceci inclut le paiement de l'hypothèque, des taxes municipales et scolaires.

Vous pouvez retrouver sur le site Internet de la Société canadienne d'hypothèque et de logement (SCHL) au www.cmhc-schl.gc.ca diverses informations sur l'achat d'une maison ainsi qu'un outil de calcul des mensualités hypothécaires.

Certains programmes gouvernementaux comme le Régime d'accession à la propriété (RAP) vous permettent de retirer des fonds de vos REÉR jusqu'à concurrence de 20 000 $ remboursables sur quinze ans sans conséquences fiscales immédiates pour acquérir votre première résidence ou si vous n'avez pas été propriétaire d'une telle résidence pendant au moins les cinq années précédant le retrait. Il peut sembler s'agir d'une option alléchante pour diminuer vos paiements hypothécaires mais pensez-y bien, cet accroc à votre programme d'épargne pour la retraite pourrait affecter votre niveau de vie lorsque le temps sera venu, ou bien retarder vos plans. Il faudrait vous assurer que le rendement de votre investissement sur votre résidence sera au moins aussi intéressant que l'aurait été celui de vos investissements sur votre compte enregistré d'épargne pour la retraite. De plus, il faut avoir la discipline de rembourser sur votre compte REÉR le montant annuel tel qu'il apparaît sur votre avis de cotisation d'impôt pour éviter d'avoir à inclure ce montant dans votre revenu imposable de l'année. Même si le fait d'inclure ce montant et de payer l'impôt peut vous paraître peu important, n'oubliez pas que les droits de cotisations qui s'y rattachent seront perdus à jamais. Pour plus de détails sur ce programme veuillez consulter le site Internet : www.cra-arc.gc.ca.

• **Augmentez votre REÉR.** Si vous n'avez pas de dettes sur votre carte de crédit, si votre compte d'épargne pour les urgences est en place, vous pouvez augmenter les cotisations pour votre REÉR jusqu'à la limite permise par la loi. Si vous avez des droits inutilisés des années antérieures, il serait intéressant de commencer à les utiliser. Assurez-vous toutefois de maximiser en même temps les bénéfices fiscaux que vous retirerez de votre cotisation en termes de réduction du taux d'imposition qui vous serait normalement applicable. Alors que ces stratégies sont avantageuses pour les contribuables taxés au plus haut taux, ceux qui sont dans les paliers plus bas d'imposition peuvent en retirer moins de bénéfices. La plupart des logiciels de préparation de déclaration de revenu permettent de faire des simulations pour trouver le montant idéal à investir.

• **Mettez de l'argent dans un régime d'épargne-études.** Regardez les quatre premiers points de cette liste. Tout ce qui doit être fait avant d'investir dans un régime d'épargne-études avait pour but d'atteindre votre sécurité financière : le compte d'épargne pour les urgences, les comptes de retraite, le domicile dont vous êtes vraiment propriétaire. Vous prenez soin de tous ces aspects de votre vie autant pour le bien-être de vos enfants que pour le vôtre. La réalité est que lorsque vos enfants atteindront l'âge adulte, ils auront bien assez de lourdes charges financières à supporter sans avoir besoin en plus de s'occuper de vous. Vous pouvez faire des cotisations annuelles jusqu'à concurrence de 2 500 $ par bénéficiaire et par année dans un Régime enregistré d'épargne-études (REÉÉ). Le montant investi n'est pas déductible de votre revenu imposable. Par contre, le rendement sur votre investissement s'accroîtra à l'abri de l'impôt jusqu'à ce que des retraits soient faits par le ou les bénéficiaires. Un des grands avantages du programme canadien réside dans la subvention canadienne pour l'épargne-études (SCEE). Selon le revenu familial et le montant investi, le gouvernement canadien versera une subvention correspondant à 20 % de la première tranche de 2 500 $ des cotisations versées.

▲ Vous pouvez obtenir plus de détails sur ce programme en visitant le site de l'Agence du revenu du Canada à l'adresse Internet : www.cra-arc.qc.ca.

J'espère que, dans les mois et les années à venir, vous profiterez de l'élan que vous vous êtes donné pour aller de l'avant : investir plutôt qu'épargner, devenir propriétaire plutôt que de rester locataire, connaître la sécurité financière plutôt que de ne pas vous sentir tranquille. J'espère que vous ne vous contenterez pas des connaissances que vous avez acquises, mais que vous les développerez. Parce que voici ce que je crois fermement : Connaissance = Pouvoir = Contrôle. Dans cette optique, voici la liste de ce que vous devez faire au-delà du plan :

Je serais ravie si vous...

... lisiez un magazine financier chaque mois, *Commerce*, *Fortune*, *Expert*, *L'Actualité*, *Les affaires*, *Affaires Plus* ou autres.

... achetiez une fois par mois le journal *Les affaires* ou encore la section «Votre Argent» du *Journal de Montréal* du samedi et le parcouriez. Vous n'avez pas besoin de lire les tables financières ; jetez un œil sur les articles et voyez si quelque chose accroche votre regard.

... regardiez au moins une fois par mois des émissions de télévision portant sur les finances et les investissements pour voir ce que vous pouvez apprendre. Les chroniques et l'horaire sont disponibles sur le site Internet : www.lesaffaires.tv. Surveillez les émissions et reportages susceptibles de vous intéresser sur les chaînes spécialisées comme le canal Argent.

... parliez d'argent avec vos filles et vos petites-filles et décidiez de développer ensemble vos connaissances dans ce domaine.

... fondiez un club d'investissement où vous pouvez parler librement et en apprendre davantage sur le plan financier.

... aimiez vous occuper de vos finances autant que vous aimez regarder votre émission télévisée préférée.

Bon d'accord, ceci est une liste de souhaits. Je sais que vérifier les personnes que vous avez désignées comme bénéficiaires une fois par an ne peut être comparé avec votre émission préférée, mais vous ne pouvez pas en vouloir à une femme d'espérer...

Faites-vous une promesse

Je sais que le plus facile dans la vie est l'oubli et le plus difficile est la mémoire. Après avoir cheminé ensemble pendant cinq mois, j'aimerais que vous vous fassiez une promesse : vous n'oublierez jamais comme vous vous sentiez bien chaque mois à l'idée de savoir que vous preniez de plus en plus le contrôle de votre avenir. Et souvenez-vous de ce sentiment de plénitude que vous ressentiez à la fin de chaque mois en constatant que vous aviez accompli toutes les étapes importantes vers la sécurité financière. Je sais que si vous conservez cette sensation d'accomplissement et de confiance, vous aurez toute la motivation nécessaire pour continuer le chemin – aller de l'avant ! – pendant le reste de votre vie.

Vous êtes trop forte pour revenir en arrière.

Chapitre 7
LES ENGAGEMENTS

L'objectif premier de ce livre est de soigner la relation que vous entretenez avec l'argent, ce sur quoi nous nous sommes concentrées jusqu'à maintenant. Malheureusement, vous n'êtes pas seules dans ce monde avec votre argent. Vous vous trouvez plutôt au centre d'un réseau de relations et les aborder peut être très complexe, surtout lorsqu'il est question d'argent. La grande majorité des femmes qui appellent à mon émission de télévision n'ont pas de problèmes dans le domaine des finances en soi, mais en ont plutôt dans le domaine des relations. En effet, les problèmes d'argent sont généralement un symptôme ou une conséquence de difficultés relationnelles. Dans les chapitres précédents, nous avons analysé la façon dont les femmes associent le fait de donner à une preuve d'amour, de sorte que lorsque vous aimez tellement une personne ou une cause, votre âme charitable vous pousse à donner, donner et encore donner. Vous donnez de l'argent même si cela vous oblige à puiser dans une ligne de crédit garantie par un bien immobilier, à contracter de nouvelles dettes sur vos cartes de crédit ou même à cosigner un prêt. Vous acquiescez à tout ce que l'on vous demande plutôt que de vous arrêter pour évaluer l'impact émotionnel et financier que cela aura sur vos vies.

Vous avez tendance à laisser les autres décider de vos priorités. Ils vous disent ce dont ils ont besoin, puis vous placez leurs besoins au premier plan, même si cela implique de mettre les vôtres de côté. Vous êtes plus dévouées à aider les autres qu'à vous aider vous-mêmes.

Êtes-vous l'une de ces femmes ?

• La femme consciente qu'un compte d'épargne pour les dépenses imprévues est le point central de la sécurité financière mais qui, lorsque sa sœur prend du retard pour la énième fois dans ses paiements hypothécaires, de voiture ou de carte de crédit, retire une fois de plus toutes ses économies parce qu'elle ne peut tout simplement pas s'imaginer ne pas lui venir en aide.

• La femme qui sait que la valeur de la maison qu'elle et son conjoint possèdent devrait être économisée et protégée, et non dépensée, mais qui, lorsque son conjoint traverse la crise de la quarantaine et lui annonce qu'il souhaite quitter son emploi pour démarrer une entreprise, n'a pas le cœur, ni le courage, de lui dire non.

• La femme qui sait que sa meilleure amie est un désastre financier, mais qui consent quand même à cosigner un prêt pour que son amie puisse s'acheter une voiture, ce qui signifie qu'elle finira assurément par devoir le rembourser elle-même, même si elle ne peut se le permettre.

• La fille qui envoie 500 $ par mois à ses parents afin de les aider à payer les comptes, même si cela signifie qu'elle n'aura pas suffisamment d'argent pour couvrir ses propres dépenses.

• La femme au foyer qui utilise de plus en plus fréquemment l'argent qu'elle reçoit chaque semaine pour payer les comptes et qui ne dit rien, même s'il ne lui en reste plus pour elle.

• La future mariée qui n'ose exiger un contrat de mariage ou parler d'argent avant la date du mariage parce qu'elle croit que cela brisera le charme de la relation.

• L'employée bien-aimée qui offre 25 $ chaque fois qu'on lui demande de contribuer à un cadeau de mariage, d'anniversaire ou de Noël pour une ou un collègue, même si cela cause un retard dans le paiement de ses factures.

• La mère qui continue à couvrir les erreurs de son enfant devenu adulte.

Je trouve à la fois touchant et motivant le fait que les femmes qui se trouvent dans ce type de situation reconnaissent, à un certain niveau, qu'elles font tout autant partie du problème que les personnes qui leur demandent de l'argent. Aimer quelqu'un envers qui l'on s'engage ne signifie pas que l'on doive toujours lui donner de l'argent; cela signifie simplement qu'il faut être capable de faire don de soi. Le don de soi nous ramène directement aux huit qualités d'une femme prospère; il faut être bien plus forte pour dire non par amour que pour dire oui par faiblesse. Réfléchissez à nouveau à ce concept, mesdames, puisqu'il est très important. **Il faut être bien plus forte pour dire non par amour que pour dire oui par faiblesse.** Cette idée est au cœur même de l'établissement de relations saines que l'on entretient avec son argent.

Soyez aussi engagée envers vous-même qu'envers les autres

Aussi direct et logique que cela puisse paraître, discuter avec ceux que vous aimez lorsque vous vous trouvez dans une position de pouvoir et d'honnêteté est, en réalité, probablement une des choses les plus difficiles que vous aurez à faire dans votre vie. Il est difficile de dire non à quelqu'un que l'on aime. Il est bien plus facile de gâcher ses finances en acquiesçant toujours aux demandes plutôt que de vivre avec la peur de l'effet qu'un refus pourrait avoir sur vos relations. Toutefois, comme vous le diront avec le recul toutes les femmes qui ont eu cette habitude, les décisions financières prises en vue de sauver une relation se retournent toujours contre vous. C'est pour cette raison que je reviens donc à l'idée principale qui est de s'assurer que *vous* conserviez une relation saine avec votre argent. Faites-vous ce qui est facile ou ce qui est bien?

Un exercice

Ici et maintenant, je vous demande de prendre cet engagement envers vos relations et envers vous-même. Voici ce que je veux que vous fassiez: prenez une feuille et un stylo, puis écrivez les mots suivants:

Dorénavant, lorsqu'il sera question de mon argent et de mes relations, je promets de toujours faire ce qui est bien plutôt que ce qui est facile.

Signez la feuille, inscrivez-y la date et apposez la feuille là où vous pourrez toujours la voir, que ce soit sur votre miroir, votre ordinateur ou votre tableau de bord (ou à tous ces endroits à la fois). Vous pouvez même la mettre en lieu sûr dans votre portefeuille. Avant de faire quoi que ce soit avec de l'argent, que ce soit le vôtre ou celui que vous partagez avec quelqu'un, je veux que vous vous demandiez : *est-ce que je fais cela parce que c'est la bonne chose à faire ou parce que c'est facile ?* C'est simple de dire à votre conjoint que vous allez lui prêter de l'argent que vous n'avez pas. C'est simple de laisser vos parents se trouver continuellement en difficultés financières. C'est simple d'éviter de discuter de testament ou de fiducie avec votre conjoint parce que ce dernier a peur de sa propre mort. C'est simple d'aller au centre commercial avec vos enfants pour leur acheter un autre jean qui vous coûtera 150 $. Cependant, faire ce qui est simple ne vous permettra pas d'établir une relation saine ni avec les gens ni avec l'argent.

Où vous situez-vous dans votre relation avec votre nouvel amoureux ?

Je veux commencer par un scénario de rencontre : vous rencontrez une personne merveilleuse et les choses deviennent de plus en plus « sérieuses ». Vous songez donc à emménager ensemble. Que vous ayez vingt-deux ans et souhaitiez partager un studio ou que vous ayez quarante-deux ans et emménagiez dans une belle maison dont vous êtes propriétaire, il est essentiel que vous discutiez d'argent avant que quiconque n'emménage.

De quelle façon allez-vous partager le paiement du loyer ou de l'hypothèque ou même de l'épicerie ? Qu'arrive-t-il si l'autre gagne trois fois votre salaire ?

Ce sont toutes des questions importantes, même si parler d'argent est la dernière chose qu'une femme souhaite faire. De plus, cela cause inévitablement des problèmes relationnels au bout du compte. Parlez-en maintenant et je vous garantis que vous construirez une relation plus solide.

Je sais que votre plus grande préoccupation est la façon dont vous allez partager l'espace du placard mais, ce qui devrait en fait se trouver en tête de votre liste, c'est la façon dont vous allez partager les dépenses. Il m'arrive trop souvent d'entendre des histoires de couples qui ont emménagé ensemble pour ensuite découvrir qu'ils avaient des idées complètement différentes sur la façon de partager les finances. Supposer n'est pas la voie à suivre. Avant de faire quoi que ce soit, assurez-vous de vous entendre sur la façon de partager les frais.

Ne supposez pas de façon automatique que le partage 50-50 est la meilleure solution. Qu'arrive-t-il si votre salaire est de 100 000 $ tandis que celui de votre conjoint est de 50 000 $? Est-il juste alors de tout partager en deux ?

Voici ce que vous devez faire :
• Additionnez votre salaire net à celui de votre conjoint. Vous obtiendrez ainsi le revenu de votre ménage. Maintenant, divisez le total des dépenses mensuelles par le revenu du ménage et vous obtiendrez un pourcentage. Ce pourcentage représente la contribution de chacun de vous à vos dépenses mensuelles communes. Voici un exemple : disons que votre salaire mensuel, après impôts, est de 7 000 $ et que celui de votre chéri est de 3 000 $. Le total de vos salaires nets est donc de 10 000 $. Maintenant, additionnez toutes les dépenses mensuelles liées à votre ménage. Disons que ces dépenses pour les services, le loyer, le téléphone, etc. s'élèvent à 3 000 $ par mois. Divisez le montant de vos dépenses communes, soit 3 000 $, par votre revenu net de 10 000 $ et vous obtiendrez ainsi un résultat de 30 %. Cela signifie que chacun devrait consacrer 30 % de son salaire net aux dépenses, soit 2 100 $ de votre part et 900 $ de la part de votre conjoint. En d'autres mots, il s'agit de pourcentages égaux et non de montants égaux.
• Ouvrez un compte-chèques avec votre conjoint où vous déposerez l'argent destiné à payer les dépenses du ménage. Oui, vous devez conserver votre propre compte-chèques, mais ouvrez-en un ensemble. Cela est une très bonne épreuve qui vous permettra d'évaluer vos habitudes financières. Vous savez que dès le premier mois du programme « Prenez le contrôle de

vos finances », il faut s'asseoir et payer les comptes ensemble. Donc, une semaine avant la date que vous avez établie pour payer vos comptes, vous devez tous les deux déposer votre part des dépenses mensuelles dans ce compte. Il ne faut accepter aucun oubli ni aucune excuse. En ce qui me concerne, c'est une épreuve décisive afin d'évaluer le niveau de responsabilité financière de votre amoureux et, pour lui, d'évaluer le vôtre.

Partagez vos pointages de crédit

Je dois vous dire qu'il s'agit de la façon la plus rapide et révélatrice d'évaluer le profil financier de votre futur parte- naire de vie. Je sais que cela ne me fera pas gagner un prix dans la catégorie « romantique », mais je crois fermement que toute personne qui n'est pas financièrement responsable sera, fort probablement, irresponsable sur le plan affectif dans une relation. En ce sens, si vous êtes celle qui possède des antécé-dents de crédit douteux, votre partenaire de vie est en droit de le savoir. Maintenant, si vous ou votre partenaire de vie avez un faible pointage de crédit, la relation ne sera pas nécessaire-ment un échec. Je ne vous dis pas qu'un pointage de crédit sous les 760 points est l'épreuve décisive d'une nouvelle relation. Ce que j'essaie plutôt de dire, c'est que vous devez être honnête et ouverte en ce qui a trait à votre situation financière. Finale-ment, vous devez vous soutenir mutuellement pour aller de l'avant et réparer toutes les erreurs financières commises par le passé. Un amour durable et l'engagement dépendent de la façon dont vous traversez les épreuves de la vie. Cependant, lorsque celles-ci semblent trop périlleuses et insurmontables, vous devez également avoir le courage de mettre fin à la relation, non seulement parce que celle-ci vous épuisera financièrement, mais aussi parce qu'elle vous en coûtera beaucoup sur le plan affectif.

Une téléspectatrice qui a téléphoné au cours de mon émission nous a offert un exemple vivant et frappant. Lynn est dans la quarantaine et prend soin de son père qui est âgé. Elle a réussi à prendre soin d'elle-même et de son père sans trop s'endetter. Elle est financièrement responsable, mais elle a un ami qui représente un véritable désastre financier. Il a une dette de 30 000 $ en cartes de crédit, n'a pas d'économies et fait pression sur Lynn pour qu'elle le laisse emménager avec elle. Lynn, ne sachant que faire, s'est adressée à moi. Elle n'a pas cessé de me dire qu'elle aimait son ami, mais qu'elle savait que le fait qu'il ne soit pas financièrement responsable posait un énorme problème. J'ai demandé à Lynn ce que j'ai demandé à tant de femmes qui se trouvaient dans une situation semblable : «Vous me dites que vous êtes amoureuse de lui, mais l'aimez-vous réellement ?» Normalement, cette question est suivie d'un soupir ou d'un moment de silence. Ensuite, elles me disent non. Non, elles ne les aiment pas parce qu'ils refusent d'être financièrement responsables et fiables. De plus, elles ressentent toute la pression que cette situation met sur leurs épaules et sur leur relation. Ce n'est pas un engagement qui mérite d'être tenu, c'est tout. Il a fallu quelques années à Lynn pour finalement laisser son ami. Si vous me demandez mon avis, je vous dirais qu'elle a fait le bon choix, même si cela n'a pas été facile.

Les discussions sur le mariage et l'engagement

Étant donné que les femmes, en moyenne, se marient ou vivent en union pour la première fois à un âge tardif de leur vie, il est probable que lorsque vous allez rencontrer la bonne personne, vous aurez déjà un important bagage financier sous forme de biens et de dettes. Il est également probable qu'il en sera ainsi pour votre fiancé ou votre partenaire de vie. La règle de base est que vous êtes conjointement responsables des biens accumulés, tout comme des dettes contractées pendant votre mariage. Cependant, tout ce que vous apportez n'est pas automatiquement partagé. J'ai vu tant de femmes qui ont eu à faire face à des problèmes en changeant des titres ou parce qu'elles n'ont pas clairement défini ce qui était à elles et non à eux. Si vous avez choisi de faire établir un contrat de mariage en séparation de biens, cette règle peut toutefois être contournée si vous ne cautionnez pas les dettes de votre conjoint. Par contre, ceci comporte aussi des risques si vous contribuez à payer un bien dans lequel vous ne détenez pas de titre de propriété, sous réserve bien entendu de l'application des règles sur le partage du patrimoine familial. Ce partage est basé sur la valeur des biens accumulée moins les dettes qui y sont rattachées et ne permet pas d'acquérir un droit dans le bien comme tel.

J'ai depuis longtemps une opinion très ferme à ce sujet : je crois aux contrats de mariage que ce soit en séparation de biens ou en société d'acquêts. Les règles concernant le patrimoine familial applicables aux époux mariés doivent aussi être prises en considération. Si le mariage n'est pas une option pour vous, envisagez alors des ententes de cohabitation. N'oubliez pas toutefois que selon le Code civil du Québec, les conjoints de fait n'ont aucun droit dans les biens et la succession de l'autre conjoint à moins d'avoir un testament ou une entente de cohabitation écrite et signée en bonne et due forme.

Ces documents n'ont jamais été aussi importants qu'aujourd'hui en raison du succès que connaissent les femmes dans leur carrière, succès qui profite à leurs relations. Si vous vous remariez, ce contrat devient d'autant plus important. Je ne vous suggère pas de conserver pour vous-même tout ce qui vous appartient mais, considérant tout ce qui est en jeu, il est préférable de définir clairement ce qui devrait être votre propriété unique et ce que vous croyez devoir faire partie des biens ou propriétés partagés.

▲ Sur mon site Internet, je vous suggère quelques modèles concernant les contrats de mariage. Vous pouvez également consulter le site Internet d'Éducaloi, le carrefour d'accès au droit :
www.educaloi.qc.ca/loi/conjoints_maries_ou_unis_civilement/152.

Où vous situez-vous dans votre relation avec votre conjoint ?

Il est si simple de transmettre la responsabilité des questions financières à votre conjoint. L'histoire a fait en sorte que la gestion de l'argent a toujours été perçue comme une affaire d'hommes. Pourtant, mes chères dames, nous sommes au XXIe siècle, de sorte qu'il est temps de laisser tomber cette excuse. J'ai vu bien trop de femmes tomber dans ces rôles stéréotypés parce que les choses d'argent les laissent perplexes ou ne les intéressent tout simplement pas. Être en contrôle de son destin financier nécessite que vous participiez activement en la matière, non pas seulement en payant vos comptes, mais aussi en faisant le suivi de vos investissements. Ce faisant, je crois que vous serez surprise par la façon dont cela aidera votre relation.

Permettez-moi de vous raconter encore une histoire. Lorsque j'ai décidé d'écrire ce livre, j'ai entrepris mes recherches en m'adressant notamment à plusieurs expertes et professionnelles spécialisées dans le travail des femmes. Après avoir discuté avec plusieurs d'entre elles, j'ai décidé que le moment était venu d'arrêter de poser des questions générales au sujet des femmes et de commencer à leur poser des questions personnelles concernant la façon dont elles géraient elles-mêmes leur argent. Les réponses qu'elles m'ont données m'ont surprise, c'est le moins que je puisse dire.

Une universitaire très brillante m'a avoué que son conjoint gérait leurs finances et qu'elle ne voulait tout simplement pas s'en occuper. Elle avait tenté de lire les états financiers, mais rien n'avait de sens pour elle. Elle lui faisait plutôt confiance pour s'occuper de tout.

« Donc, si j'ai bien compris, lui ai-je dit, il y a plus d'une heure que je discute avec vous au téléphone et vous pouvez m'expliquer toutes les raisons hormonales, biochimiques et psychologiques pour lesquelles les femmes se conduisent de certaines façons, mais vous ne croyez pas avoir ce qu'il faut pour comprendre les finances ? » Vous pouvez vous imaginer que je lui ai gentiment cassé les oreilles. Afin de la remercier pour le temps passé à discuter avec moi au téléphone, je lui ai offert de revoir tous ses états financiers pour qu'elle puisse s'assurer que son conjoint savait ce qu'il faisait avec leur argent. Le matin suivant, mon télécopieur s'est mis à cracher ses états financiers les uns après les autres. Ceux-ci étaient accompagnés d'une note dans laquelle la professeure expliquait que, à la suite de notre conversation, elle n'avait pas arrêté de penser à ce que je lui avais dit concernant le fait d'être en contrôle de son argent. Alors, cette nuit-là, à sa demande, son conjoint a revu avec elle tous les états financiers et lui a tout expliqué. Il était ravi qu'elle s'implique finalement et, de son côté, elle était très heureuse puisque pour la première fois, elle comprenait ce qui se passait dans sa vie financière. En fait, son conjoint avait fait un excellent travail avec son argent et je l'ai appelée pour le lui dire. Lorsqu'elle a répondu au téléphone, elle m'a dit que depuis cette nuit-là, elle sentait qu'elle entretenait une relation plus saine, tant avec son argent qu'avec son conjoint. Puisqu'elle avait franchi cette étape, il l'aimait et la respectait davantage. Elle m'a même confié que le sexe était meilleur et que, si elle avait seulement su, elle se serait impliquée par rapport à son argent bien plus tôt.

Vous voyez ce que je veux dire au sujet des gens qui me disent tout?

Si votre conjoint vous pousse depuis des années pour que vous démontriez un intérêt envers votre vie financière, il sera donc plus facile pour vous de déposer ce livre et de lui dire que vous êtes prête à devenir sa partenaire financière. Il sera sans doute ravi à l'idée que vous soyez enfin de la partie.

Une bonne façon d'entreprendre cette nouvelle étape de votre relation consiste à prendre part au programme « Prenez le contrôle de vos finances ». Vous pouvez vous en servir comme modèle afin d'apprendre ce que votre mari ou conjoint a déjà fait pour votre famille.

Considérez ce projet comme un effort de collaboration. Vous ne voulez pas lui faire passer un test, ni remettre ses choix en doute ; il est votre partenaire, votre amour, votre compagnon de vie. Il faut respecter ce lien et, si vous croyez que certaines décisions prises vont à l'encontre des recommandations faites dans le programme « Prenez le contrôle de vos finances », alors discutez-en. Ne portez aucune accusation. Il mérite autant que vous le traitement « pas de honte, pas de reproches ». J'espère que votre homme est un génie des finances et qu'il a pris toutes les bonnes décisions pour votre famille même si, très souvent, je vois des femmes prendre l'enthousiasme d'un homme envers la gestion financière pour des connaissances spécialisées. Donc, si votre homme a fait quelques erreurs, ne vous inquiétez pas. Le but est de former dorénavant une équipe capable d'apporter les ajustements financiers nécessaires.

Des problèmes à l'horizon

Maintenant, si cela fait plusieurs années que vous entretenez une relation avec quelqu'un dont la dynamique est d'être en contrôle total de l'argent, vous devez évidemment être sensible à cette attitude. Prenez le temps de lui expliquer que votre nouvelle implication dans les finances ne signifie pas qu'il doive abandonner certains pouvoirs ni que vous mettiez en doute ses capacités, mais uniquement que vous voulez être informée et impliquée ou, en d'autres mots, que vous voulez *partager* cette responsabilité avec lui. Cependant, si votre conjoint résiste, je crois que vous devez vous poser des questions au sujet de ce qui se passe réellement. Il est important que vous ayez une relation complètement ouverte au sujet de chaque cent que vous possédez ou ne possédez pas. Je vous demande de ne pas vous contenter de moins que cela.

J'espère que vous n'aurez jamais à le faire, mais si vous n'arrivez pas à obtenir la collaboration de votre conjoint et que les choses tournent mal, n'hésitez pas à consulter un professionnel compétent pour obtenir les informations importantes sur votre situation et pour vous protéger vous-même.

▲ De nombreuses publications, journaux et magazines, donnent d'excellentes informations sur les questions touchant les régimes matrimoniaux, le divorce, les services de médiation, etc. Vous pouvez aussi consulter les sites Internet de la Chambre des notaires du Québec au www.cdnq.org, du Barreau du Québec au www.barreau.qc.ca ou encore de l'Institut québécois de planification financière au www.iqpf.org, pour obtenir de l'information ou pour trouver un professionnel qualifié pour répondre à vos questions.

Les finances du ménage et la femme au foyer

Voici un engagement envers lequel les femmes se méprennent encore et toujours : les femmes au foyer perçoivent un chèque de paie comme un pouvoir. En parlant de se vendre au rabais… Savez-vous combien de fois les femmes au foyer me disent qu'elles ne savent pas comment demander de l'argent à leur conjoint pour acheter quelque chose dont la famille a besoin ou même, que Dieu me pardonne, quelque chose pour elles-mêmes ? Curieusement, elles sont souvent en charge de payer les comptes mensuels, mais ne sont pas responsables de la stratégie d'investissement à long terme de la famille. Elles remplissent les tâches ingrates et, lorsqu'il n'y a pas suffisamment d'argent pour payer les comptes mensuels, ce sont elles qui doivent se sentir coupables. Souvent, le problème réside dans le simple fait que la rentrée d'argent n'est pas suffisante pour couvrir toutes les dépenses et non que la femme au foyer n'est pas financièrement responsable.

Les femmes supportent toutefois cette dynamique. Je devine donc qu'elles ont un profond sentiment de culpabilité ou même de gratitude envers leur conjoint puisqu'il travaille alors qu'elles peuvent rester à la maison. Je veux que chaque femme actuellement au foyer ainsi que celles qui croient qu'elles vivront cette situation un jour, écoute et comprenne bien ceci: le travail d'une femme au foyer équivaut à un travail, celui de subvenir aux besoins de la famille. S'il vous plaît, lisez cette phrase à nouveau. Votre travail est aussi important, vital et nécessaire que celui de votre partenaire qui, lui, reçoit un chèque de paie. Lorsque vous êtes tous les deux sensibles à l'ampleur du travail à accomplir afin d'arriver à gérer un ménage, cela change complètement le fonctionnement des finances. Aucune femme au foyer ne devrait avoir à demander de l'argent ou à se sentir coupable d'en dépenser. Ce comportement laisse entendre que l'argent appartient «au conjoint».

Ce n'est pas son argent, ni le vôtre, car il vous appartient à tous les deux. Lorsque vous percevrez ce chèque de paie comme étant destiné aux deux, vous n'aurez plus à demander pour quoi que ce soit, n'est-ce pas?

Cela dit, vous devez alors tous les deux prendre l'engagement d'établir la façon dont votre famille pourra vivre avec un seul chèque de paie. Il est possible que vous souhaitiez être une femme au foyer, mais cela ne se traduit pas automatiquement par une situation viable sur le plan financier. Votre conjoint et vous devez travailler ensemble afin de voir ce qui a du sens pour votre famille. S'il ne vous est pas possible de vivre avec un seul salaire, ce n'est pas la faute de votre conjoint. Cela fonctionne dans les deux sens: vous devez tous les deux trouver comment cela pourra être financièrement réalisable. Il se peut que vous deviez travailler à temps partiel ou envisager de vivre dans un quartier moins dispendieux. L'idée étant qu'en tant qu'équipe, vous devez décider ensemble si vous pouvez vivre convenablement avec un seul salaire.

Si vous êtes tous les deux d'accord qu'il est financièrement possible pour un parent de rester à la maison, il faut élaborer une stratégie afin de ne jamais avoir à demander d'argent à l'autre parent. Je vous suggère que vous vous entendiez sur le fait que le montant d'argent qui restera à la fin de chaque mois, après avoir payé les comptes, financé vos économies pour votre retraite et ainsi de suite, doit être partagé de façon égale. En d'autres termes, l'argent « supplémentaire » doit être transféré dans vos comptes-chèques respectifs et que vous soyez tous les deux libres de le dépenser comme bon vous semble. Si vous n'avez pas encore de fonds d'épargne personnel, voilà l'argent qu'il vous faut pour en démarrer un. Cependant, rappelez-vous que si votre partenaire veut utiliser sa part de l'argent supplémentaire pour acheter un jouet électronique ou pour se payer un voyage de ski avec ses copains, il est libre de le faire aussi. L'objectif est de s'assurer collectivement que les obligations financières de votre ménage seront respectées, pour que vous soyez ensuite libres de dépenser ou d'économiser votre part de l'argent supplémentaire comme bon vous semble.

Maintenant, que se produit-il s'il ne reste aucun montant supplémentaire ? Vous devez alors tous les deux faire les mêmes sacrifices. Ce n'est pas parce que votre conjoint quitte la maison pour aller travailler qu'il a plus de privilèges que vous lorsqu'il est question de dépenser l'argent.

Si vous n'avez pas suffisamment d'argent pour aller au restaurant pour dîner avec vos amies, il ne devrait pas aller au restaurant avec ses collègues non plus. Vous devez donc partager le fardeau de façon égale. Souvenez-vous que celui qui rapporte le chèque de paie à la maison n'a pas le pouvoir de décider de quelle façon il sera dépensé. Vous partagez cet argent et avez le même pouvoir décisionnel. Rendez à la relation son juste pouvoir sur l'argent et ne permettez pas à l'argent d'avoir plus de pouvoir que la relation.

Les femmes en tant que soutien de famille
Les statistiques montrent que de plus en plus de femmes gagnent plus d'argent que leur conjoint, un phénomène qui

aurait été impensable pour la génération de nos mères et qui, aujourd'hui, est d'une importance telle qu'il a même fait l'objet de pages de couvertures de plusieurs revues nationales. Oui, les femmes en tant que soutien de famille sont un autre exemple de la façon dont l'histoire, à notre époque, est en train d'être réécrite. Ce changement fondamental dans notre société signifie qu'alors que les règles changent pour les femmes, elles changent aussi nécessairement pour les hommes, ce qui entraînera de nouveaux problèmes tant pour les hommes que pour les femmes. Que leur chèque de paie couvre les dépenses du ménage ou non, les hommes portent toujours sur leurs épaules le fardeau affectif et financier dévolu au rôle traditionnel de soutien de famille. Lorsque les deux conjoints travaillent et que la femme gagne plus d'argent que l'homme, je peux vous garantir que, peu importe ce qui est dit, le fait de gagner moins que sa femme affecte le sentiment de virilité chez l'homme. Il est possible qu'il dise que cela ne le dérange pas ou qu'il n'y voie aucun problème, mais faites-moi confiance, il est difficile pour un homme d'accepter que ses amis gagnent plus d'argent que lui, qu'ils aient de plus belles voitures ou de plus grandes maisons que lui, alors imaginez-vous donc à quel point il lui est difficile d'être en paix avec l'idée que sa femme reçoive un plus gros chèque de paie que lui. Il faut être un très grand homme, et très ouvert, pour être à l'aise avec ce rôle inversé.

Pourtant, ce que j'ai vu se produire à plusieurs reprises dans ce type de relation est que la femme a tendance à renier son pouvoir et à minimiser son rôle de soutien de famille.

Elle n'en parle pas et recule devant toute reconnaissance de ce fait parce qu'elle ne veut pas que son conjoint se sente mal ou « diminué ». En fait, ce type de comportement permet à l'homme de créer sa propre relation dysfonctionnelle avec l'argent! J'ai vu à plusieurs reprises des hommes dans ce genre de situation se mettre dans un pétrin financier. Dépenser de l'argent devient alors un sentiment de fierté. Ainsi, par tous les moyens nécessaires, que ce soit emprunter sur des cartes de crédit, retirer de l'argent sur une ligne de crédit garantie par les biens immobiliers ou par tout autre moyen, obtenir de l'argent afin d'en dépenser comme une personne de marque, devient tout ce qu'il y a de plus important. (Il est intéressant de voir comment les hommes au foyer ne semblent pas souffrir de ce problème. Une fois que l'homme a pris la décision de gérer le ménage, il le considère comme son travail, *son choix* d'élever les enfants plutôt que les revenus. Il est alors plus facile pour lui de se réconcilier avec lui-même et les autres.)

Quelle est la solution à ce problème? Commencer à en parler. Il faut comprendre que, peu importe ce qu'il dira, ses pensées ne sont pas en harmonie avec ses paroles ni avec ses actes. C'est votre tâche, mesdames, d'aider votre homme à réécrire l'histoire pour lui-même. Laissez-lui savoir qu'il n'est pas le seul à se sentir mal à l'aise, que vous vous êtes embarqués dans cette histoire ensemble, que vous en posez tous les deux les jalons. Ce qu'il y a de plus important et essentiel, c'est que vous compreniez tous les deux que ce changement ne se produira pas du jour au lendemain. Continuez donc à en discuter et faites la lumière sur ce problème. Parlez-en jusqu'à ce que ses pensées, sentiments, paroles et gestes, ainsi que les vôtres, soient en parfaite harmonie.

Vous et vos enfants

Savez-vous combien d'enfants adultes viennent me voir avec un mélange de colère et de tristesse au sujet de leurs parents qui les ont laissés tomber financièrement en n'étant pas honnêtes? Je parle de ces enfants qui, arrivés dans la vingtaine ou la trentaine, s'aperçoivent que leurs parents n'ont pas d'économies pour leur retraite parce qu'ils ont tout investi dans leur éducation postsecondaire ou, pire encore, parce qu'ils ont financé leur éducation à l'aide de la ligne de crédit garantie par les biens immobiliers qu'ils pensaient rembourser une fois les études de leur enfant terminées, alors qu'ils ont dû soudainement prendre une retraite anticipée et n'ont pu trouver un nouvel emploi à cinquante-cinq ans, l'âge qu'ils avaient à la fin des études de leurs enfants.

Les enfants s'inquiètent donc de savoir si leurs parents vont perdre leur maison s'ils ne peuvent rembourser leur prêt. Et où ils vivront.

Il y a aussi des étudiants universitaires qui font appel à moi car ils se retrouvent avec une dette de 3 000 $ sur leur carte de crédit. Lors de leur orientation en première année, ils ont pratiquement été bombardés d'offres de cartes de crédit alors qu'il n'y avait personne pour leur enseigner la façon dont ils devaient gérer leur compte de façon responsable. Aussi en colère que je puisse être contre les sociétés émettrices de cartes de crédit qui font des étudiants universitaires leur proie alors qu'eux n'en ont aucune idée, je crois que la responsabilité revient aux parents. Avant d'envoyer vos enfants dans le monde, vous devez leur apprendre comment être financièrement responsable. Voici ce qu'il faut :

• **Soyez honnête** avec vous-même ainsi qu'avec vos enfants. Être un bon parent ne dépend pas des dépenses faites pour vos enfants. Si vous ne pouvez pas leur acheter un jean à 150 $ ou bien le tout dernier jeu vidéo, vous devez le leur dire. Il n'est pas honnête de simplement l'acheter avec votre carte de crédit. Cela vous empêchera d'accéder à la sécurité financière, en plus de donner à vos enfants la fausse impression qu'ils peuvent avoir tout ce qu'ils veulent. Cet enfant finira malheureusement par être endetté lorsqu'il ou elle deviendra adulte puisqu'il ou elle ne saura faire mieux. Aussi, soyez honnête au sujet des paiements pour l'éducation postsecondaire de vos enfants. En ce qui me concerne, il n'y a pas de meilleure preuve d'amour pour vos enfants que de vous assurer une sécurité financière en vue de votre retraite, ce qui devrait être votre priorité. Si vous n'avez pas suffisamment d'argent afin d'économiser pour votre retraite en plus de payer les frais d'éducation postsecondaire de vos enfants, votre objectif doit alors être votre retraite. Ne vous sentez pas coupable à ce sujet et ne le cachez pas. Vous devez discuter de vos intentions avec vos enfants aussitôt qu'ils ont atteint l'école secondaire, non pas pour les effrayer ou les décourager, mais plutôt pour les motiver afin qu'ils fassent de leur mieux pour qu'ils aient les meilleures chances possibles d'être admissibles à des subventions, du soutien financier et des bourses.

Il faudra peut-être qu'ils travaillent à temps partiel afin de créer leur propre fonds d'études postsecondaires. Faites-leur savoir qu'ils devront profiter des prêts d'étude. Cela devrait être une affaire de famille. Personne ne devrait se faire de reproches, ni être gêné, de ne pouvoir donner un chèque en blanc. Votre honnêteté face à cette situation ainsi que votre capacité de respecter vos enfants en les intégrant le plus tôt possible représentent, pour moi, l'essence même d'un bon parent.

• **Transmettez votre savoir.** Votre capacité de gérer l'argent de façon responsable n'est pas innée, mais plutôt quelque chose que vous apprenez. Malheureusement, notre système d'éducation n'est pas très bon lorsqu'il est question d'enseigner les finances personnelles à nos enfants. En réalité, cela fait rarement partie du programme scolaire, de sorte que cette responsabilité revient aux parents. Vous devez enseigner et montrer à vos enfants la valeur de l'argent.

Une fois qu'un enfant atteint l'âge de douze ans environ, je crois qu'il est sage de l'impliquer dans les finances familiales. Asseyez-vous avec vos enfants lorsque vous payez les comptes, non pas afin qu'ils soient reconnaissants pour l'argent que vous fournissez, mais pour qu'ils comprennent le coût de la vie.

Voici une idée : laissez votre enfant deviner à quel montant s'élève la facture mensuelle d'électricité. Vous remarquerez alors qu'il ou elle y pensera à deux fois avant de laisser les lumières allumées ou la télévision en marche en quittant une pièce.

Une des leçons les plus importantes que vous pouvez leur apprendre est la façon de gérer les cartes de crédit. Si vous avez un pointage de crédit élevé, je vous recommande d'ajouter votre enfant, lorsqu'il atteint l'âge de quinze ans, sur un compte existant en tant qu'« utilisateur autorisé ». Cela permettra à votre enfant d'utiliser la carte de crédit alors que vous recevrez le compte. Ce faisant, vous aurez donc la possibilité de l'éduquer, d'établir les limites et ainsi de suite. Cela permet aussi à votre enfant de commencer à établir ses antécédents en matière de crédit à partir de votre propre cote de crédit personnelle, ce qui lui donnera un bon coup de pouce lorsqu'il obtiendra son diplôme universitaire.

Grâce à son haut pointage de crédit, il pourra louer un appartement plus facilement et n'aura probablement pas à faire un important dépôt d'argent lorsqu'il ouvrira un compte avec la société gazière, l'entreprise de câblodistribution, l'entreprise de télécommunication et ainsi de suite. Un bon pointage de crédit pourra aussi peser dans la balance, en sa faveur, lorsqu'il postulera pour un emploi. Il arrive souvent que les employeurs vérifient le pointage de crédit des candidats afin d'évaluer leur fiabilité générale.

Si vous n'avez pas un pointage de crédit élevé, demandez une carte de crédit garantie pour votre enfant qui sera uniquement à son nom et assurez-vous que le montant accordé soit très bas, soit d'environ 250 $. Tout comme un permis de conduire, cette carte sera un terrain d'essai où il pourra apprendre à dépenser de façon responsable, idéalement l'argent qu'il aura gagné en travaillant à temps partiel ou en effectuant des tâches ménagères supplémentaires à la maison. Et je veux vraiment dire « supplémentaire ». Je ne crois pas que l'argent de poche d'un enfant devrait être basé sur l'accomplissement de tâches ménagères de base. Il est important que vous montriez à vos enfants que certaines responsabilités sont attendues d'eux, sans qu'il y ait de motivation pécuniaire, un point c'est tout. C'est leur contribution à la famille. Au-delà de ces tâches, vous pouvez créer une allocation qui couvre celles qui sont supplémentaires. Par exemple, dresser et desservir la table est une tâche de base que les enfants doivent effectuer en tant que membres de la famille, alors que laver la vaisselle deux fois par semaine est une tâche qui leur permettra de recevoir une allocation.

Vous et vos amis ou les membres de votre famille qui sont constamment sans le sou

Une relation qui dépend de ce que vous y apportez sur le plan matériel n'est pas saine. En d'autres mots, vous pouvez être l'amie, la sœur, la cousine, etc. qui offre le plus de soutien et d'amour sans avoir à verser un cent. L'argent n'est pas le point central de quelque relation que ce soit, ni une condition préalable pour entretenir une relation. Penser autrement signifie que vous vous dévaluez ainsi que la relation, et vous savez maintenant que vous ne devez jamais vous mettre en solde !

Cependant, je sais que cela représente un autre engagement difficile pour les femmes. Vous vous sentez si coupables lorsque vous réussissez mieux financièrement qu'une amie en difficulté, que vous consentez à cosigner un prêt ou une entente de carte de crédit sans réfléchir aux conséquences que cela aura sur votre santé financière.

Il en va de même lorsqu'un frère que vous aimez et qui a déjà dû faire faillite vous appelle en disant qu'il a besoin d'un prêt de 25 000 $ pour une autre malheureuse ruse financière et que vous acceptez, même si cette somme représente toutes vos économies mises de côté pour les urgences. La même situation se présente lorsque votre cousin appelle en cherchant des investisseurs pour sa nouvelle entreprise et que vous décidez d'investir les 4 000 $ qui devaient être destinés à votre contribution annuelle à votre fonds de retraite pour l'aider à réaliser son rêve.

Sur le plan affectif, chacun de ces gestes a parfaitement du sens. Toutefois, les émotions ne permettent pas d'arriver à une sécurité financière. Il ne faut pas laisser son cœur dominer chaque décision prise dans notre vie. Il faut aussi y mettre de notre tête. Il faut trouver le juste équilibre, mais je vois si fréquemment des femmes qui laissent tout peser du côté affectif de la balance.

Une femme qui est en contact avec « les huit qualités d'une femme riche » les utilisera afin d'évaluer l'impact financier qu'aura le fait de toujours acquiescer aux demandes de ses amis et de sa famille dans le besoin. Rappelez-vous qu'il ne faut jamais donner l'argent qui mettra en péril votre sécurité financière. Si c'est votre tendance charitable qui s'emballe à nouveau, permettez-moi de répéter que vous ne pouvez donner si cela vous affaiblit.

Je prendrais deux fois plus de précautions envers quelqu'un qui a besoin de votre aide pour obtenir un prêt. Vous devez vous rendre compte que le prêteur adore distribuer de l'argent, puisque c'est de cette façon qu'il arrive à faire un profit. Alors, si un prêteur voit en votre ami ou frère quelque chose qui le rend si inquiet qu'il exige un cosignataire, vous devriez être inquiète aussi. S'il vous plaît, comprenez que lorsque vous cosignez un prêt, vous êtes entièrement d'accord pour rembourser la dette de votre ami ou du membre de votre famille si celui-ci ne peut pas le faire. Si vous ne pouvez assumer cette responsabilité, votre vie financière sera un désastre. Mes recommandations générales seraient de ne jamais cosigner un prêt ou une entente de carte de crédit pour quelqu'un qui ne peut obtenir un prêt à lui seul ou à elle seule. C'est un signe évident que cette personne a des problèmes à être financièrement responsable. De plus, votre engagement face à cette personne ne devrait pas reposer uniquement sur votre volonté d'être son filet de sécurité financière.

◆ J'aimerais que vous essayiez d'avoir du recul face aux personnes qui vous demande de l'aide financière. Si vous acceptez d'aider la personne, soyez vigilante et traitez cette situation pour ce qu'elle est réellement, c'est-à-dire une transaction financière. Je vous donne quelques conseils sur mon site Internet pour vous aider à passer des ententes raisonnables et formelles.

Il se peut que l'étape la plus difficile à franchir soit de juger si votre contribution financière représente réellement un geste de soutien. Prêter une somme d'argent à une sœur qui est très endettée parce que son conjoint refuse de trouver un emploi et puise continuellement dans leur ligne de crédit garantie n'est pas une bonne chose à faire et n'est pas une preuve de générosité, comme cela peut sembler l'être à première vue. Ce dont votre sœur a réellement besoin, c'est de votre soutien affectif afin de faire face à son mari et d'insister sur le fait qu'ils ne peuvent plus contracter des dettes les unes après les autres. Lui donner de l'argent n'aidera pas son mari à changer de comportement. En fait, cela pourra seulement lui donner une autre excuse pour lui éviter d'affronter leurs problèmes de couple. Il pourrait, en fin de compte, être d'un meilleur soutien de ne lui offrir aucune somme d'argent, du moins jusqu'à ce qu'elle entreprenne certaines démarches afin de faire face à ce qui a causé les problèmes financiers.

Vous et vos collègues

Il semble que ce soit chaque semaine l'anniversaire, le départ ou le mariage de quelqu'un et que chaque fois, vous deviez contribuer pour un montant de 25 $ à la fête ou au cadeau. Ces sommes s'additionnent assez rapidement et causent encore plus de tort lorsque vous ne pouvez pas donner cet argent. Il est cependant gênant de refuser puisque vous ne voulez pas être mise à l'écart faute de contribuer à l'équipe. C'est ici, mes amies, que vous devez rassembler tout votre courage et être honnête. Dites simplement la vérité: « Je n'ai pas suffisamment d'argent ce mois-ci pour contribuer financièrement à la fête, mais j'aimerais vous aider.» C'est ça, offrez votre aide. Soyez celle qui amasse l'argent, magasine le cadeau, fait les courses chez le boulanger ou fait circuler la carte. Vous pouvez même préparer des biscuits pour l'événement. Montrez que vous voulez offrir votre aide autrement qu'avec une somme d'argent. Vos gestes montrent que cela vous tient à cœur, ce que votre contribution financière ne fait pas.

Lorsque vos parents agissent comme des enfants

Lorsque vos parents ont toujours été responsables financièrement et qu'un événement inattendu fait en sorte qu'ils se retrouvent dans une situation où ils ont besoin d'une aide financière, je serais la première à vous dire d'aller au-delà de l'appel du devoir et d'être là pour eux. Toutefois, si vos parents refusent d'agir en adultes et ont eu de mauvaises habitudes financières toute leur vie, c'est alors une tout autre situation. Si vos parents ne cessent de vous demander une aide financière, et cela même si vous ne pouvez vous le permettre, vous devez alors vous tenir debout et leur communiquer tout l'amour que vous avez à leur offrir, mais leur dire que vous ne pouvez pas les soutenir financièrement. Vous avez un prêt hypothécaire, vous devez rembourser les prêts étudiants contractés lorsque vous étiez aux études et vous avez maintenant deux enfants à soutenir. Puisqu'ils refusent de grandir, vous refusez d'assumer leur bagage financier. Ce que vous pouvez leur offrir, c'est votre aide afin de mettre de l'ordre dans leurs finances pour qu'ils puissent se trouver dans la meilleure position possible au moment de prendre leur retraite. Il n'est pas question de les isoler, mais plutôt de leur tendre la main pour leur bien, ainsi que pour le vôtre.

Prendre soin de ses parents

Lorsqu'il est temps d'assumer le rôle de soignant aimant et attentif envers vos parents, il faut être complètement préparé. Cela signifie planifier à l'avance, puisqu'il peut être très difficile de respecter les engagements pris envers toutes les autres personnes et les choses qui faisaient partie de votre vie avant que vous preniez soin d'eux. L'unique chose qui facilitera votre vie financière et celle de vos parents est une assurance de soins de longue durée. En fait, les assurances de soins de longue durée ne sont pas uniquement destinées à vos parents, car elles sont très importantes pour toutes les femmes qui approchent l'âge de cinquante-neuf ans. L'assurance-maladie grave peut aussi être à considérer avant cet âge, vu les statistiques alarmantes sur les maladies comme le cancer chez les personnes âgées de moins de cinquante-cinq ans.

Assurance santé

Le fait que les femmes vivent plus longtemps que les hommes augmente la probabilité que vous puissiez un jour être veuves et devoir vous occuper de vous-mêmes. La triste réalité est qu'un jour vous pourriez ne plus être les femmes merveilleuses que vous étiez par le passé, prenant soin de vos parents, de vos enfants, de vos conjoints et de vos amis. Vous pourriez très bien ne même plus être capables de vous occuper de vous-mêmes. Il vous faudra alors soit aller dans une maison de retraite, soit prendre une aide à domicile. Et l'une ou l'autre de ces solutions coûte très cher.

Une police d'assurance santé ne couvrira pas ces dépenses, et l'Assurance-maladie non plus dans la majorité des cas. Alors, qui paiera pour les soins de longue durée si vous en avez besoin? Vous devrez assumer ces frais vous-même. Voilà un scénario que je voudrais vous voir éviter :

Vos parents ont travaillé toute leur vie et ont diligemment épargné pour leur retraite. Ils disposent d'environ 400 000 $ dans leur compte d'épargne-retraite, ils sont propriétaires de leur maison et ils reçoivent tous les deux la rente de retraite du Régime de rentes du Québec. Tout se passe bien, jusqu'à ce que votre père tombe malade et doive recevoir des soins professionnels qui coûtent environ 5 000 $ par mois. Pour pouvoir faire face à cette situation, votre mère finit par retirer 100 000 $ par an de leur compte d'épargne-retraite.

Quatre ans plus tard, votre père décède. Durant ces quatre années, votre mère a pratiquement dépensé tout l'argent du compte d'épargne et elle ne peut désormais compter que sur les prestations qu'elle reçoit du Régime des rentes du Québec. Même si vous l'aidez au mieux de vos possibilités, votre mère a de la difficulté à faire face à ses obligations financières pendant la période que l'on appelle l'âge d'or. Tout ceci aurait pu être évité si vous aviez souscrit une assurance santé à long terme pour eux.

Les sites Internet des sociétés d'assurances contiennent des informations sur ces produits, leurs principales caractéristiques et la façon de se les procurer. Certaines permettent même de les souscrire en ligne.

Vous et votre professionnel de la finance ?

Entreprendre une relation avec un professionnel de la finance sera un des plus importants engagements que vous pourrez prendre. Si vous choisissez cette voie, je vous demande de demeurer vigilante afin de faire ce qui est bien plutôt que ce qui est facile. Il n'est jamais facile de revoir vos états financiers et il *est* facile de suivre aveuglément l'avis de votre conseiller, mais ce n'est pas la bonne chose à faire. De plus, il ne faut pas oublier l'engagement pris envers vous-même. Alors, lorsque vous travaillez avec un professionnel de la finance, il est important de demeurer vigilante et complètement impliquée. Cependant, la clé est de trouver un conseiller à la hauteur de votre engagement.

Ce qu'il faut chercher chez un professionnel de la finance ?

D'abord, je veux que vous sachiez qu'à peu près n'importe qui peut se donner le titre de conseiller financier. En effet, nombreux prétendus conseillers ne sont que des vendeurs qui s'habillent de façon à vous en mettre plein la vue. Cela, je le sais par expérience. Souvenez-vous que j'ai entrepris ma carrière en tant que « conseillère financière » pour une importante société de courtage en 1980. J'ai passé la majorité de ma formation à apprendre comment vendre les investissements qu'ils voulaient que je vende. Vous savez ce qu'ils m'ont appris ? Plutôt que de vous appeler pour savoir si vous vouliez acheter 100 actions, je devais vous appeler pour savoir si vous vouliez acheter 100 ou 200 actions. Quelle est la différence ?

Si je vous posais la première question, vous pouviez tout simplement me répondre non et alors, que pouvais-je dire de plus ? Cependant, vous ne pouvez répondre par oui ou par non à la deuxième question. Voyez-vous ce que je veux dire ?

Même si vous envisagez de faire affaire avec un conseiller qui vous est hautement recommandé par un ami, je dois vous demander : est-ce qu'il comprend réellement ce qu'il fait avec son argent ? Êtes-vous certaine que cet ami ne s'est pas fait rouler ? Tout professionnel de la finance avec qui vous faites affaire doit répondre aux questions suivantes.

• Depuis combien de temps exercez-vous cette profession ? L'expérience est un facteur important. Il doit exercer cette profession depuis au moins dix ans. Assurez-vous que la personne qui vous fait des recommandations a traversé des moments forts et faibles dans l'économie.
• Quels certificats, permis ou accréditations possédez-vous ? Votre conseiller doit posséder un permis afin de vous offrir ses conseils. Personne, et j'insiste bien sur *personne*, ne devrait offrir ses conseils financiers de quelque façon, ordre ou forme que ce soit, si il ou elle ne possède pas les titres de compétences nécessaires. Au Québec, votre conseiller possèdera au moins l'un ou plusieurs des certificats ou permis suivants :

• Planificateur financier (Pl. Fin.).
• Assureur-vie certifié (A.V.C.).
• Assureur-vie agréé (A.V.A.).
• Conseiller en épargne collective.
• Conseiller en valeurs mobilières.

Par contre, il est important de noter que malgré leur apparence très noble, les titres suivants : « planificateur financier agréé (P.F.A.) », « planificateur financier certifié (P.F.C.) », « conseiller financier », « consultant financier », « gestionnaire de patrimoine privé (G.P.P.)» sont formellement interdits d'usage par quiconque par la loi du Québec.

Un mot sur les titres de compétences

Si vous êtes à la recherche de quelqu'un qui pourra vous aider dans tous les secteurs de votre vie financière, cela va des assurances jusqu'aux impôts et à la planification successorale, ainsi que de la planification pour la retraite aux investissements, je veux que vous travailliez avec un conseiller qui est un PLANIFICATEUR FINANCIER (Pl. fin.). Quelqu'un qui a pris le temps de faire ses devoirs et de compléter ses examens afin d'obtenir son titre de planificateur financier doit aussi obtenir des crédits de formation continue afin de conserver son titre à jour.

Les frais liés aux services d'un planificateur financier

Il y a très peu de planificateurs financiers qui touchent des honoraires sauf s'ils sont notaire, avocats ou comptables de formation. Le conseil en matière de placement et d'assurance n'est pas leur force. La plupart des planificateurs financiers compétents dans ce domaine sont soit des salariés à la solde des grandes institutions financières, banques, compagnies d'assurances, gestion privée etc, soit des courtiers indépendants qui travaillent à commission.

S'il vous dit que seule une commission vous sera facturée, ne travaillez pas avec lui. Pourquoi voudriez-vous travailler avec un planificateur qui reçoit une compensation uniquement lorsque vous achetez ou vendez ce qu'il vous dit de vendre ou d'acheter? Dans ce cas, il gagnera de l'argent même si vous n'en gagnez pas.

Si vous faites affaire avec un planificateur qui vous facture un taux horaire pour les conseils qu'il vous a donnés, cela pourrait facilement vous coûter 1 000 $ ou plus. Voilà pourquoi je vous recommande de faire affaire avec un planificateur financier uniquement si vous pouvez investir 50 000 $ ou plus. Si vous croyez qu'il vous en coûtera moins de faire appel à un conseiller qui vous facturera uniquement une commission, je vous assure que dans la plupart des cas, cela vous en coûtera beaucoup plus.

Mettons que vous avez un montant de 50 000 $ à investir et que votre planificateur financier fait une combinaison d'investissements pour lesquels vous devrez, en moyenne, payer une commission de 5 %. Cela représente une commission de 2 500 $, donc bien plus que si vous aviez payé 1 000 $ pour faire ce que l'on vous dit de faire.

Si vous avez suffisamment d'argent, généralement 50 000 $ ou plus, vous pouvez faire appel à un gestionnaire de portefeuille ou à un conseiller en placements inscrit. Ils vous factureront généralement un pourcentage du montant déposé auprès d'eux. Vous ne devriez jamais payer plus de 1 %.

Si vous faites affaire avec un représentant qui vous facture des frais annuels, assurez-vous d'en avoir pour votre argent. Je crois que votre argent devrait être investi dans des titres particuliers ou dans des fonds communs de placement qui soient économiques. Ce n'est pas une bonne nouvelle si vous devez payer à quiconque des frais annuels pour qu'il investisse votre argent dans des fonds communs de placement auxquels sont rattachés d'énormes frais financiers ainsi que des pourcentages de frais généraux élevés. Au bout du compte, les frais que vous aurez à payer seront trop élevés. Si des fonds communs de placement vous sont suggérés, cela devrait être dans des sociétés de fonds communs de placement sans frais ou des fonds cotés en Bourse (FCB) ayant de faibles pourcentages de frais généraux.

Pas si vite — Encore quelques questions

Si vous avez été référée, la personne qui vous a référée va-t-elle toucher une commission ?	La réponse devrait être un retentissant NON
Ce professionnel fait-il l'objet d'une poursuite judiciaire qui a trait à ses conseils financiers ? A-t-il déjà fait l'objet de poursuite ?	De nouveau, la réponse devrait être NON. Si ce n'est pas le cas, demandez-lui des explications.
Ce professionnel a-t-il déjà fait l'objet de sanctions disciplinaires ?	Encore NON. Mais s'il répond par l'affirmative, demandez-lui des explications.

Quelle est son expérience ?	Vous désirez entendre qu'il peut vous conseiller dans tous les domaines financiers, aussi bien sur la façon de gérer son patrimoine que sur le moyen de se sortir de ses dettes.
Recevrez-vous un suivi trimestriel de vos comptes et un rapport annuel ?	La réponse devra être OUI.
Ces rapports feront-ils apparaître le véritable taux de rendement net de vos investissements de l'année ?	Encore OUI !
Vous a-t-il déjà demandé de faire un chèque à son nom pour l'argent que vous voulez investir ?	NON, NON, NON. Pour l'argent que vous voulez investir, vous ne devez jamais établir un chèque au nom d'une personne. Cet argent doit être investi sur votre compte. Ne donnez jamais d'argent à une personne. Il peut arriver qu'on vous demande de faire un chèque pour des questions d'administration interne. Ce chèque devrait être établi « en fiducie » avec la mention ou une référence à votre compte auprès du professionnelle ou de l'institution qu'il représente.
Vous a-t-il posé des questions au sujet de vos dettes ?	La réponse devrait être OUI.
Vous a-t-il demandé si vous aviez un testament, un mandat en prévision de l'inaptitude ou une fiducie ?	Encore une fois OUI.

Vous a-t-il posé des questions au sujet de votre santé?	OUI une fois de plus.
Vous a-t-il demandé si vous envisagiez d'acheter une maison ou vous a-t-il posé des questions au sujet de votre prêt hypothécaire si vous en avez déjà une?	OUI
Vous a-t-il posé des questions au sujet de vos enfants?	OUI
Vous a-t-il questionnée au sujet de la stabilité de votre emploi?	OUI
Vous a-t-il demandé si vous aviez peur d'investir? Quel montant vous étiez prête à perdre?	Il devrait vous avoir posé ces deux questions et vous avoir fait remplir un questionnaire d'analyse de votre tolérance aux risques.
Vous a-t-il demandé si vous viviez une relation stable?	La réponse devrait être OUI, car il est important qu'il le sache.

Est-il venu vous rencontrer ?	La coutume au Canada est de se déplacer pour rencontrer le client, c'est habituellement le client qui choisit s'il vient au bureau ou si le professionnel se déplace quand la personne avec qui il fait affaires est un courtier indépendant. En ce qui concerne les grandes institutions, pour des raisons d'économie, elles ne fournissent plus de bureau fermé à leurs représentants, ils ont accès à des salles d'entrevue pour rencontrer les clients Cette recommandation est un peu hors contexte actuellement. Je ne crois pas que ce conseil soit approprié dans les circonstances surtout qu'il peut résulter à se priver des services de personnes très compétentes
Son bureau est-il bien rangé ?	Il devrait l'être. Souvenez-vous, si un planificateur est mal organisé, cela pourrait être le reflet de la façon dont votre argent sera géré.
Avez-vous apprécié son personnel ?	Vous devriez apprécier toutes les personnes qui vont travailler avec vous.
A-t-il exigé que vous veniez avec votre conjoint ?	OUI. Un bon conseiller ne voudrait jamais vous rencontrer seule si vous vivez en couple.
Les explications qu'il vous a données étaient-elles claires ?	La réponse doit être OUI.

A-t-il essayé de vous vendre une police d'assurance-vie de quelque sorte?	La loi exige qu'une analyse complète des besoins du client soit faite y compris ses besoins en assurance au décès. Plusieurs assureurs-vie et conseillers en valeurs mobilières des plus sérieux et compétents qui sont aussi planificateur financier, obligent même le client à signer une décharge à leur égard si l'analyse des besoins démontre un besoins en assurance et que le client refuse de la souscrire à ce moment.

Faire une promesse

Promettez-moi que si vous décidez de faire affaire avec un planificateur financier, vous resterez impliquée par rapport à votre argent. Souvenez-vous que le planificateur le plus talentueux, celui animé des meilleures intentions, ne sera jamais aussi intimement et passionnément lié à la croissance de votre investissement et aux soins portés à votre argent que cette femme que vous voyez lorsque vous vous regardez dans le miroir. Le plus grand engagement que vous prenez doit être envers vous-même et c'est là que ce livre veut vous mener. Regardez cette femme dans le miroir, dites son nom et faites-lui la promesse de prendre soin d'elle avec tout votre cœur et votre âme. Elle mérite plus que tout votre engagement.

Chapitre 8
DITES VOTRE NOM

Ce livre se termine et nous approchons du moment où vous allez prendre votre essor et évoluer dans votre nouvel environnement financier. J'aimerais que ce soit pour vous un moment de célébration. J'aimerais que vous rendiez honneur à la personne que vous êtes et que vous vous présentiez aux yeux du monde entier. Accordez-vous le mérite de ce que vous êtes, de ce que vous croyez, de ce que vous avez réussi et de tout ce que vous espérez accomplir. Mais, avant que vous ne partiez, j'ai une dernière leçon à partager avec vous.

Au cours de mes conférences à travers le pays réunissant des groupes de femmes, j'ai remarqué quelque chose de très révélateur. À un moment donné de l'événement, l'organisateur prend la parole pour remercier quelques femmes présentes dans la salle pour leur engagement et leur soutien durant les dernières années. Il leur demande de se lever à l'énoncé de leur nom et l'auditoire applaudit. Immanquablement, je vois ces femmes se mettre debout… enfin, presque debout; elles se soulèvent à peine de leur siège et se rassoient si vite que, si vous clignez des yeux au même moment, vous ne les voyez même pas. Elles veulent se rendre aussi transparentes que possible.

Arrêtez d'applaudir! Elles ne peuvent concevoir l'idée de se tenir debout pour recevoir les remerciements et la reconnaissance qu'elles méritent.

Est-ce l'humilité qui rend les femmes si timides et si gênées quand leur nom est prononcé à haute voix?

Je dois dire qu'à mon avis, ce n'est pas de l'humilité, mais plutôt de l'humiliation. Vous vous insultez vous-même et vos efforts quand vous ne reconnaissez pas vos accomplissements et par-là même, votre force. C'est tout le contraire de l'attitude d'une femme prospère. Mesdames, vous n'avez pas parcouru toutes les étapes de ce livre pour permettre à ce mauvais trait de persister. Je vais vous aider à briser cette habitude, car elle est plus nocive et beaucoup plus dommageable pour votre moi profond que vous ne voulez bien le penser.

Que représente un nom?

Réfléchissez bien. Quand je demande à des femmes de me dire leur nom, savez-vous ce qu'elles me répondent? Elles me disent, quel nom? Mon nom de jeune fille, mon nom de femme mariée ou mon nom de femme divorcée? Quand ma mère s'est mariée, elle est devenue madame Morris Orman. Où sont passés son prénom et son nom de famille? Ils ont disparu pour toujours, simplement pour avoir prononcé quelques vœux. Mon père est mort depuis plus de vingt-cinq ans et ma mère continue de recevoir du courrier adressé à madame Morris Orman. Mon père n'a jamais eu à se préoccuper de savoir s'il allait garder son nom de famille ou le changer pour prendre celui de sa femme ou encore porter les deux noms de famille unis par un trait d'union. Les hommes n'ont jamais eu à s'inquiéter pour cela, mais, encore de nos jours, c'est une question qui se pose à toutes les femmes, jeunes ou moins jeunes, qui sont sur le point de se marier ou de se remarier. Certaines nostalgiques sont même mécontentes d'apprendre que l'article 5 du Code civil du Québec les oblige à exercer leurs droits civils sous le nom qui leur est attribué et qui est consigné sur leur **acte de naissance**. Elles n'ont donc qu'un seul nom légal tout au long de leur vie, soit celui qui leur a été attribué à leur naissance par leur père ou leur mère ou les deux et ne peuvent en changer sans l'accord du tribunal.

En ce qui me concerne, je ne pensais pas que mon nom avait de l'importance. Mon nom de naissance est Susan Lynn Orman, mais, pour ma famille et mes amis, j'étais Susie. Je pensais alors que Susie était un prénom simple, qui ne reflétait pas mon esprit aventureux. Je voulais être différente. J'aurais aimé changer mon prénom, mais je ne voulais pas blesser ma mère. Quand j'étais à l'université, j'ai élaboré un plan pour changer la façon d'écrire mon prénom. Je pensais que SUZE était cool et différent, et surtout, que ma mère ne l'apprendrait jamais, car quand verrait-elle mon nom écrit? *Qui l'aurait cru?* Jusqu'à ce jour, elle ne m'a jamais demandé pourquoi j'ai changé la façon d'écrire mon prénom, parce que pour elle je serai toujours sa Susie.

Don't you love that?

Mais le temps a toujours une façon de ramener les choses là où elles ont commencé. Laissez-moi vous expliquer. Au moment où j'écris ces lignes, ma mère a quatre-vingt-dix ans et vit depuis quelques années dans une résidence pour personnes âgées autonomes. Chaque fois que je vais la voir, elle me présente aux autres personnes comme étant sa fille, puis elle leur dit ce que je fais d'un ton rempli de fierté, comme si elle pensait que c'est ce qu'il importe de savoir à mon sujet. Ses amis me regardent alors et me demandent « Et quel est votre nom? » Mais, lorsque ma mère me présente ses amis, elle ne me dit pas quels métiers ils ont exercés, elle les présente tout simplement par leur nom. « Suze, voici Anne Travis et voici Thelma Notkin. » Il vient clairement un temps dans notre vie où ce que nous avons et ce que nous avons fait n'intéresse plus personne. La seule chose qui importe, c'est votre nom.

Pensez-vous: *c'est une belle histoire, Suze, mais qu'est-ce que ça a à voir avec* Les femmes & l'argent? Pourquoi le dernier chapitre de ce livre s'intitule-t-il « Dites votre nom »?

Je pense qu'il y a quelque chose de très fort dans le fait de prononcer votre nom. J'irais même jusqu'à dire que c'est une façon symbolique d'exprimer votre force intérieure. Je crois que, tant que vous ne pourrez pas prononcer votre nom avec fierté, en affirmant ce que vous êtes et ce que votre nom représente, vous ne serez pas la femme forte que je voudrais vous voir devenir. Et je ne voudrais pas vous voir attendre d'avoir quatre-vingt-dix ans pour le faire.

Il est temps maintenant de prononcer votre nom : un exercice

Quel nom voulez-vous présenter comme étant le vôtre ? Votre nom de jeune fille ou votre nom de femme mariée ? C'est à vous de décider, mais ce doit être votre nom complet, pas seulement votre prénom. Puis, je vous demande de faire quelque chose que vous n'avez certainement jamais fait de toute votre vie. Placez-vous devant un miroir et, tout en vous regardant, prononcez votre nom, votre nom complet. Observez votre visage et écoutez votre voix en le prononçant. Prenez conscience de votre corps en le disant. Allez-y, essayez !

Pendant que vous prononcez votre nom, je veux que vous soyez attentive à ce que vous ressentez. Vous sentez-vous intimidée ? Vous sentez-vous ridicule ? Avez-vous du mal à ne pas rire ? Que dit votre langage corporel ? Voulez-vous couvrir votre visage ou enrouler vos bras autour de vous pour vous faire plus petite ? Ou vous redressez-vous, avec la tête bien droite ? Ou peut-être avez-vous croisé les bras d'un air défensif. Vous sentez-vous forte et puissante ? Hum, je suppose que ce n'est pas le cas.

Je vous demande maintenant de vous rappeler des huit qualités que doit posséder une femme riche. Vous souvenez-vous du courage qu'il faut pour être en accord avec vous-même ? Souvenez-vous que vos pensées, vos sentiments, vos mots et vos actes ne devraient faire qu'un. Sont-ils en harmonie quand vous parlez de vous ? Que pensez-vous et que faites-vous quand vous prononcez votre nom ?

Maintenant, éloignez-vous un peu de votre miroir. Je vais vous demander de recommencer, mais cette fois, en vous imaginant sur une scène vous adressant à 30 000 personnes qui attendent d'entendre ce que vous allez dire. Je veux que vous sachiez qu'elles sont venues pour entendre ce que vous avez à leur dire. Elles ont payé une grosse somme pour pouvoir être présentes et elles sont venues uniquement pour vous.

Je vais vous demander de regarder dans le miroir et, avec tout le soutien et l'amour des 30 000 personnes assises devant vous, de vous présenter avec une force que vous n'avez jamais ressentie auparavant. Je vous demande de leur dire qui vous êtes. Ce que vous voulez qu'elles sachent à votre sujet. Prenez quelques minutes pour y penser puis, quand vous êtes prête, exprimez-vous en regardant dans le miroir.

Je veux que vous sentiez votre force. Je veux que vous sachiez ce que vous ressentez lorsque vous vous présentez avec confiance et clarté. Je veux que vous appréciiez ce que vous ressentez en prononçant votre nom comme si le monde entier voulait savoir qui vous êtes et ce que vous êtes.

Faites-le, je vous en prie. Ne vous dérobez pas, et même si la seule chose que vous prononcez aujourd'hui est votre nom, je veux que vous le fassiez avec toute la force qui dort en vous. Recommencez encore et encore jusqu'à ce que vous puissiez vous regarder dans les yeux et prononcer votre nom sans faillir et sans vous excuser.

Je veux que vous compreniez que le simple fait de prononcer votre nom est un acte de puissance.

Trouvez la force de contrôler votre destin

Voici ce que je crois du fond de mon cœur et de mon âme : celle que vous êtes déterminera toujours ce que vous avez dans cette vie. Le but de ce livre – et de tout mon parcours professionnel – est de vous en convaincre. Celle que vous êtes est à la base de tout. Si vous voulez trouver la force de contrôler votre destin, il n'y a pas d'autre moyen d'y arriver.

Nous vivons encore dans une époque remplie d'obstacles à surmonter simplement à cause de notre sexe. Mais, aucun obstacle n'est insurmontable et ils ne doivent pas vous détourner de votre route.

Est-ce facile ? Tout dépend de la façon dont vous le voyez. Il vous appartient de rendre ce voyage difficile ou de l'aborder avec tout le courage et la détermination qu'une femme forte possède au fond d'elle-même, et soudain, vous verrez que ce n'est pas si difficile après tout. À votre grande surprise, vous pourriez même réaliser que c'est très facile.

Cependant, il y a toujours des moments difficiles dans la vie. Quand vous traverserez de tels moments, je vous demande, comme toujours, de consulter encore une fois « les huit qualités d'une femme riche ».

Souvenez-vous de rassembler votre courage et de faire taire vos peurs.

Souvenez-vous de rester concentrée sur votre objectif, sur ce que vous voulez réellement accomplir, quoi que les autres disent ou fassent pour vous en dissuader. Continuez d'avancer.

Souvenez-vous de vous impliquer dans vos finances, d'entretenir une saine relation avec l'argent, car ce qui arrive à votre argent affecte la qualité de votre vie et de celle de vos proches.

Souvenez-vous de toujours faire ce qui est juste plutôt que ce qui est facile et de ne jamais vous sous-estimer, parce que vous méritez mieux.

Enfin, je vous demande de regarder droit dans les yeux toutes les personnes que vous rencontrez et, avec la force et la puissance de toutes les femmes qui ont existé, qui existent et qui existeront, OSEZ PRONONCER VOTRE NOM.

Et je suis,
SUZE ORMAN

La production du titre *Les femmes & l'argent* sur 5 184 lb de papier Silva Enviro 120M plutôt que sur du papier vierge aide l'environnement des façons suivantes :

Arbres sauvés : 44
Évite la production de déchets solides de 1 270 kg
Réduit la quantité d'eau utilisée de 120 144 L
Réduit les matières en suspension dans l'eau de 8 kg
Réduit les émissions atmosphériques de 2 789 kg
Réduit la consommation de gaz naturel de 181 m^3

Marquis imprimeur inc.

Québec, Canada
2007